Владимир Познер

Владимир Познер

Тур де Франс
Их Италия

АСТ
Москва

УДК 908(4)
ББК 26.89 (4)
П47

Познер В.В.

П47 Тур де Франс. Их Италия /Владимир Познер. – Москва: АСТ, 2014. – 512с.

ISBN 978-5-17-084509-5

В этой книге собраны фактически три путешествия Владимира Познера – тур во Францию, прогулка по ИХ Италии и приключение-головоломка в Германии. Третья часть не совсем обычная – это не текст, DVD-диск с полной версией программы, которая стала самой обсуждаемой, самой острой из всех страноведческих программ нашего телевидения.

УДК 908(4)
ББК 26.89 (4)

ISBN 978-5-17-084509-5

ТУР ДЕ ФРАНС

Путешествие по Франции с Иваном Ургантом

Содержание

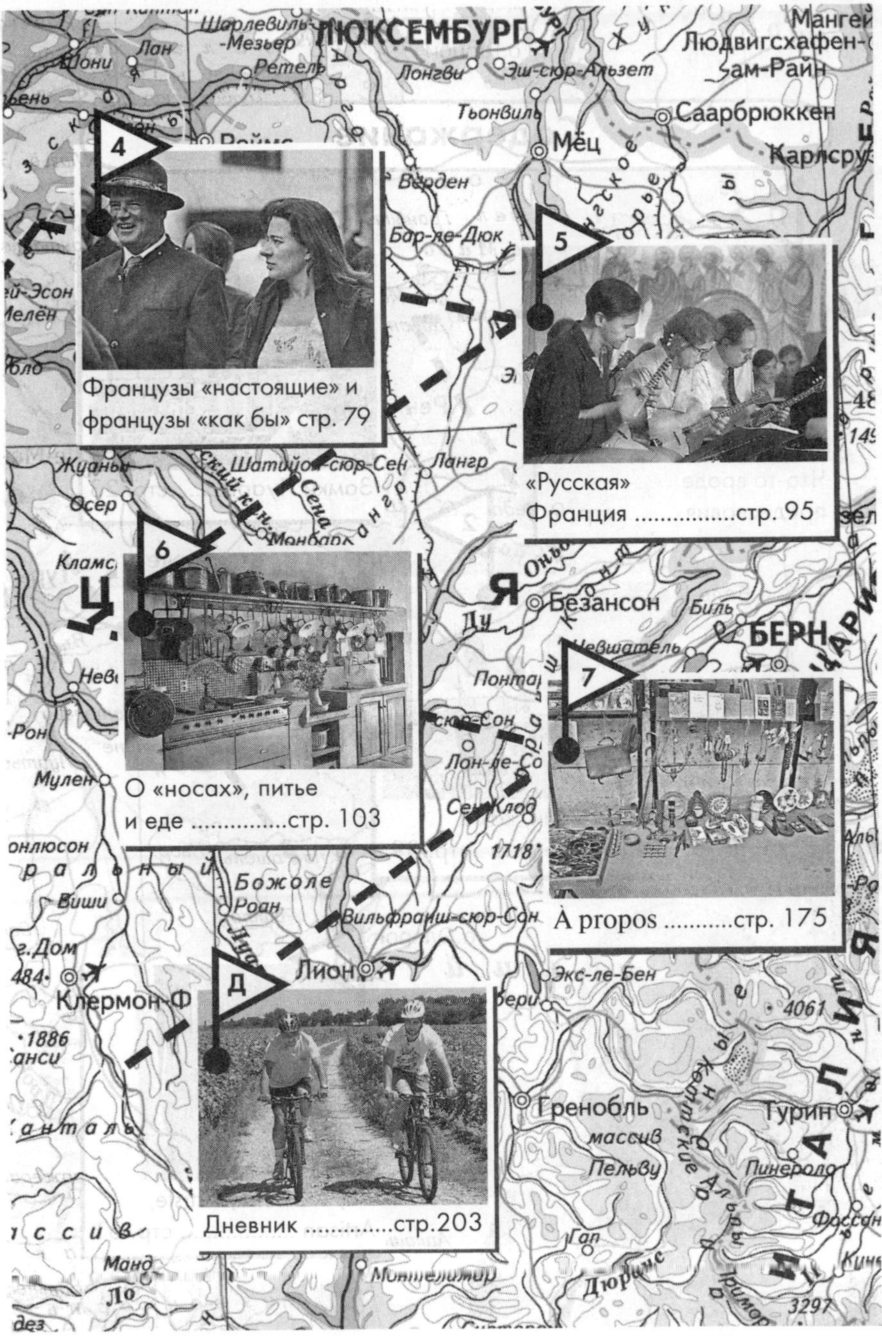
ЛЮКСЕМБУРГ
Людвигсхафен-
ам-Райн
Шарлевиль-Мезьер
Лан
Шони
Ретель
Лонгви
Эш-сюр-Альзет
Тьонвиль
Саарбрюккен
Мец
Верден
Бар-ле-Дюк
Жуаньи
Осер
Шатийон-сюр-Сен
Лангр
Сена
Безансон
Биль
БЕРН
Ду
Понтар
Лон-ле-Со
Мулен
Виши
Роан
Божоле
Вильфранш-сюр-Сон
Лион
Экс-ле-Бен
Клермон-Ф
Гренобль
массив
Пельву
Турин
Пинероло
Гап
Монтелимар
Манд
1886
1718
4061
3297
4
5
6
7
Д

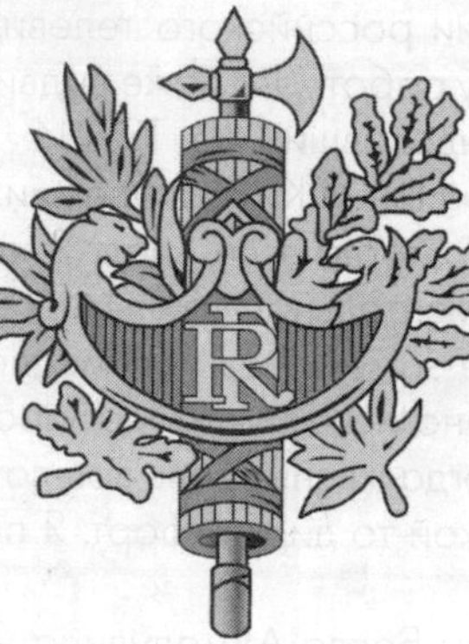

Что-то вроде предисловия

Когда в 2006 году я и мои товарищи приступали к подготовительной работе по съемкам фильма «Одноэтажная Америка», я не знал ровно ничего. Получится или не получится? Покажут или не покажут? Буду ли доволен результатом я сам?

Фильм вышел на экране Первого канала в 2008 году и прошел с большим успехом, хотя приняли его далеко не все. Мои коллеги по Академии российского телевидения возможным не только наградить эту работу, но даже выдвинуть ее в состав трех финалистов, претендовавших на ТЭФИ. Но была и радость: фильм был удостоен НИКИ Киноакадемии.

И все же одного тогда я не знал. Я не знал, что сам процесс создания документального фильма – это нечто, похожее на наркотик. Ты сам не замечаешь, как медленно-медленно западаешь на это, как оно исподтишка забирает тебя. И вот, когда все было позади, когда жизнь вновь вошла в привычное русло, я стал испытывать какой-то дискомфорт. Я понял, что мне чего-то не хватает.

Помню, однажды Белла Ахмадулина назвала свою работу «сладостной мукой». Так можно сказать о любом творчестве. В том мука, что, как бы ты ни старался, ты никогда не достигнешь того, к чему стремился; сладость же – в самом стремлении. Испытав однажды это чувство, ты вновь и вновь ищешь встречи с ним.

Документальный фильм «Тур де Франс» не планировался: уж больно тяжело далась «Одноэтажная...», слишком уж много она забрала сил. Но сколько было радости, сколько было счастья!

Был, конечно, и еще один момент. Для меня работа над «Одноэтажной...» была своего рода «трудом любовным». И не только потому, что Америка для меня родная страна, нежно любимая. И не только потому, что мне так хотелось показать россиянам **мою** Америку, столь разительно отличащуюся от той, которую обычно показывают по нашему телевидению, которую описывают на страницах газет, журналов и книг, которую иные шельмуют с эстрады. Но еще и потому, что я давно, почти тридцать лет, мечтал повторить путешествие Ильи Ильфа и Евгения Петрова, авторов одной из лучших книг, когда-либо написанных об этой стране, «Одноэтажной Америки».

Но ведь родился-то я не в Америке, а во Франции! Моя мать была француженкой, дома мы говорили только по-французски, да и весь уклад был французским. Я люблю Францию ничуть не меньше, чем Америку, и пусть в России антиамериканизма на порядок больше, чем франкофобии, мне было важно средствами документального кино заставить российского зрителя увидеть Францию не внутри ходульной схемы «бонжур-тужур-лямур», а реальной, прекрасной и желанной.

Сейчас, когда я пишу эти слова, фильм находится в стадии монтажа. И я вновь не знаю – получится или нет? Но вы, взяв в руки эту книгу, уже знаете ответ на этот вопрос. И значит, вам виднее.

Последует ли за «Туром...» еще один фильм?

Кто знает?..

QUI ИЗ КТО И КТО ИЗ QUI

Все понимают, что фильм – это дело коллективное. Авторы книг считают необходимым предварять свои произведения благодарственным списком, иногда коротким, а чаще очень нудным и длинным. Я неизменно задаюсь вопросом, читая перечисления этих фамилий: а кто это, а кто этот имярек? Как он или, может, она выглядит? Какой у него или у нее характер? А ведь это несправедливо: если человек так сильно помог тебе, что ты счел необходимым публично и печатно признаться в этом, то можно было бы и рассказать о нем чуть-чуть.

Одному, будь ты хоть семи пядей во лбу, кино не сделать. Поэтому я хочу представить вам, читателям, всю нашу команду в алфавитном порядке. И представить не в виде списка фамилий, которые никому ничего не скажут, а как реальных людей. Итак...

Олег БРАУН – водитель второй части поездки (сентябрь–октябрь 2009 г.). Сам из Воронежа, музыкант, то ли басист, то ли ударник – не помню. Там познакомился с француженкой. Поженились, переехали во Францию. Сделал своей жене четырех сыновей. Поскольку она работала, а он – нет, был домохозяином. Человек немногословный, курящий, рукастый, услужливый, читающий. Не очень общительный. Вроде как непьющий. Не проявлял почти никакого интереса к тому, что мы делали. Когда мы уходили на съемки, все время оставался в машине, хотя его звали. Внешне довольно симпатичный – высокий, хорошо сложен, брюнет. У нас создалось впечатление, будто за все время поездки не сменил ни брюк, ни обуви, ни рубашки. Может, у него было несколько совершенно одинаковых комплектов. В работе безотказен и точен. Фамилия Браун – от поволжских немцев-предков.

Робен ДИМЭ (**DIMET Robin**) – француз; небольшого росточка, худой, шатен, носит бородку и очки. Мой персональный крест. В «Одноэтажной...» в качестве «американского голоса» фигурировал мой друг Брайан Кан. Он не говорил по-русски, что не имело значения, поскольку Ваня Ургант прилично говорит по-английски и еще лучше понимает его. Зато Брайан ***говорит.*** Много. И толково. Но Ургант по-французски не говорит и ни слова не понимает. Значит, мне нужен был «французский голос», который мог бы по-русски высказывать «французский взгляд» по тому или иному поводу. Еще на раннем, подготовительном этапе я ездил в Париж, чтобы подобрать этот «французский, но говорящий по-русски голос». В этом мне помогала жена Олега Брауна Элизабет Браун, работавшая в организации «Франскюльтур». Элизабет, кстати говоря, прекрасно говорит по-русски. И при этом совершенно очаровательна: иссиня-черные волосы, матово-белая кожа, тонкие черты лица, изящна, умна, остроумна – словом, прелесть. Но Элизабет никак не могла отлучаться из дома на два месяца, что требовалось от «французского голоса». И вот в одном полузальчике гостиницы «Риц», что стоит на Вандомской площади, она устроила мне собеседование и прослушивание кандидатов на «французский голос». И из всех я выбрал Робена. Как это получилось – ума не приложу! То ли мне показалось, что он прилично говорит по-русски, то ли меня пленило то, что он сам начинающий кинодокументалист и к тому же успел снять одну картину, то ли... не знаю. Словом, выбрал – на свою голову. Во-первых, оказалось, что он очень плохо говорит по-русски, настолько плохо, что не способен выразить даже самую скудную свою мысль. Во-вторых, и мыслей особых я у него не обнаружил. Ни по одному из обсуждаемых или увиденных нами предметов у Робена не было никакой точки зрения. В общем, мы расстались с ним на половине пути. Не то что без сожалений – с облегчением!

Анна КОЛЕСНИКОВА, линейный, а затем исполнительный продюсер. Попробуйте представить себе женщину лет двадцати восьми, высокого модельного роста, с хорошей фигурой. Представили? Пошли дальше: волосы темные, кудрявые, обычно в лирическом беспорядке, темные брови на довольно бледном лице, карие глаза. Есть? Далее: сочные и обычно смеющиеся губы. И слова сыплются, почти никогда не останавливаясь. Аня Колесникова умеет говорить не только на выдохе, но и на вдохе, да на такой скорости, что диву даешься. При этом, как правило, говорит толково, выказывая эрудицию, юмор и ум. Точна, ответственна. Если поймана на ошибке, будет выкручиваться до последнего, но поняв, что не выкрутилась, потупит очи долу и скажет: «Извините, я постараюсь это исправить».

И еще: Аня одевается... как бы это вам сказать? Слово «мало» не слишком подходит, но все-таки оставим так: Аня одевается мало. Понятное дело, наши съемки проходили в основном летом, было жарко, все мы одевались легко. А Аня одевалась мало. Как хотите, так и думайте. Работала же она много и хорошо, почему и выросла от продюсера линейного до продюсера исполнительного. Да, если вы этого еще не поняли, добавлю: очень хороша собой.

Владимир КОНОНЫХИН. Член нашей «американской» команды, о котором в книжке «Одноэтажная Америка» я написал: «Человек поразительного спокойствия, молчаливый, от которого веяло необыкновенно приятной уверенностью. Все, что он делал, делалось точно и надежно. Невысокого роста, чуть полноватый, Кононыхин был всеобщим любимцем. Именно он придумал, как крепить камеры на кузов нашего джипа на хитроумных присосках так, чтобы на любой скорости и при любых погодных условиях они стояли столь же твердо и незыблемо, как Гибралтар». Добавить к этому нечего. Каким он был, таким остался. Работать с таким человеком – сплошное удовольствие. Совершенно русский во всем, кроме одного: никогда не жалуется, никогда не говорит «нет», не пьет и всегда в хорошем настроении.

Салман МУРТАЛАЗИЕВ. Водитель первой половины нашей поездки – с мая по июль 2009 г. Чеченец, проживающий во

Иван Ургант, Владимир Познер и дамы их сердец – Наталия Кикнадзе и Надежда Соловьева

Франции вот уже восемь лет. В группе ощущался явный дефицит французского языка, которым владели только Аня (хорошо), Маша (средне) да я, а потом присоединившийся к нам Олег. Нам необходим был водитель, говорящий по-французски. Салмана нам порекомендовала Маша Нестеренко. Человек безотказный, приветливый, старательный. И какой-то неприметный. Мне даже трудно вспомнить, как он выглядел. Роста среднего, худощавый, лысоватый. Лицо... незапоминающееся. Должен был присоединиться к нам и во второй части поездки, но исчез. Звонили ему на все известные нам телефоны, но безуспешно: телефоны молчали. Исчез. Может быть, это было связано с тем, что мы расстались с Машей?

Мария НЕСТЕРЕНКО. Исполнительный продюсер в первой половине нашей поездки, с которой ни у меня, ни у съемочной группы в целом не сложились отношения. Этим ограничусь.

Юрий ОДНОПОЗОВ. Вот о ком можно было бы написать отдельную главу! Он возник по рекомендации Валерия Спирина, режиссера фильма «Одноэтажная Америка», который, к нашему большому сожалению, с нами поехать не смог. Итак: роста он среднего, телосложения плотного. Крупная голова с редеющими черными волосами. Мощные надбровные дуги, из-под которых внимательно и чуть насмешливо смотрят черные глаза. Лицо приятное, с четкими, хотя и не крупными чертами. Прелестная, хотя появляется она редко, улыбка. Говорит Юра мало, к тому же говорит не столько словами, сколько руками. Пытается жестами прояснить смысл сказанного. Например, вот он машет руками: «Ну, надо... это... довести, чтобы...» – и не просто машет, руки у него в это время плывут по воздуху, как бы описывая, что стоит за этим маловразумительным предложением. Вегетарианец. Лучше помрет от голода, нежели съест что-нибудь животного происхождения. В случае необходимости может работать круглосуточно. О том, как одевается Юра, хочется сказать отдельно. Обычная его форма во Франции была такой: рваные джинсы, кроки фиолетового цвета, расписной **T-Shirt**. Эти предметы не снимались никогда. Шли ли съемки в театре, в здании Национальной ассамблеи Франции – это было неважно. И еще: Юра совершенно неконфликтный человек, всегда старается найти общий язык со всеми, никогда не повышает голос. И наконец, превосходный режиссер. Но при

Однопозов, Кононыхин, звукооператор Станислав Толстиков и Черняев – одна из многих трапез

Ответственный продюсер Мария Нестеренко, Мурталазиев и Анна Колесникова

Наша группа: Переславцев, Кононыхин, Ургант, я, Однопозов, Толстиков, Жанин Маркудзи (наш гид), Робен Димэ (наш не слишком удавшийся «французский голос»)

всем при этом, «вещь в себе», человек, живущий сугубо по собственным стандартам. Вы бы назвали своего сына Будимиром? А он назвал. Что будет с мальчиком, когда он пойдет в школу, даже боюсь подумать. И еще: над Юрой много шутили, в ответ на что он мягко улыбался, и только. Упрям до умопомрачения.

Евгений ПЕРЕСЛАВЦЕВ, оператор. Точнее сказать, оператор-разведчик. Где бы и когда бы мы ни снимали, не было такого случая, чтобы Женя не изчез в поисках чего-нибудь особенного. Операторам вообще свойственно лезть туда, куда не рекомендуется, но Женя даже среди операторов слыл бы рискантом. Я бы выделил его косу и любовь демонстрировать свой оголенный и весьма мускулистый торс. Женя, как и все операторы, чуть ироничен, абсолютно убежден, что разбирается во всем лучше всех, и потому категоричен в суждениях. И работает как зверь.

Надежда СОЛОВЬЕВА. Генеральный продюсер, без которой не было бы ни «Одноэтажной...», ни этого фильма. Была с нами лишь урывками, поскольку по работе должна была уезжать в Москву. Но дух ее витал над нами постоянно, поскольку ожидали ее приездов с душевным трепетом, смысл которого можно разъяснить гоголевским «К нам едет ревизор!». Надежда Юрьевна человек легкий, общительный и веселый, но если вы допустили какие-то оплошности в работе, за которую в итоге отвечает она, вас ожидает пренеприятный разговор. Из него вы узнаете массу любопытных вещей о себе – вещей, о которых вы сами и не догадывались.

Ирина ТИХОНОВА, администратор второй части поездки. Фамилия очень соответствует человеку: тихая, маленькая, худенькая, делала свое дело без лишних слов. И ускользающая, в частности, из моей зрительной памяти. Есть такие люди – ускользающие.

Станислав ТОЛСТИКОВ, звукорежиссер. Фамилии своей он совершенно не соответствует: более худого человека я в жизни не видел. Не телосложение, а теловычитание. В своем деле совершенный профессионал, но при этом абсолютно не назойливый. Сочетал предельную вежливость с неуступчивой требовательностью во всем, что касалось его работы. Кроме того, часто бывает так, что профессионал интересуется только своим делом, его больше ничего не волнует, а Стаса всегда от-

Черняев пьет пиво.
И это в стране
лучших вин в мире!

Малоодетая Аня

Станислав Толстиков.
Видимо, очень собой
доволен

Володя Кононыхин. Мастер на все руки

Черняев в Альпах

Ирина Тихонова. И вправду тихая
и очень ответственная

Устали...

личало любопытство, о чем бы ни шла речь. Не было французского блюда, которое он бы ни попробовал, не было сыра или вина, мимо которого он прошел бы равнодушно. Человек, как мне показалось, с врожденным вкусом.

Иван УРГАНТ, соведущий. Об Иване много писать не буду. Он, пожалуй, стал самым узнаваемым и популярным человеком на российском телевидении, так что вам всем он хорошо известен. Скажу только, что он мой близкий друг, с которым и в американской, и во французской поездках я работал с наслаждением.

Владислав ЧЕРНЯЕВ, оператор-постановщик. Он тоже из «американской команды». В той книжке я написал: «Операторы – народ особый. Они, как правило, все видели и все знают. Прежде всего они знают, что самое главное – это картинка, то есть то, что они считают нужным снимать. Все остальное – это так, антураж». Как и в Штатах, Влад в течение всей поездки щеголял в каких-то полушортах, драных майках и сандалиях, которые явно видели лучшие дни. Человек неутомимый, требовательный, на все имеющий свой взгляд и свое мнение. Тоже, как и Переславцев, любитель ходить с голым и вполне привлекательным торсом.

Артем ШЕЙНИН, линейный продюсер. Кличка – Сержант. На самом деле гораздо больше, чем линейный продюсер. Был приглашен во вторую часть поездки на место Нестеренко с тем, чтобы навести порядок в несколько разболтавшейся группе. И навел. Я работаю с Артемом вот уже около десяти лет в программах «Времена» и «Познер». На фильме «Одноэтажная...» тоже были вместе, поэтому вновь процитирую книжку: «Невысокого роста, но весьма плотного телосложения, казалось, что Артем, подобно танку, может без особых усилий пройти сквозь каменную стену... Бывший афганец, служивший в десантных войсках, бритоголовый Артем Шейнин наводил военный порядок среди нашего разношерстного контингента». Шейнин превосходно владеет английским и, узнав, что едет во Францию, усиленно стал учить французский. Стал довольно сносно объясняться за необыкновенно короткий срок. Совершенно потряс меня однажды, когда мы оказались в винном подвале: за одним из столиков сидела группа японцев, и Артем стал издавать какие-то японоподобные звуки. Я решил, что он сошел с ума и дразнит представителей Страны восходящего солнца. Не тут-то было! Оказалось, Артем говорит по-японски, чем потряс как японцев, так и всю съемочную группу!

o—o

Что ж, теперь, познакомив вас с нашей командой, приглашаю в путь, но с важной оговоркой: когда мы ехали по Америке, мы следовали маршрутом Ильфа и Петрова, повторяли их путешествие 1935–36-х годов. Они были нашими гидами. Поэтому не удивительно, что и книжка, вышедшая вслед за фильмом, строго придерживалась этого путешествия. Во Франции же у нас не было такого «путеводителя», нам самим надо было решать, куда едем и главное – зачем. Составляя план нашего тура*, я исходил из того, в какой степени тот или иной город, тот или иной регион может помочь главному: раскрыть Францию и французов для российского зрителя. Но в этом случае совершенно не имела значения последовательность, в которой мы посещали различные места. Важным было то, в какой степени это место может приблизить нас к поставленной цели.

Так не удивляйтесь тому, что эта книжка построена без хронологического соответствия нашему путешествию. Здесь каждая глава посвящена не месту, а теме, раскрытие которой должно открыть для вас, читателей, нечто такое, без чего невозможно понять и почувствовать Францию и французов.

Итак, объяснив идею и принцип этой книги, приглашаю вас совершить с нами тур – не вальса, а по Франции. За мной, друзья, за мной!

ПРЕДУПРЕЖДЕНИЕ С РАЗЪЯСНЕНИЕМ

Эта книжка состоит из двух частей: собственно книжки и дневника, который я вел во время поездки, хотя и не слишком аккуратно. Книжка – это впечатления, рассуждения, обобщения. Дневник – это дневник, где поездка изложена в хронологическом порядке. Хотелось бы думать, что они дополняют друг друга. Что читать первым – не берусь сказать, оставляю это на ваше усмотрение.

---

* На карте Франции (см. вклейку) отмечены все пункты нашего тура.

И последнее. Дневник представлен вашему вниманию точно таким, как он был написан – без каких-либо поправок, украшений и тому подобное. Возможно, стоило бы пожертвовать подлинностью ради литературного выигрыша, но делать этого я не стал. Быть может, напрасно...

Глава 1

Замки Луары

Нет, не передать словами красоту замков долины Луары! Ни фотографиями не передать, ни киносъемкой. В голову приходят всякого рода сравнения, вроде «музыка в камне», уже набившие оскомину. На самом деле и они мало что передают.

В первый раз я увидел эти творения суровой зимой 1979 года – года для меня особого, когда после многолетнего, в полжизни, перерыва мне было разрешено выехать из Советского Союза на мою родину. Той зимой во Франции ударили вполне русские морозы. Ртуть в термометрах опустилась до двадцати градусов ниже ноля, и страна замерзла. Вспоминались слова: «что русскому хорошо, то немцу смерть». Только «немцем» в этом случае были французы: насмерть замерзали не только клошары, не только бездомные, умирали даже в квартирах, стены которых покрывались тонким слоем наледи. Умирали не столько от реального холода, сколько от убеждения, что при таких морозах люди не живут...

Вместе с друзьями, французской супружеской парой, я поехал в долину главной французской реки Луары. Для французов она имеет такое же значение, как Волга для русских. Именно в ее долине выросли – и никто не может объяснить почему! – эти знаменитые замки, числом чуть более сорока. Некоторые из них возникли еще в раннем Средневековье и не раз были перестроены, другие – и таких большинство – были творениями Возрождения. И все они – громадные, но изящные, великолепные, но простые – стоят как живые памятники французской истории. Написал, и захотелось уточнить: они просты, как просты стихи Пушкина, в которых нет и намека на вычурность, из которых не вынуть ни одного слова. И здесь каждый камень на месте, не прибавить, не убавить.

Ехали мы на стареньком «Ситроене», и километрах в сорока от Парижа отказала печка. Сказать, что мы замерзли, значит не сказать ничего. Только и мечталось о том, как обогреться – пока перед нами не возник замок Шенонсо. Возник как видение и почему-то в первый миг заставил меня подумать о миражах в пустыне. Но то был не мираж, то было гениальное творение архитекторов, оставивших о себе вечную память.

Приближаясь к Шенонсо, я думал о том далеком времени, когда люди строили так, будто перед ними вечность – да, собственно, так оно и было. Вспомнил звонницу Джотто во Флоренции: мастер спроектировал ее, видел начало ее строительства, но не дожил до его завершения. Но знал Джотто, точно знал, что он-то себя увековечил в камне. И что человек замрет, лишившись слов, перед этим творением, что он почувствует, если вообще способен чувствовать, и восторг, и благодарность, и гордость. Потому что звонница эта как бы говорит ему: вот, человек, на что ты способен, вот для чего тебе дана душа, дан мозг, вот кто ты есть в твоем лучшем проявлении.

Я пытался представить себе, о чем думали те сотни, если не тысячи, людей, которые строили Шенонсо. И вспомнил было о моем коллеге-журналисте, который в XIII веке получил редакционное задание поехать на строительную площадку в Шартре, где возводился самый прекрасный – по крайней мере, на мой взгляд, – собор в мире. Ему нужно было написать об этом репортаж. Он увидел человека, который возил тачку, наполненную строительным мусором.

– Что вы делаете, месье? – спросил журналист.

– Везу строительный мусор, – ответил тот.

Журналист увидел человека, который нес на плече деревянную балку.

– Что вы делаете, месье? – спросил он.

– Несу балку, – ответил тот.

Журналист подошел к человеку, который разбивал камни тяжелым молотом.

– Что вы делаете, месье? – спросил он.

– Разбиваю камни,– ответил тот.

Журналист-летописец подошел к человеку, который подметал участок стройки.

– Что вы делаете, месье? – спросил он, уже ни на что не надеясь.

– Что я делаю? – ответил тот. – Я в Шартре строю самый прекрасный в мире собор.

Замок Амбуаз, к которому мы подплываем

Мы на фоне замка Шенонсо

Выйдя из машины и совершенно забыв о холоде, мы подошли к громадным деревянным воротам, усеянным железными коваными гвоздищами. Вокруг не было ни души. Ворота были заперты, но мы постучались. В ответ гулко раздавалось эхо, которое уносило меня на столетия назад. Мне показалось, что в ответ откуда-то сверху, со сторожевой башни, нас окликнет человек в стальном шлеме и латах. Но нет, ворота распахнулись, и показалась фигура вполне обыденная. Чуть поклонившись, она жестом пригласила нас войти.

Как передать то чувство, которое я испытал? Сводчатые потолки уходили на десятки метров вверх, шаги гулко отражались от древних камней, и вместе с тем было ощущение тепла, какой-то домашности. Вещи, которые в принципе не сочетались, здесь сошлись воедино, создавая совершенно сказочное настроение. Я поймал себя на мысли, что остро завидую тем, для кого этот замок когда-то был домом, – не из-за его великолепия, а потому, что человек, рожденный и живущий здесь, должен внутренне быть другим, с иным восприятием, с иными ценностями, с иным пониманием своего места в мире.

Летом 2009 года, во время наших съемок, я возвращался в Шенонсо с чувством тревожного ожидания. Как-то встретимся мы? Продолжится ли наш молчаливый диалог тридцатилетней давности? Не получится ли так, что в толпе туристов, наводняющей замок в летние месяцы, мы друг друга не услышим?

Правда, на сей раз я мог сказать: «Шенонсо, любовь моя, я не только тебя не забыл. Я узнал твою прекрасную, полную взлетов и падений историю. Когда-то на твоем месте стоял особняк, принадлежавший некоему Жану Марку. Тот особняк был сожжен в 1411 году, когда Марк был обвинен в предательстве. Через двадцать лет он построил новый замок на этом месте, а затем годы спустя его потомок Пьер, увязший в долгах, продал тебя Тома Боеру, отвечавшему за королевскую казну. Это было в 1513 году. Боер тебя разрушил и построил новый замок. Сын Боера, который по наследству сохранил должность королевского казначея, в какой-то момент перестал различать, где его деньги и где королевские. И когда это обнаружилось, ему было предложено либо лишиться головы, либо лишиться тебя. И он отказался от тебя в пользу короля Франциска I, после смерти которого в 1547 году ты стал собственностью его сына короля Генриха II. И вот тогда-то началось то, что принесло тебе название «Замок женщин». Генриха женили на Екатерине Медичи, когда ему – да и ей – было всего четырнадцать лет, но он к этому времени был по уши влюблен в прекраснейшую Диану де Пуатье. А ей было тридцать четыре.

Отвлекусь на одну пикантную деталь. В первую брачную ночь четырнадцатилетний Генрих был настолько равнодушен к супруге, что никак не мог исполнить свою супружескую обязанность – настолько, что его отцу, Франциску, пришлось вторгнуться в спальню новобрачных, чтобы взбодрить свое чадо. Наутро же в это дело вмешался римский папа, дядя Екатерины, который захотел лично, «глазом и пальцем», убедиться в потере ею девственности. В дальнейшем Генрих делил ложе со своей супругой только по настоянию Дианы, беспокоившейся об отсутствии королевского потомства. Екатерина же, страстно влюбленная в Генриха, шла на всяческие ухищрения, лишь бы добиться его расположения. И даже распорядилась, чтобы пробили дырку в потолке спальни Дианы, откуда она, Екатерина, смогла бы наблюдать за эротическими приемами последней. Но и после десяти лет супружества Екатерина оставалась бесплодной, что могло служить поводом для развода. В конце концов, лейбмедик королевского двора Фернель спас ее. Он знал, что Генрих страдал от деформации полового члена, из-за которой семя извергалось в сторону. Внимательно осмотрев королеву, он обнаружил и у нее некоторое физическое отклонение. Фернель прописал супругам определенную гимнастику при соитии, которая оказалась чрезвычайно удачной: за последовавшие одиннадцать лет Екатерина произвела на свет десять (!) детей. Что, впрочем, не изменило отношения к ней супруга, который оставил ее вдовой всего лишь в сорокалетнем возрасте. История не приписывает ей ни одного любовника.

Точной даты начала романа Генриха и Дианы не знает никто, но предполагают, что это событие произошло в 1538 году,

Екатерина Медичи

Генрих II

Диана де Пуатье

а когда девятью годами позже умер Франциск, то сын его, став королем Генрихом II, подарил тебя Диане, нарушив тем самым закон, который запрещал отчуждение королевских владений. Ты, Шенонсо, конечно, помнишь Диану, женщину непревзойденной красоты и ума. Годы были бессильны перед ее красотой – она не менялась. Каждое утро и круглый год она нагишом купалась в холоднющей ключевой воде, питалась особыми травами, не пользовалась никакими мазями. Вот как описал ее Пьер де Бурдейль Брантом, один из самых читаемых французских писателей эпохи Возрождения: «Я видел Диану шестидесяти пяти лет и не мог надивиться чудесной красоте ее; все прелести сияли еще на лице сей редкой женщины». Куда до нее было простушке Екатерине Медичи, как могла она противостоять ей! И она, супруга короля, с улыбкой на губах и ненавистью в сердце ждала своего часа. И дождалась. В 1559 году, едва достигнув сорокалетнего возраста, Генрих скончался от раны, полученной на рыцарском турнире, – и тут Екатерина, став регентшей, изгнала из твоих стен Диану и стала твоей полновластной хозяйкой. Собственно, ты оставался ее домом до самого конца ее жизни».

Вот такая драматическая история у Шенонсо, который встретил меня прекрасными садами и огородами, посаженными еще во времена Дианы. А той суровой зимой первой встречи их было не видать. Вновь посетив замок, я понял, что он нисколько не теряет в величии от сотен визитеров, заполнивших его залы, коридоры, переходы и башни. Более того, если закрыть глаза и прислушаться к стуку каблуков и шуршанию одежд, то можно унестись на четыре или пять веков назад, и тогда перед твоим мысленным взором предстанет королевский двор, люди в ярких камзолах и конечно же неслыханно прекрасная Диана. Словом, оживет история... Хочу сказать вам, что во Франции она, история, никогда не умирает. Она даже не покрывается пылью...

Тогда, три десятилетия тому назад, мы навестили и другой замок на Луаре, Амбуаз. Это было, если мне не изменяет память, третьего января. Меня тянуло в Амбуаз потому, что здесь доживал свой блестящий век человек, которого я почитаю за величайшего из всех гениев. Леонардо да Винчи. Отвлеку вас на мгновение признанием, что я не завидую никому... кроме

Франциска I. Это он купил у художника «Джоконду», которая ныне составляет славу Лувра, и это он пригласил к себе в замок Амбуаз Леонардо, которого он называл своим отцом и с кем каждый день подолгу беседовал об искусстве и философии.

Так вот, тогда, походив по замку и посетив часовню, где захоронены останки да Винчи, мы, замерзшие до мозга костей, зашли в кафе «Биго», расположившееся у самого подножия скалы, на которой высится замок. Кафе было пустым, если не считать самой семьи Биго – прабабушки, бабушки, хозяйки и ее мужа да трех или четырех их детей. Все они сидели за большим круглым столом у пылающего камина и праздновали... новый, 1980 год: до этого такой возможности у них не было, поскольку они обслуживали новогодних гостей, потом сутки отсыпались. Они приняли нас с таким теплом, что даже не будь камина, мы все равно отогрелись бы мгновенно. Не верьте тем, кто говорят, будто французы негостеприимны, холодны и спесивы. Ложь это, ложь.

И теперь, когда мы с Иваном подходили к кафе, я рассказал ему о том давнем посещении, когда мне было сорок шесть лет, и задался вопросом, узнают ли меня, в чем он выразил серьезные сомнения. Вот мы вошли, и я подошел к хозяйке, стоявшей за прилавком. Не стану отвлекать вас описанием того, какие там красовались сладости, какие пирожные и торты, произведения французского кулинарного гения не давали посетителю отвести от себя глаз. Я сказал: «Бонжур, мадам». Она внимательно посмотрела на меня, широко улыбнулась и, протянув руку, сказала: «Бонжур, месье, как я рада вновь видеть вас!»

Да-да, она узнала меня, и когда я сейчас пишу об этом, то испытываю трудно передаваемое чувство радостной благодарности. Прабабушки и бабушки уже не было, но семейное дело продолжалось уже в третьем поколении, и в этой верности делу было что-то и необыкновенное, и трогательное, и вызывающее восхищение.

Мадам Биго по нашей просьбе стала рассказывать об истории этого славного кафе, и в какой-то момент, когда она вела нас по его залам, высоченный Иван ударился головой о низкую балку перехода.

– О! – воскликнула мадам Биго, – совсем как Карл VIII!

К вашему сведению: король Франции Карл VIII, пожелав показать своей супруге самый лучший вид из замка Амбуаз на Луару, повел ее по коридору и по пути ударился головой о низкую притолоку. Поначалу казалось, что не произошло ничего страшного, но через несколько часов король занемог и умер на следующий день. Произошло это 7 апреля 1498 года. Позвольте вопрос: много ли, на ваш взгляд, хозяев кафе, кондитерских и булочных, которые бы нашли подобную параллель? Вы скажете мне, что мадам Биго, возможно, большой любитель истории? Или что она специально выучила некоторые факты, чтобы поразить ими воображение посетителей? И я отвечаю вам: нет, дело совершенно в другом. Помните, я обратил ваше внимание на то, что для французов история жива? И это вовсе не потому, что так блестяще преподают ее в школах.

Мы попали в Амбуаз в день, когда весь город празднует восхождение на престол одного из самых любимых королей Франции – Франциска I. Следует сказать, что до него Франция мало могла гордиться своими королями. После Филиппа-Агуста амбициозного, Святого Людовика набожного, Карла V премудрого, Карла VI безумного, Карла VII печального, Карла VIII донкихотствующего и Людовика XII болезненного на трон наконец ворвался Франциск I. Был он атлетичного сложения, переполненный энергией и идеями, умница, обожатель женщин, гурман, – и все изменилось. Вдруг меланхолия уступила место жизнерадостности. Собственной силой он создал для Франции «прекрасный XVI век», своего рода Возрождение. При нем Франция выходит на авансцену истории, она становится первой страной Европы по народонаселению, а само население становится самым процветающим. Да, он много воевал, одерживая блестящие победы и терпя тяжелые поражения, но он строил Францию, он дважды объездил все королевство, чтобы своими глазами увидеть, как живут его подданные, он открыл страну для «итальянской прививки», что несказанно обогатило ее.

А теперь представьте: ночь, грозная крепость Амбуаз освещена прожекторами, все окна зашторены красным материалом и изнутри освещены так, что кажется, будто там, во дворце, двигаются тени тех, кто жил здесь пятьсот лет тому назад. Перед дворцом – широченная поляна, на ней горят костры. Сотни людей, одетых так, как одевались во времена Франциска I, разыгрывают разные сценки: булочник печет хлеб, ткачи ткут свои ткани, туда-сюда снуют груженные скарбом ослики, которых понукают их хозяева. Но вот заиграли трубы, и на холме чуть справа от дворца появляется только что коронованный двадцатилетний король. Он обращается к своему народу со словами надежды и добра, а дальше разворачивается картина его жизни. Впечатление грандиозное, но более всего меня трогает и восхищает то, что здесь не актеры, нет, здесь рядовые граждане города Амбуаз. Это они сшили все одежды, это они построили все декорации, это они репетировали сценки, и устраивается такой праздник ежегодно, причем участвуют все от мала до велика. Вот почему мадам Биго помнит историю – потому что для нее она живая. И конечно же не только для нее.

Перенесемся в городок Анноней, что находится на юго-востоке Франции. Городок как городок. Старый, конечно. Говорят, его название имеет римское происхождение. Но мы не приехали бы сюда, если бы...

Когда-то, в середине XVIII века, в Аннонейе родились два брата Монгольфье, Жозеф-Микаэль и Жак-Этьен. В общем, люди как люди, но до чрезвычайности любознательные. С юных лет производили они всякого рода опыты, чаще всего с огнем и дымом, что в глазах горожан сделало их не то колдунами, не то волшебниками. Впрочем, это были люди исключительно добропорядочные и набожные. Как-то один из братьев с негодованием заметил, что у его жены, стоявшей около горящего камина, задралась юбка. Он начал ей выговаривать, но она сказала, что она тут ни при чем, что юбка задралась без ее участия. Тогда-то муж и сообразил, что юбку поднял идущий от камина горячий воздух. Так родилась идея воздушного шара, позже получившего название монгольфьер.

Шестого июня 1783 года на центральной площади Аннонейя собралась толпа. В огромной чаше, набитой соломой, разожгли огонь, над которым с помощью канатов держали сшитое из шелка нечто, похожее на гигантский мешок. И вот, по мере того как горячий воздух поступал в мешок, он стал надуваться. Вскоре он принял форму невиданного по размерам шара, который с трудом удерживали десяток людей. Всем командовали братья Монгольфье. «Отпустите!» – скомандовали они, и шар взмыл в небо, выше, выше, выше, пока не превратился в еле видимую точку. Пораженные горожане кричали от восторга, а шар все плыл да плыл. Целых десять минут, пока не приземлился в двух километрах от исходной точки.

Шестого июня 2009 года на центральной площади Аннонейя собралась толпа. Многие были одеты именно так, как горожане двести шестнадцать лет тому назад. А в центральной части площади в точности разыграли эту сцену, и тут тоже все были в соответствующих одеждах. И снова зажгли солому, и снова надулся мешок, превратившись в шар, и снова шар взмыл в небо под восторженные крики горожан. Среди них были мы, и я снова подумал о том, как французы сохраняют свою историю, как для французских детей братья Монгольфье и их детище абсолютно живы, а не покрыты пылью времен.

Ах, да, забыл сказать две вещи: 19 сентября того же 1783 года братья Монгольфье демонстрировали свой шар королю Людовику XVI и королеве Марии-Антуанетте. При этом в корзину, привязанную к шару, были погружены баран, утка и петух.

На празднике памяти братьев Монгольфье в г. Аннонейе

Весь город выходит
в костюмах
XVIII века

Монгольфьеры над Аннонейем

Монгольфьер

Памятник
братьям Монгольфье

Сейчас в небо над
Аннонейем
воспарит Иван

Мэр г. Аннонейя
выступает
на празднике

Анноней

Праздник
коронования
короля Франциска I
в Амбуазе

Замок Шенонсо на Луаре

Шар держался в воздухе восемь минут и плавно сел в полутора километрах от места взлета. Животные остались целыми и невредимыми. Второе, о чем я забыл сказать, заключается в том, что братья Монгольфье первыми в мире изобрели летательный аппарат. Повторяю, первыми в мире. И для сомневающихся во французском техническом гении могу сказать, что и по сей день Франция остается одной из главных стран по разработке самой передовой техники.

Глава 2

Во Франции, как в Греции, все есть

Слышу ваши возражения: «Ну, Владимир Владимирович, это вы хватанули! Франция – это страна вина, сыров, кулинарии, моды, духов, люкса, но уж никак не передовой техники!» Никак, говорите вы? Что ж, поглядим...

Герб Ла Рошели

Говорит ли вам что-нибудь название «Ла Рошель»? Если нет, значит, вы не читали и одну из самых замечательных в мире книг «Три мушкетера» Александра Дюма. Именно там, в портовом городе Ла Рошель, а вернее, на его окраине, в полуразрушенном форте, собрались для серьезного разговора Атос, Портос, Арамис и д'Артаньян.

Туда поехала и наша съемочная группа. Не для съемки крепости – она, увы, уже давно исчезла. Мы прибыли туда для посещения завода, на котором производят ТЖВ, Train à Grande Vitesse, «поезд высокой скорости». Завод как завод, дело не в нем, а в том, что именно здесь создавался и создается первый в Европе скоростной поезд. Его рекорд – он остается мировым – составляет 574,8 км/ч. Когда 27 сентября 1981 года первый ТЖВ пошел по полотну Париж—Лион, многие предсказывали, что этот показной проезд будет первым и последним. На заводе рабочие вспоминают об этом со смехом. «Наш поезд, – говорят они, – лучший в мире, лучше японского, китайского, немецкого, английского и испанского. Он быстрее, безопаснее, комфортабельнее, экологически чище и, главное, объезжает фактически всю страну». Как я сказал, завод как завод, ничего особенного, сам по себе большого впечатления не произвел.

Чего нельзя сказать о гигантском заводе в Тулузе, где собирают самый большой пассажирский реактивный самолет в мире – аэробус А380. Поражают три вещи: размеры, чистота и тишина. Что до размеров ангара, в котором идет сборка фюзеляжа и крыльев, то затрудняюсь подобрать подходящий эпитет. Громадный, гигантский, необъятный... В общем, ОЧЕНЬ

БОЛЬШОЙ. Чистота такая, какая встречается только в общественных туалетах Швейцарии и в некоторых больницах. И тишина. Никаких тебе громких голосов, никакого стука, лязга, рева. А рабочих сотни, и они работают. Все в аккуратнейших формах и защитных шлемах, какие и нам пришлось надеть, когда нас допустили к съемкам сборки одного самолета. Вообще это дело секретное, поэтому нас сопровождали «гиды», а точнее, члены местной службы безопасности, которые внимательно следили за тем, куда были направлены камеры наших операторов и наши фотоаппараты. Облазили весь самолет, для чего пришлось подниматься по пяти этажам окружавших его лесов.

Камиль Коро. Ла Рошель. Вход в гавань

Помните, в начале книжки я знакомил вас с одним из наших операторов, Евгением Переславцевым, который вечно исчезал в поисках «кадра»? Исчез он и тут – не без последствий. Когда мы, казалось, завершили съемки и собрались небольшой группой перед самолетом, к нам подошел начальник службы безопасности и довольно грозно сросил: «Где второй оператор?»

Стали искать. Вернее, была устроена форменная облава. Сейчас самое время сказать, что нет более жесткой и неприятной в мире полиции, чем французская. Ее боятся. Служба безопасности – это все та же полиция, пусть в другой форме и с другими задачами. В общем, мы почувствовали себя очень неуютно. Женю нашли и привели – хорошо, что не в наручниках. Потребовали, чтобы показали, что он наснимал. Показали. Потребовали, чтобы кое-какие кадры стерли. Я опасался, что отнимут все съемки и нажалуются начальству в Париж. К счастью, обошлось, но настроение было основательно испорчено. Было еще одно маленькое приключение: мы попросили разрешение взять интервью у какого-нибудь рядового рабочего. Его, молодого человека лет тридцати, подвели к нам в дальней части ангара, откуда выкатывают на взлетно-посадочную полосу уже готовый, но еще не покрашенный самолет. Основная покраска происходит в Германии, во Франции же окрашивают лишь хвостовое оперение, чтобы можно было понять, какой авиакомпании принадлежит самолет. Рабочий был, как говорится, подготовлен: все хорошо, никаких жалоб, замечательная работа, останется здесь на всю жизнь. Меня сразу перенесло в СССР и слегка затошнило.

Позже, когда мы посетили авиасалон Ле Бурже под Парижем, мы стали свидетелями показательного полета А380. Глядя на то, как этот исполинский летательный аппарат грациозно плывет в небе, я вспомнил слова, которые много лет назад я услышал от Андрея Николаевича Туполева:

– Если самолет некрасивый, он не полетит.

А380 – абсолютный красавец.

И еще о самолетах: именно Франция вместе с Великобританией создала первый в мире сверхзвуковой пассажирский самолет «Конкорд», на котором я имел счастье летать дважды: из Нью-Йорка в Лондон и обратно. Это была сказка. Садишься в глубокое, как в гоночном автомобиле, кресло, самолет трогается с места, набирает скорость и взмывает вверх почти (или так кажется) вертикально. А потом... зависает. Нет, конечно, не зависает, но кажется, что именно это он и делает, потому что не ощущается никакого движения вообще. Никаких тебе воздушных ям, полная тишина. Вот так и висишь три с половиной часа – ровно столько потребовалось ему, чтобы пересечь Атлантику и оказаться в Лондоне. Поразительно.

«Конкорд» уже давно не летает, но на территории завода «Аэробус» выставлен для посещения один экземпляр. Меня там при-

нимал Жак Рокка, старый летчик, который говорил о самолете с такой же нежностью, как иной говорит о своей любимой собаке.

– И все-таки, почему отказались от «Конкорда»? – спрашиваю.

– Во-первых, месье, – отвечает он (замечу, что обращение «месье» и «мадам» у французов совершенно обязательно), – из-за финансовых соображений. Посудите сами: на сто километров полета «Конкорд» сжирал 18 литров керосина на пассажира, что в шесть раз больше, чем потребляет аэробус А380. Во-вторых, «Конкорд» наносит серьезный ущерб экологии. В-третьих, после использования самолетов террористами в Нью-Йорке одиннадцатого сентября авиакомпании перестали покупать «Конкорд», боясь того, как бы террористы не воспользовались им. Так что больше, месье, он не полетит.

И нежно погладил приборную доску.

На этой же территории расположен музей старых самолетов. Их множество из самых разных стран, в том числе из СССР. Все они кропотливо восстановлены организацией «Старые крылья». В организации в основном вышедшие на пенсию мужчины, влю-

В Ле Бурже. Слева от нас – директор «Сухого» Михаил Погосян

Самолет Аэробус А380 — это самый крупный серийный авиалайнер в мире.
На сегодняшний день он превосходит по вместимости «Боинг-747», который может перевозить до 469 пассажиров и который являлся самым большим лайнером на протяжении 36 лет. Вместимость аэробуса – до 853 пассажиров. Также он является самым экономичным из больших лайнеров. На разработку А380 ушло около десяти лет. Обозначение А380 — это разрыв между предыдущими Airbus, обозначавшимися в последовательности от А300 до А340. Обозначение А380 было выбрано по причине того, что цифра 8 напоминает поперечное сечение этого двухпалубного самолета. К тому же число 8 считается «счастливым» в некоторых азиатских странах-заказчицах. Заключительная конфигурация самолета была утверждена в начале 2001 года, и производство первых компонентов крыла А380 началось 23 января 2002 года.

Главные структурные секции авиалайнера строились на предприятиях во Франции, Великобритании, Германии и Испании. Из-за их размеров в Тулузу они транспортировались не самолетом А300—600 Beluga (используемым для транспортировки деталей других самолетов Airbus), а наземным и водным транспортом, хотя некоторые части перевозились при помощи самолетов Ан-124.

Питер Чандлер, летчик-испытатель аэробуса А380

Юрган Томас, представитель компании «Аэробус»

бленные в самолеты. Они собирают их по крохам, это их хобби. По-французски то, чем они занимаются, называется **bricolage**, слово не имеет точного перевода на русский, хотя этим самым «бриколажем» занимаются миллионы французов. Французско-английский словарь дает перевод do it yourself, буквально «сделай сам».

o—o

На самом кончике торчащего мыса Нормандии находится город Ла Аг. Там расположен завод по переработке ядерного топлива. Тема это тонкая. Известно, что АЭС с точки зрения экологии безупречны. Оставляю в стороне вопрос о возможной аварии, поскольку он имеет отношение не к выработке электроэнергии, а к надежности самой станции. Но есть одна существенная проблема: что делать с отработанным ядерным топливом? Оно сохраняет свою смертельно опасную радиоактивность в течение сотен лет. Франция стала по существу главной страной по решению этого вопроса.

Когда мы приехали, нам сразу дали понять, что здесь все обстоит предельно серьезно: запрещено снимать и фотографировать все, что имеет хоть какое-либо отношение к безопасности, включая камеры слежения и даже сам персонал. Другими словами, никто за пределами завода не должен знать ничего о том, как именно здесь обеспечена безопасность. Затем, после короткого внушения, нам предложили полностью переодеться – правда, позволили остаться в собственном исподнем. Дальше занялся нами не кто-нибудь, а директор завода Доминик Гийото. Он рассказал, что при переработке использованного топлива восстанавливается 96 процентов (из которых 1 процент плутония и 99 процентов урана). Лишь 4 процента использованного топлива не поддается повторному использованию. Что касается восстановленных 96 процентов, то они сохраняются в специальных контейнерах, где ждут своего часа. Услугами завода пользуются не только французские АЭС, но и голландские, немецкие, бельгийские, итальянские и японские. Сами понимаете, платят они за эти услуги весьма солидные деньги. Когда я спросил, сколько именно завод зарабатывает таким образом в год, мне сказали, что это коммерческая тайна.

А что же оставшиеся и весьма радиоактивные 4 процента? Нам показали, как их «остекленевают»: роботы заливают их плавленым стеклом, в результате чего получаются толстенные стеклянные чурки с нолевым радиоактивным фоном. Чурки эти будут захоронены в глубочайшие подземные шахты, где они будут дожидаться того часа, когда научатся уничтожать их содержимое.

Надо понимать, что у Франции нет ни нефти, ни газа, ни угля в достаточном количестве, чтобы обеспечить свою энергетическую независимость, что и привело в свое время президента де Голля к решению делать ставку на ядерную энергетику: более 80 процентов всей бытовой электроэнергии Франции обеспечивается именно этим. Не могу не признать, что завод произвел на меня сильное впечатление, но вместе с тем я все время испытывал какую-то опасность. Она, по крайней мере для меня, как бы висела в воздухе.

На следующий день мы встретились с Дидье Анже, одним из борцов против использования ядерной энергетики. Несмотря на свои семьдесят лет, он с юношеским задором излагал свою точку зрения.

– Во-первых, – сказал он, – в Ла Аге не менее двух человек были облучены, они это отрицают, но это так. Во-вторых, дело на самом деле в личных финансовых интересах компании, которая владеет заводом и хозяином которой является один из министров в правительстве президента Саркози. В-третьих, во Франции уже нет урана, приходится добывать его в Нигерии, а значит, так называемая энергетическая независимость, которую дают Франции АЭС, – полная чушь.

Потом, уже в Париже, когда я задал этот вопрос Бернару Биго, директору Комиссариата по атомной энергетике (CEA), высокопоставленному государственному чиновнику, носящему в петличке пиджака красную розетку высшего ордена Франции, он со снисходительной улыбкой ответил, что у Франции хватает отработанного и восстановленного урана на тысячу лет, так что, сами понимаете, месье, все эти возражения не стоят внимания.

Ясно, что кто-то врет. Вопрос: кто? Так или иначе, Франция продолжает развивать ядерную энергетику, в чем мы смогли убедиться, посетив строительство новейшей АЭС совсем недалеко от Ла Ага, в городке Фламанвиле. Правда, нам было позволено посмотреть на грандиозную стройку лишь издали, снимать можно было только под определенным углом и только некоторые объекты, а в просьбе поговорить хотя бы с одним-другим строителем нам было отказано.

Так или иначе, факт остается фактом: в области развития и использования ядерной энергетики Франция занимает самые передовые рубежи.

Будучи в Тулузе, я был... на Марсе. Фигурально выражаясь, конечно. Это произошло во время посещения Национального центра изучения космоса (CNES). Представьте себе нечто похожее на небольшую пустыню – размером в полтора-два гектара. Земля красноватая, то тут, то там барханы, вся площадь усеяна камнями и булыжниками. Словом, модель поверхности Марса. На одном из ее краев что-то вроде весьма благоустроенного сарая. А в сарае – робот, нечто похожее на луноход, русского производства. К сожалению, на ремонте, так что я не увидел его в работе, но, как объяснил мне техник, при запуске по «Марсу» он дает совершенно точную картину того, как себя поведет «марсоход» на красной планете. Как говорится, дешево и сердито: русский хай-тек в сочетании с французской логикой. Производит впечатление.

К нашему приходу отменно подготовились. Сначала нас принял директор Центра Марк Перше, из рассказа которого стало совершенно понятно, что Франция, благодаря решению де Голля (опять де Голль!) создать Центр, находится на «ты» с космосом. Затем мы были переданы Лионелю Сюше, который отвечает за все международные проекты. Он, как оказалось, превосходно говорит по-русски. Почему?

– Да потому, – ответил он, – что мы плотно работаем с Россией. Я часто бывал и бываю в вашем Звездном городке, дружу с вашими космонавтами, учеными и техниками, это потрясающие специалисты и симпатичнейшие люди.

– С американцами тоже работаете?

– Разумеется.

– Уж извините за бестактный вопрос, но с кем вам проще работать – с русскими или с американцами?

– Безусловно, с русскими.

– Почему?

– Они более открыты, сердечны, с ними так: раз работаем вместе, значит, открыты все двери. Американцы держатся не так.

Словом, очень любит русских.

Потом пошли в столовую пообедать. Я вас не удивлю, если скажу, что еда вкуснейшая, ведь мы во Франции. Но удивлю, если скажу, сколько стоит обед – полный, до отвала, с вином. Три евро.

Дальше последовал зал слежения за спутниками. Это что-то из области научной фантастики. Весь огромный зал: стены, потолок, пол – все покрыто каким-то серым губчатым материалом, напоминающим картонную тару для яиц. Это сделано для полного заглушения любых посторонних звуков. Кроме того, высятся какие-то исполинские аппараты, смысл которых я даже и не старался понять, несмотря на все объяснения... А потом нас допустили на совершенно секретный объект: зал, где готовят новые спутники. Уже в который раз пришлось переодеться во все совершенно чистое, подверглись чистке и камеры наших операторов. В зале не должно быть ни одной пылинки. Там работают люди, но тишина такая, что собственное сердцебиение кажется громким.

Когда мы вернулись в основное здание, я обратил внимание на модель какой-то старинной башни, стоявшей на постаменте в одном из углов зала, и спросил нашего гида, что это?

– Это, – последовал ответ, – башня Святого Сернина, и если вы там не побываете, вы напрасно приехали в Тулуз.

– Обязательно будем, – ответил я. – Но почему модель этой башни стоит здесь, в космическом центре?

Гид улыбнулась и сказала:

– Видите, башня устремлена в небо, зовет ввысь – как и мы.

Однажды вечером 29 мая 1671 года крестьянин из Тулузы Раймон Лавье увидел в своем винограднике «необычную карету». Схватив топор, он выскочил из дома, чтобы разделаться с вором, но вдруг увидел, что в винограднике у него вовсе не карета: в темноте светилось нечто, похожее, как он потом

Кто это сказал, что Эйфелева башня портит Париж?

рассказывал, на двухъярусный круглый шатер. Месье Лавье был, однако, не из робкого десятка и, сжав топорище еще сильней, двинулся на «шатер». Но приблизиться он не успел: «шатер» поднялся в воздух, медленно двинулся в сторону Тулузы, потом сверкнул и мгновенно исчез. Месье Лавье пошел к кустам винограда и с возмущением убедился, что в этом месте они поломаны. Он заметил также, что земля оставалась теплой.

В этот 1671 год, не отличавшийся во Франции особенно хорошим урожаем винограда, месье Лавье собрал (если верить источникам) десятикратный против обычного урожай. В последующие годы удача продолжилась, о винограднике Лавье стали говорить по всему побережью, удача сопровождала его семью, его потомки перед революцией 1789 года владели несколькими большими ресторанами в Париже и даже заседали в парламенте.

Эту прекрасную историю рассказал мне месье Сюше в качестве «закуски». «Основное блюдо» же заключалось в том, что еще в 1977 году Национальный центр создал специальную группу ЖЕПАН (GEPAN) по изучению «неотождествленных аэрокосмических объектов», проще говоря – НЛО. ЖЕПАН собирал все данные национальной жандармерии, армии, ВВС, ВМФ и гражданской авиации. Анализом этих сообщений занималась (и занимается) группа из сорока экспертов: психологи, астрономы, метеорологи, специалисты по физике атмосферы, по космической технологии, по зондам и баллонам. В состав ЖЕПАН входит группа быстрого реагирования, группа анализа следов, сбора и обработки первичной информации и т.д.

ЖЕПАН, постепенно отсеивая различные «свидетельства», сузил свои проверки до одиннадцати французских случаев, в высшей степени достоверных и в высшей степени необычных. Они были исследованы в высшей же степени подробно. В результате только двум из них нашли традиционное объяснение. В остальных девяти случаях расстояние между очевидцем и объектом было не больше двухсот пятидесяти метров. От-

Французский линейный корабль «Маренго». Битва с британцами, начало XIX века

Французский флот –
как пассажирский,
так и военный –
во всей своей красе

Прибытие легендарного французского лайнера «Нормандия» в Нью-Йорк. Начало XX века

Лайнер «Иль де Франс» на стадии отделки. Начало XX века

Военно-морская база ВМФ Франции в Тулоне

Корабль «Гепратт»

Капитан-красавец, отец пятерых детей Бенуа Куро

чет занимает пять томов, из которых три целиком посвящены анализу этих одиннадцати случаев. Все они, кроме того, произошли в 1978 году. Два из них связаны с наблюдением гуманоидов.

Фантастика? Слушайте дальше: был сделан вывод, что в девяти из одиннадцати случаев очевидцы наблюдали материальные явления, ***которые нельзя объяснить как явление природы или как устройство, созданное человеком.*** Один из выводов по отчету в целом гласит, что за этим явлением стоит «летательный аппарат, источник тяги и способ перемещения которого находятся за пределами нашего знания».

Авторы приходят к выводу, что в этих случаях очевидцы наблюдали реальные физические феномены, которые не могут быть объяснены известными нам явлениями природы или техническими изделиями.

– Мы относимся к этому выводу со всей серьезностью, – говорит Сюше, – ибо он получен в результате тщательного исследования, проведенного группой компетентных лиц, вполне сознающих свою ответственность.

С 1985 года ЖЕПАН продолжает свою деятельность в рамках новой службы СЕПРА (Служба экспертизы атмосферных явлений). А в 2007 году Франция стала первой (и пока чуть ли не единственной) страной в мире, открывшей свои архивы наблюдений за НЛО.

– Будь это не так, – с улыбкой говорит Лионель, – я бы, как русские говорят, ни хрена бы вам не рассказал об этом.

Следующий пункт назначения – все в том же Тулузе – ENAC, Национальная школа гражданской авиации. Она относится к так называемым **grandes écoles**, буквально «большие школы». И тут мне придется отвлечься.

Во Франции высшее образование делится на два типа – университетское и «большие школы». Согласно закону, все университеты обязаны принять любого абитуриента, живущего в данном городе и имеющего аттестат об окончании лицея (замечу в скобках, что все обучение – от школы и выше – во Франции бесплатное). «Большие школы» – это совсем другое дело. В этих школах, которые большей частью были созданы после революции 1789 года (хотя многие появились и в XIX веке), готовится элита Франции. Элита научная, гуманитарная, экономическая и управленческая. Для поступления в «большую школу» после окончания лицея необходимо готовиться два, иногда три года в специальных подготовительных классах. Можно попытаться поступить и без этого, но это удается буквально единицам. Вступительные экзамены, письменные и устные, продолжаются в течение нескольких недель. По их итогам абитуриентов распределяют по номерам: сдал первым номером, вторым и так далее. Проходят далеко не все. Не прошедшим позволяют готовиться еще год, но если они опять не пройдут, их путь лежит в университет.

Так вот, ENAC относится к «большим школам». Здесь не только учатся бесплатно, здесь в ряде случаев студентам платят стипендию в размере двух тысяч ста евро в месяц в течение всех трех лет учебы. Но за это надо будет отработать по распределению, то есть на государство, семь лет. Если выпускник самостоятельно находит работу в частном секторе, его наниматель обязан вернуть школе всю полученную им за годы учебы сумму (тридцать шесть умножаем на двенадцать, выходит семьдесят пять тысяч шестьсот евро).

Должен сказать, что я испытал некоторое чувство разочарования, узнав, что среди студентов нет ни одного из России, хотя многие другие страны представлены. Школа оборудована современнейшей аппаратурой, преподают блестящие профессора, уровень наивысший, школа котируется во всем мире. А наших там нет. Почему?

Был очень любопытный и полезный разговор с президентом школы Фаридом Зизи. Мама его немка, отец алжирец, сам он, вне всякого сомнения, француз, выпускник одной из самых престижных «больших школ» Франции, Политекник.

– Каков уровень образования студентов сегодня по сравнению с тем временем, когда студентом были вы? – поинтересовался я.

– Он заметно ниже. Когда телевидение и Интернет заменили чтение, то есть когда учеба стала, скажем так, пассивной, уровень снизился. Да и приоритеты сменились.

– Каким образом?

Герб города Тулон

В Музее истории ВМФ Франции в Тулоне

– Мы думали прежде всего и главным образом именно о профессии. Нынешние молодые люди думают прежде всего и главным образом о деньгах. Стремятся получить как можно больше, как можно быстрее. И это приводит к падению уровня образования – и не только во Франции, как мне кажется.

Конечно, мы походили по Тулузе. Особо рассказывать об этом не стану, в конце концов, это не туристический гид. Скажу лишь, что Тулуза утопает в истории, ей больше двух тысяч лет, и эта история живет на ее улицах и площадях. Еще скажу, что она поразительно красива: изначально она строилась из особого, сделанного древними римлянами кирпича, что видно и по сей день: в утренних лучах солнца город кажется розовым, днем – оранжевым, а к вечеру – фиолетовым. Это незабываемо.

Говоря о Тулузе, чуть не забыл рассказать вам о нашем посещении другого города, Тулона, куда мы поехали, чтобы посетить противоподлодочный крейсер французских ВМС.

Те из вас, которые смотрели наш фильм «Одноэтажная Америка», возможно, вспомнят и то, как в городе Норфолке, штат Вирджиния, самой крупной военно-морской базе США, нас фактически выгнали с корабля за то, что я задавал матросам «политические» вопросы. Мне было интересно, повторится ли то же самое во Франции?

Не повторилось.

Для начала нас принял и дал нам интервью комендант базы Паскаль Вилз, то есть мы были приняты на самом высоком уровне. Во время интервью он заметно нервничал, но на вопросы отвечал прямо и твердо, как и положено человеку военному. Был счастлив, когда интервью закончилось.

Затем мы посетили Музей истории военно-морского флота, где самым интересным были толстенные и стариннейшие (с XV века) фолианты, в которых содержалось скрупулезное описание тех, кого за то или иное преступление приговаривали к каторге на галерах. Поразили три вещи. Во-первых, каким удивительно красивым почерком заносились данные. Во-вторых, насколько подробно описывался каждый человек. Упоминалось все: рост, вес, цвет волос, цвет

Так мы ехали...

Памятник погибшим морякам

У Музея ВМФ. Что-то я устал...

Страница из «галерной» книги

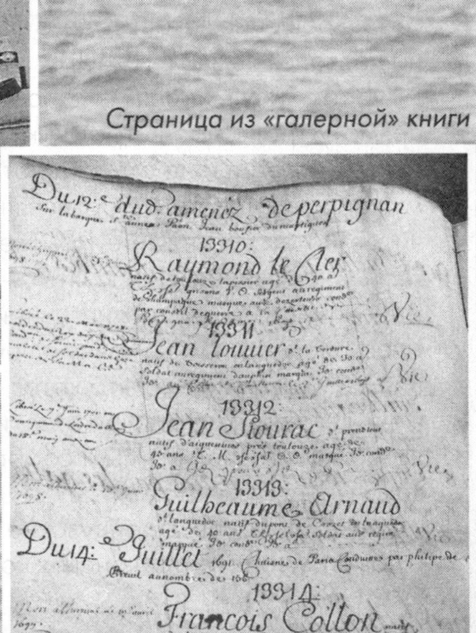

глаз, форма лба, носа, губ и подбородка, брови, уши и, разумеется, любые «особые приметы»: бородавки, пятна, шрамы и так далее. Я только потом сообразил, почему это было необходимо: в те времена не было фотоаппаратов, невозможно было запечатлеть лицо каждого преступника, вот и описывали со всеми подробностями. В-третьих, за какие преступления и как наказывали. Например, записано: такой-то зарезал такого-то в драке. Приговорен к пяти годам на галерах. Или: такой-то ограбил на дороге купца такого-то. Приговорен к пожизненной каторге на галерах.

– Как это так, – спросил я у заведующей музеем, – за убийство – пять лет, а за ограбление – пожизненную каторгу?

– Месье, – ответила она, – в те времена все дороги принадлежали королю, следовательно, любое преступление, совершенное на дороге, считалось преступлением против короля. А это куда серьезнее, чем убийство.

o—o

Хотел бы вам заметить, что у французского флота, отцом-основателем которого считается король Генрих IV (1553–1610), давние и славные традиции, но, пожалуй, главным подвигом считается решение затопить весь флот в тулонской гавани, чтобы он не достался немцам (1940).

Итак, после музея мы отправились на корабль «Гепратт», где прямо у трапа нас встретил командир корабля капитан Бенуа Куро. Встретил и не отпускал от себя ни на шаг: провел по всему кораблю, лично все объяснял, отвечал на все вопросы, в том числе на сугубо личные («Вы женаты?» – «Да». – «Дети есть?» – «Есть». – «Сколько?» – «Пять». – «Пять?!» – «Да, месье, пять».) Высокий, стройный, артистичный, красивый, улыбчивый капитан Куро пленил всю съемочную группу своим французским обаянием, показал нам то, что хотел показать, не показал ничего такого, чего показывать не хотел, и выпроводил нас с корабля так ловко и любезно, что мы и сообразить не успели, что экскурсия закончена.

Нет вопросов, французские военные оказались куда умнее и ловчее своих американских коллег...

o—o

Я надеюсь, что убедил вас в том, что Франция – не только страна вина, еды и так далее. Но я ничего не сказал вам еще об одном французском открытии, быть может, самом главном...

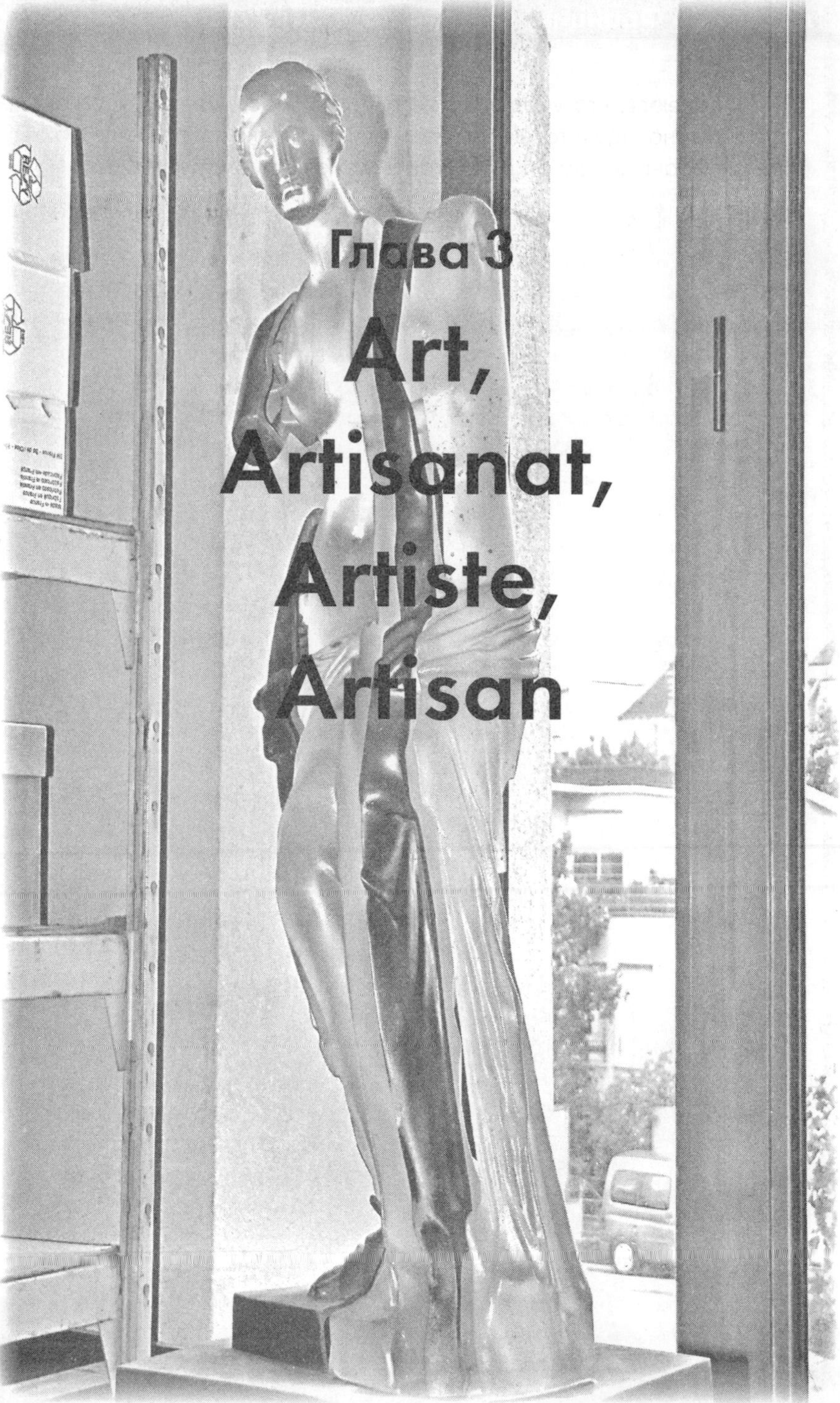

Глава 3

Art, Artisanat, Artiste, Artisan

Январским днем 1896 года в единственном зале кинотеатра «Эдем» собралось несколько десятков зрителей, никогда прежде не видевших кино. Вот погас свет, и на экране показался перрон вокзала города Ла Сиота. Вдали появился поезд. Он приближался и приближался, вот он занял весь экран – и зрители повскакали со своих мест, бросились к выходу. Им показалось, что потерявший управление паровоз сейчас прорвет экран и врежется в зрительный зал. Так состоялся публичный показ одного из первых фильмов братьев Люмьер. Длился этот фильм всего лишь пятьдесят секунд – пятьдесят секунд, которые и в самом деле потрясли мир.

Кинотеатр «Эдем» – самый старый в мире, и нам довелось присутствовать в нем в начале июня 2009 года. Принимал нас его директор Франсуа Фанара, человек, одержимый идеей во что бы то ни стало привести это уникальное, но сильно обшарпанное здание в надлежащий вид. До прихода сюда мы побывали на станции Ла Сиота, где, как и братья Люмьер, сняли приход поезда. Тогда, более ста лет тому назад, все люди, попавшие в кадр, были массовкой – это были родственники и знакомые Люмьеров, которых они специально собрали для этой подлинно исторической съемки. Мы обошлись без массовки, но я хорошо помню ощущение, будто нас отнесло на сто с лишним лет назад, что за нами придирчиво наблюдают изобретатели кинематографа Август Мари Луи Николя Люмьер и Луи Жан Люмьер.

Да-да, уважаемый читатель, именно Франция является родиной кино. Вы это знали? А знаете ли вы, что вплоть до конца первой четверти двадцатого века именно Франция была мировой столицей кино? Потом, правда, она уступила это место Голливуду, но французское кино было и остается одним из ведущих в мире. И тут дело не только в

традициях и талантах. Дело тут – может быть, главным образом – в политике французского государства, принявшего закон, что на экранах страны не менее сорока процентов фильмов должны быть французского производства. А для обеспечения этого производства деньгами обязательный процент с продажи каждого билета в любом кинотеатре Франции в обязательном порядке перечисляется в специальный фонд и служит для финансирования французских фильмов. Вот это, на мой взгляд, и есть проявление патриотизма: забота о национальной культуре, в данном случае кино, без громких слов, без метания грома и молний в адрес «имперского Голливуда», а путем принятия определенных порядков и законов.

Вы когда-нибудь бывали в Каннах во время Международного кинофестиваля? Нет? Так я вам скажу: это зрелище не для слабонервных. С раннего утра до поздней ночи толпы людей заполняют знаменитую Круазетт – так называется набережная, тянущаяся вдоль Средиземного моря. Кого тут только нет! Красотки, надеющиеся попасть на глаза какому-нибудь знаменитому продюсеру, фокусники, музыканты, художники, предлагающие написать ваш портрет или вырезать из черной бумаги ваш силуэт, карманники, торговцы всем, чем можно и не можно торговать, и толпы зевак, жаждущих хоть краешком глаза, хоть на минутку увидеть какую-нибудь кинозвезду. Не протолкнуться. Вообще в это время слова «не» и «нет» так и реют надо всем. Например: в гостиницах НЕТ мест ни за какие деньги; в ресторанах НЕТ свободных столиков – если только не заказывать их сильно заранее; на пляжах НЕТ лежаков – категорически (во Франции частные пляжи запрещены законом, так что пройти на пляж может каждый, но получить лежак – это уже вопрос к тому, кто арендовал пляж у государства).

Не случайно именно на родине кинематографа

На памятной доске написано: «На этом вокзале в течение 1895 года великий ученый Луи Люмьер, снимая прибытие поезда, создал один из первых фильмов, положивших начало кинематографии...»

Клод Моне. Бульвар Капуцинок в Париже

На фоне братьев Люмьер. Чем мы хуже?

«Принцы, принцы, всюду принцы! Счастливы те, кто любит принцев. Едва ступив вчера утром на набережную Круазетт, я встретил сразу троих, шедших один за другим. В нашей демократической стране Канн стал городом титулов».

Ги де Мопассан

проходит самый престижный из всех международных кинофестивалей: нет премии, которая ценилась бы выше знаменитой «Золотой пальмовой ветви». По престижу не могут сравниться ни голливудский «Оскар», ни венецианский «Золотой лев», ни московский «Гран-при».

Канны производят странное впечатление – по крайней мере, на меня. Такое чувство, будто город состоит из четырех частей: первая – я назвал бы ее «фестивальной» – тянется вдоль Круазетт и состоит в основном из дорогущих отелей, не менее дорогущих магазинов, некоторого количества многоквартирных домов, ничем не примечательных в плане архитектуры, и ресторанов. Затем есть «старый город», который карабкается вверх по довольно крутому подъему; его отличает невероятное количество ресторанчиков, магазинчиков сувениров и народных промыслов. Есть, конечно, и дома жилые, они расположены впритык друг к другу, а улицы настолько узки, что заглянуть соседу напротив в окна не составит никакого труда. Часть третья – это район вилл, район La Californie («Калифорния»). Расположен он высоко над остальной частью города, «глазами» своих особняков смотрит на Средиземное море, а высоченные каменные стены прячут его от глаз любопытствующих. Здесь живут люди богатые. Очень богатые. Наконец, четвертая часть города – это город как город. Дома как дома. На самом деле Канны отличаются от большинства известных мне французских городов тем, что в нем нет ничего «своего», отличного от других, если, конечно, не считать фестивальную часть. Я плохо представляю себе, что происходит здесь зимой, когда нет никаких фестивалей, нет туристов, нет владельцев особняков, приезжающих сюда только летом, не стоят на якоре громадные яхты, немалая часть которых принадлежит русским, когда многие рестораны закрыты, да и не только рестораны. Думаю, что это тоска зеленая.

Но когда мы были там в самый разгар кинофестиваля, это был нескончаемый карнавал.

Однако запомнилось немногое. Был несколько неприятный разговор с Жоэлем Шапроном, представителем компании «Юнифранс», о месте русского кино во французской культуре. Разговор шел на русском языке, которым г-н Шапрон прекрасно владеет, но от этого он – разговор – не стал более приятным, скорее наоборот. Как истинный француз, месье Шапрон был предельно вежлив и выражался в самой изысканной манере, но если перевести на простой русский язык смысл того, что он сказал, то это прозвучало бы так:

– Французы привыкли ценить русское кино, начиная с Эйзенштейна и Дзиги Вертова, Пудовкина и Марка Донского, не говоря о более поздних, в частности, Михаиле Калатозове, Григории Чухрае, Михаиле Ромме и, конечно, Андрее Тарковском. В этот список безусловно следовало бы включить лучшие работы Никиты Михалкова. Но все то, что появляется у вас последние пятнадцать – двадцать лет, настолько плохо, настолько уступает тому, что было, что неловко даже об этом говорить. И если так будет продолжаться, то французы и Франция попросту забудут, что когда-то было Русское Кино.

Запомнился и разговор – куда более для меня веселый – с Марком Сандбергом, внуком литовского еврея, эмигрировавшего во Францию в начале XX века и создавшего легендарную киностудию La Victorine. Чтобы вы не считали, что слово «легендарная» я использовал сгоряча, позвольте представить вам список режиссеров, работавших там, и фильмов, оттуда вышедших. Итак, режиссеры: Марсель Карне, Рене Клеман, Альфред Хичкок, Луис Бонюэль, Роже Вадим, Жан Ренуар, Жан Кокто, Стенли Донен, Франсуа Трюффо, Клод Лелуш. Фильмы: «Дети райка», «Фанфан-тюльпан», «И бог создал женщину», «Граф Монте-Кристо», «Разиня», «Лев зимой», «Американская ночь».

Мы конечно же поехали снимать это историческое место, которое находится на окраине Ниццы, – и были весьма огорчены. Собственно студии нет – здесь ничего не снимают с середины 80-х годов прошлого века. Но нет и музея, хотя он напрашивается, учитывая близость Канн, сюда наведывались бы тысячи и тысячи. Насколько я смог понять, кое-какие работы здесь ведутся в тон-студиях, но не более того. Гид с гордостью показал нам бассейн, который якобы был построен по настоянию Элизабет Тейлор, когда она снималась здесь с Ричардом Бертоном, но больше показывать было нечего, если не считать своего рода ангара, где сосредоточены разнообразные машины и механизмы тридцатых годов – они давно пришли в негодность и производят довольно жалкое впечатление... Словом, я

Черняев явно позирует...

а Кононыхин – нет!

Даю интервью на рынке местному телевидению

не знаю, бывал ли здесь Марк Сандберг, но если бывал, не мог не расстраиваться из-за того, в каком состоянии находится детище его литовского деда.

o—o

Я полагаю, что вы ждете рассказа о встречах со звездами французского кино. Вынужден огорчить вас. До звезды – в прямом и переносном смысле – очень далеко, они отгорожены от нас защитными слоями, безвоздушным пространством, словом, доступ к ним крайне ограничен. Нам удалось пробиться лишь к двум – к Софи Марсо и Жану Рено. Хочу заметить, что сами звезды, как правило, вполне контактны и приятны – когда до них доберешься.

Софи Марсо, снявшаяся в более чем тридцати фильмах, запомнилась мне своей необыкновенной красотой и совершеннейшей естественностью: никакой аффектации, все просто, на любой вопрос – прямой ответ. То есть ни намека на звездность.

То же самое можно сказать о Жане Рено, одном из немногих не американских актеров, который добился абсолютного успеха в Голливуде.

– Чем вы объясняете это? – спросил я его.

Он пожал плечами – очень это по-французски – и сказал, чуть иронично улыбаясь:

– Может быть, из-за физических данных. Ведь видно: если что, могу и отвесить кое-кому.

Он был уставшим, сказал, что ночами не спит:

– Только что родился сыночек, орет ночами напролет.

И снова: абсолютная простота. Когда вся группа стала просить его сфотографироваться с ними, согласился без звука. Словом, симпатяга. Хотя отвесить, несомненно, может.

o—o

Название этой главы – **Art, Artisanat, Artiste, Artisan** – следует перевести как «Искусство, ремесло, художник, ремесленник». Во французском языке в корне всех четырех слов стоит слово **Art** – «искусство», а это говорит о том, что для француза нет принципиальной разницы между искусством и ремеслом,

Софи Марсо: никакой аффектации, все просто, на любой вопрос прямой ответ

Софи Марсо. Просто прелесть

между художником и ремесленником, чего не скажешь о русском варианте. Да вообще, странная произошла метаморфоза в России с толкованием этого понятия. Если сказать о человеке, что он – ремесленник, то это, скорее, имеет отрицательное значение. Чуть лучше обстоят дела со словом «ремесло», но и оно не отличается позитивным звучанием, поскольку предполагает, в частности, отсутствие ***творческого начала.***

Взять, например, многие российские народные промыслы: жостовские расписные подносы, оренбургские платки, палехские шкатулки. Это что такое? Безусловно, ремесленное производство, сделано это ремесленниками. Но если вы так скажете, вам возразят, что вовсе не ремесленниками, а художниками. Слово «ремесленник» принижает. Во Франции все обстоит совершенно иначе. Там разница между artiste и artisan, то есть между художником и ремесленником, заключается лишь в том, что они занимаются разными делами, но в их основе лежит искусство. И как мне кажется, это различие имеет принципиальное значение и в какой-то степени дает ключ к пониманию того, кто такие французы.

Но это я, так сказать, к слову. Хотел же я рассказать о посещении нами двух мест. Первое – это ателье Ришара Лерейа, профессия которого по-французски называется illuminateur. Перевода этого слова я не нашел. Буквально это означает «осветитель», но как вы понимаете, речь идет не о человеке, который с помощью юпитеров и прочих световых приборов что-либо освещает. Иллюминатор – это человек, который... Нет, так не пойдет, придется отступить на много веков назад.

Еще до Гуттенберга и Ивана Федорова, когда не было печатных станков, книги писались от руки, и писались они почти исключительно в монастырях. Специально обученные этому делу монахи тщательно выводили слова органическими чернилами, которые сохранились и по сей день так, что фолианты XIII–XIV веков читаются, словно были написаны вчера. И помимо написания монахи эти книги «освещали», то есть они разрисовывали заглавные буквы разными красками, по ходу текста создавали маленькие иллюстрации поразительной красоты. Когда же возник печатный станок, монашеский труд перестал быть необходимым, и постепенно секрет иллюминации был утерян. Был забыт секрет изготовления органических

С Жаном Рено.
Такой же симпатичный,
как и здоровый

Он был уставшим, сказал, что ночами не спит:
«Только что родился сыночек, орет ночами напролет»

красок, исчезла сама профессия осветителя. Исчезла, но... не совсем. Как всегда, нашлись подвижники, которые сохранили это искусство, есть они сегодня, но, насколько я знаю, только во Франции. Да и тут их всего четыре человека. Ришар Лерей – один из них.

Его мастерская находится в аббатстве Фонтевро, крохотном городке в долине Луары с населением около двух тысяч жителей. Здесь он готовит краски, здесь он расписывает картоны, здесь он учит двух подмастерьев с тем, чтобы «освещение» не погасло. В основном он пишет миниатюры, подробность которых поражает. Но если вам угодно, вы можете заказать расписную картинку буквы вашего имени или вашей фамилии, и вы получите совершенно уникальное произведение, отливающее золотом, киноварью и множеством других красок, названия которых мне неизвестны.

Почему именно здесь и именно во Франции сохранилось это ремесло, ведь иллюминаторы никогда не считались художниками? Может быть, потому, что рядом расположилось великолепнейшее аббатство, давшее этому месту свое имя? Может быть, потому, что над этим местом витают души средневековых монахов-иллюминаторов? Тут можно строить всякого рода догадки и теории, которые, по правде говоря, меня мало интересуют. Важно то, что древнее ремесло не исчезло и что оно, ремесло, ценится наравне с тем, что принято величать искусством.

А теперь я приглашаю вас в городок Биот, что расположился на горной возвышенности километрах в двадцати от Ниццы. Биоту не менее двух с половиной тысяч лет. О нем ходит легенда, что здесь, где-то в пещере, рыцари-крестоносцы спрятали часть своих несметных богатств. Так это или нет, но время от времени сюда приезжают кладоискатели – пока безуспешно. Городок совершенно изумительный: попав в него, у вас сразу же возникает ощущение, что время отбросило вас лет на восемьсот назад, в Средневековье. Улочки узенькие, мощенные кирпичом и булыжником, поразительно красивые входные двери и ворота, каждый дом со своим, совершенно особым лицом. И вот среди этой красоты живут люди.

Искусство иллюминации

С Жоэлем Шапроном в Каннах

Иван на заводе стекла «Дом»

В доме братьев Люмьер

Позвольте небольшое отступление. Много лет тому назад, еще в глубокое советское время, когда я был ответственным секретарем журнала «Совьет Лайф», который издавался Советским Союзом в обмен на журнал «Америка», я поехал в столицу советской Литвы, Вильнюс, чтобы взять интервью у архитектора, который получил Ленинскую премию за проектирование жилого района Лаздинай. Если мне не изменяет память, фамилия его была Чеканаускас. Если вы бывали в Вильнюсе, то вы должны быть знакомы со старым городом, многие здания которого относятся к XV–XVI векам. В те времена, при всей их внешней красоте, жить в них было сложно: не было современной канализации, квартирки были крохотные, да и ухода за ними не было никакого. А тут как раз решили привести их в порядок, что было крайне трудно: улицы здесь были настолько узки, что не было доступа для современной строительной техники, каждый кирпич надо было вынимать вручную, и за каждый вынутый кирпич надо было заплатить рабочему три рубля, что тогда было неслыханно много. Вот я решил задать архитектору «провокационный» вопрос:

– Зачем вы тратите столько денег и времени на реконструкцию этих старых домов? Почему бы вам не снести их и построить новые, современные?

Чеканаускас посмотрел на меня с нескрываемым удивлением и ответил:

– Эти дома, да и весь старый город, необыкновенно красивы, а человек, который рождается в красоте и живет в красоте, – это совсем другой человек, нежели тот, который всю жизнь окружен уродливыми современными безликими домами.

Тут я сразу вспомнил фильм «Заводной апельсин» Стенли Кубрика и молча, про себя, поаплодировал архитектору.

Вернемся в Биот. Если я скажу вам, что Биот славится своими ремеслами, особенно стеклодувами, – вы удивитесь? Ведь красота рождает красоту, и люди, рожденные в красоте, так или иначе потом выражают эту красоту через свои дела. Итак, мы поехали в Биот, чтобы посетить стекольную фабрику – только не подумайте, что речь идет о заводе, где машины десятками тысяч штампуют совершенно одинаковые бутылки и банки. Нет-нет, речь о фабрике, в которой производят красивейшие предметы из биотского стекла, чаще всего цветного, реже прозрачного,

Стекло «Дом»

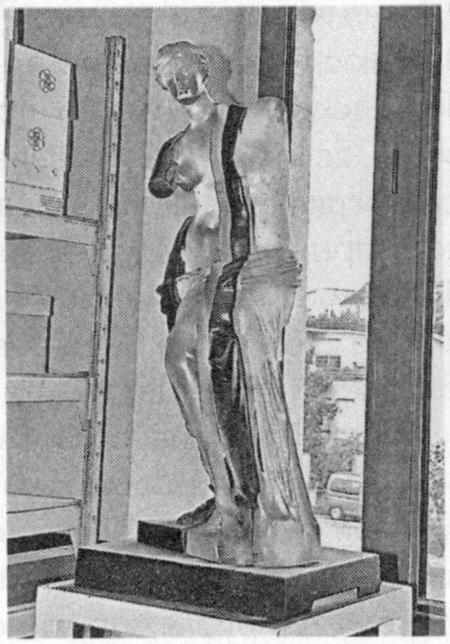

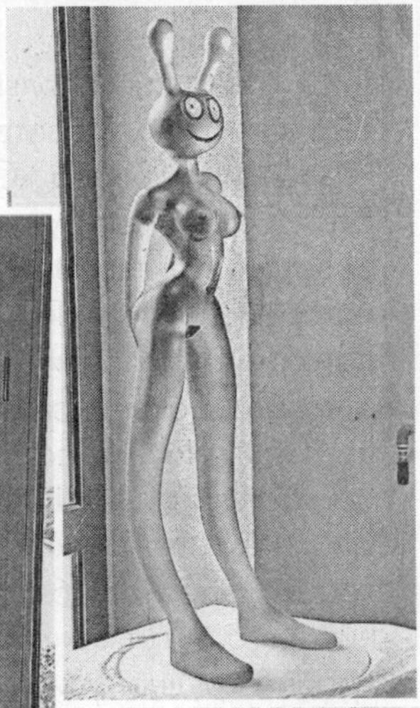

Стекло — одно из самых древних веществ и обладает разнообразными свойствами. Долгое время первенство в открытии стеклоделия признавалось за Египтом. Свидетельством этому являются глазурованные стеклом фаянсовые плитки, которыми облицованы изнутри пирамиды Джессера, XXVII век до н.э. Цилиндрическая печать из прозрачного стекла, которая была найдена в Месопотамии в районе Ашнунака, еще древнее, ей около четырех с половиной тысяч лет. В Берлинском музее хранится бусина зеленоватого цвета диаметром около 9 мм, она считается одним из древнейших образцов стеклоделия. Она была найдена около Фив, и по некоторым представлениям, ей пять с половиной тысяч лет. Одну из легенд об открытии техники изготовления стекла приводит естествоиспытатель и историк Плиний Старший. Эта мифологическая версия гласит, что однажды финикийские купцы на песчаном берегу, за неимением камней, сложили очаг из перевозимой ими африканской соды — утром на месте кострища они обнаружили стеклянный слиток. Самые ранние рукотворные образцы стекла – это украшения. Некогда только стекло могло соперничать с золотом в цене. Ныне стекло используется и для промышленных задач, и для задач искусства.

но всегда с россыпью воздушных пузырьков внутри. И это, конечно, творения стеклодувов.

Эта фабрика принадлежит прекрасной Анн Лечашински – высокой, стройной, элегантной блондинке с тонкими чертами лица, выразительными руками и не менее выразительными голубыми глазами. Когда-то фабрика пришла в упадок, и два американца решили купить ее задешево, чтобы превратить в картонажную. Прослышав об этом, отец Анн возмутился: «Как?! Вместо прекрасного стекла – картон? Да не бывать этому!»

И сам купил фабрику.

Я провел там несколько часов. Невозможно оторваться от этого волшебства, от того, как раскаленный докрасна стеклянный шар выдувается мастером и становится то изящным бокалом, то винным сосудом... И заметьте, нет и не может получиться двух совершенно одинаковых, потому что каждый предмет выдувается вручную мастером... В конце концов я не выдержал и попросил разрешение что-нибудь да выдуть – что мне было позволено. И когда я сумел создать вполне приличный розовый с оттенком золота сосуд, я был счастлив так, как редко бываю счастлив.

Разговор с Анн Лечашински был особенно интересен ее рассказом о том, как французское государство поддерживает такие ремесла: дает серьезные налоговые льготы и оказывает финансовую поддержку.

Вы случайно не обратили внимание на то, что фамилия «Лечашински» мало похожа на французскую? А если обратили, не задались вопросом – а как человек с такой фамилией может быть французом? И вообще, кто может считаться французом в стране, когда-то написавшей на своих знаменах бессмертные слова «Свобода, Равенство, Братство»?

Глава 4

Французы «настоящие» и французы «как бы»

Справка: население Франции составляет чуть больше шестидесяти пяти миллионов человек, из которых около двух миллионов проживают на заморских территориях и шестьдесят три – собственно во Франции. В соответствии с законами Франции французом считается любой человек, имеющий французское гражданство вне зависимости от цвета кожи, вероисповедания и этнического происхождения. Кстати, это принципиально отличается от положения дел в России, в которой существуют два понятия: гражданство и национальность. Человек может сказать: я – российский гражданин, но по национальности я – татарин, чукча, украинец и так далее. Во Франции вашим этническим происхождением не интересуется никто, интересоваться этим (равно как и вашим вероисповеданием или его отсутствием) запрещено законом. Если человек хочет сказать, например: «Я – француз русского происхождения», то это его дело. Но формально и с юридической точки зрения он – француз. Другими словами: у вас есть французский паспорт? Значит, вы – француз, точка. Впрочем, точка ли?..

Когда мы снимали свой фильм, выступление президента Саркози относительно необходимости насильственной высылки эмигрантов-нелегалов (читай – цыган) еще не прозвучало. Равно как и слова о необходимости принятия закона, который предусматривал бы возможность лишения получившего французское гражданство эмигранта или сына/дочери этого эмигранта, пусть рожденных во Франции, за совершение серьезного преступления против любого представителя власти (полицейского, почтальона и т.д.).

Несмотря на международные протесты, к высылке цыган приступили незамедлительно. Что касается предложенного закона, то он не принят и, готов предсказать, принят не будет. Иначе получится узаконенное положение о гражданах двух сортов: «настоящих» и «как бы». Ведь если «настоящий» француз совершит точно такое же преступление, его невозможно лишить гражданства. Но если рожденный во Франции сын эмигранта, гражданина Франции, получив гражданство (паспорт) в семнадцать лет, такое преступление совершит, его гражданства лишить можно. Значит, перефразируя Оруэлла, «все граждане равны, но некоторые граждане равнее...».

Только после нашего отъезда – в ноябре 2009 года – началась «Дискуссия о национальной самобытности», детище г-на Эрика Бессона, министра по делам иммиграции и национальной идентичности. В течение четырех месяцев дискуссия шла во всех трехстах сорока двух округах страны, дискуссия, которая должна была дать ответ на два вопроса: 1) «Что значит для вас быть французом?» и 2) «Как лучше передать ценности нашей нации выходцам из других стран, которые приезжают к нам, остаются и становятся частью нашего национального сообщества?»

Вы, конечно, понимаете, что, если понадобился такой «национальный проект», значит, есть серьезные проблемы. Проект этот, в общем, мало что дал. Большинство французов не поддержали его (40 процентов), его не приняли ни левые, ни правые, и итогом его были следующие решения: ужесточить требования обязательного экзамена по французскому языку для иностранцев, вывешивать государственный флаг на школьных фронтонах и текст Декларации прав человека в классах, раз в году в школах распевать национальный гимн. Признаться, эти меры вызвали у меня ироничную улыбку: во всех американских государственных школах первый урок начинается с того, что во всех классах все хором повторяют клятву верности Соединенным Штатам Америки (каждый день!). Кроме того, ни одна игра в высшей баскетбольной, футбольной, бейсбольной и хоккейной лигах не начинается без того, чтобы на поле, площадку или лед не вышел человек (или группа) и не спел бы национальный гимн. Но то в Америке, стране, как ни говори, не слишком изощренной и еще молодой. Но чтобы приняли нечто похожее во Франции?! Это и в самом деле наводит на мысль о том, что есть проблемы.

Франция открыла свои двери для иммиграции лет сто пятьдесят назад, то есть она имеет давний опыт интегрирования приехавших чужестранцев. Но каких именно чужестранцев? Как выясняется, это вопрос совершенно принципиальный. Одно дело – иммигранты из стран европейских, стран, имеющих с Францией общие религиозно-исторические и культурные корни, иммигран-

Знаменитые французские картины разных веков

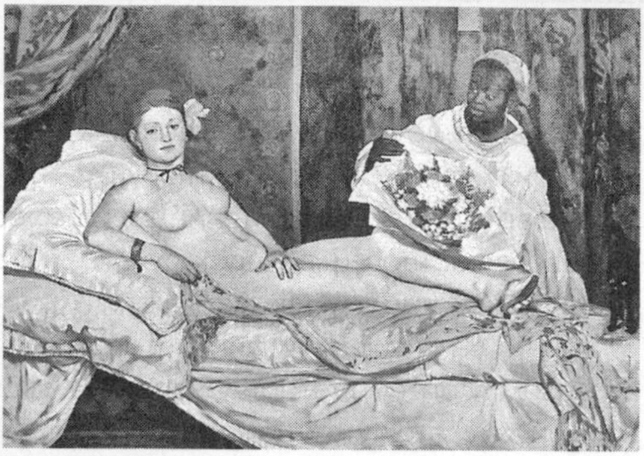

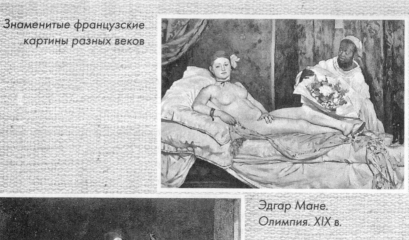

Эдгар Мане. Олимпия. XIX в.

Жорж де Латур. Шулер с бубновым тузом. XVII в.

ты из Италии и Испании, Португалии и Германии и так далее. И совсем другое дело, когда речь идет об иммиграции из Азии и Африки. Не будем забывать о том, что Франция была империей, она воевала за сохранение этой империи, воевала много и кроваво, в частности, в Индокитае и Северной Африке. И, проиграв эти войны, стала мучиться чувством раскаяния: были приняты законы о льготах для иммигрантов из бывших колоний, главным образом Магреба (стран Северной Африки – Алжира, Марокко и Туниса). А это чужестранцы совсем другого рода: ни в культуре, ни в религии, ни в историческом прошлом у них нет ничего общего с Францией и французами. Нужно быть слепым, чтобы не видеть, что никакой настоящей интеграции не произошло: чернокожие мужчины женятся почти исключительно на чернокожих женщинах, магребяне на магребянках, живут они в городах компактно, не то чтобы в гетто, но в совершенно определенных районах, которые отличаются не только уродливостью домов, но и опасностью. Уровень безработицы среди них в несколько раз выше, чем среди «настоящих» французов, христианами они не становятся и, следуя исламу, носят головные платки, бурки и прочие одеяния, которые им предписаны религией, вступая в прямой конфликт с законами светской страны, декларировавшей в 1905 году отделение церкви от государства и церкви от школы.

То и дело возникают настоящие баталии между «арабской» молодежью (ставлю слово в кавычках, потому что на самом деле они родились во Франции и по закону являются французами) и полицией, которая предпочитает вообще не появляться в «арабских» районах Парижа, Марселя и других городов.

Когда мы были в Марселе, мы посетили семью Мохамеда Гуада и Хассины Хамдад. Мохамед – статный, красивый мужчина, родился во Франции, прошел военную службу в рядах французских вооруженных сил, является социальным работником. Говорит по-французски ровно так, как говорят французы. Его жена, Хассина, родилась в Алжире, приехала во Францию совсем девочкой, вышла вскоре замуж за Мохамеда, родила ему четырех детей, тоже является социальным работником.

Угощали нас восточными сладостями, разными «Пепси», «Кока» и «Спрайтом», чипсами, орешками и... вином.

– Вы разве пьете вино? – спрашиваю я Мохамеда. – Ведь ислам...

Он отвечает, смеясь:

– Ну, мы-то не очень соблюдаем ислам, если не считать некоторых праздников. Так что вино пьем.

– И дети наши ходят в католическую школу, – встревает Хассина.

– Почему? – удивляюсь я.

– Чтобы они чувствовали себя французами, а не сразу оказались бы здесь чужими, – отвечает она.

– А вы себя чувствуете французами?

Наступает несколько напряженная тишина. Потом Мохамед говорит:

– Нам не дают себя чувствовать французами.

– ???

– Нас считают ворами, преступниками, это априори.

Пока Мохамед говорит, дети сидят и молча слушают. Тут вступает в разговор Иван:

– Если бы играли друг против друга сборная Франции и сборная Алжира по футболу, вы бы за кого болели?

Мадам Грегуар – француженка или как бы?

«Марьяна» - символ французской революции, свободы, равенства, братства

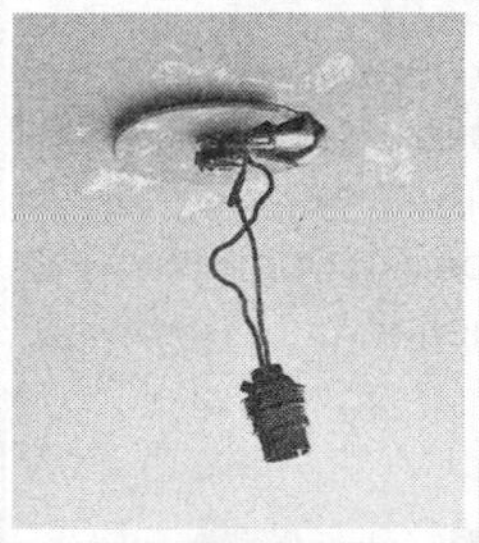

Потолок в семье иммигранта Грегуар

Семья Грегуар

Сценка в Лурде

Взрослые опять молчат. Не молчит старший сын, которому лет двенадцать. Он чуть ли не подскакивает и громко говорит:

– За Алжир!

Напоминаю: этот разговор происходил в Марселе, население которого на 15 процентов состоит из выходцев Магреба. Представляете, 15 процентов! И казалось бы, они должны быть рассеяны по городу, но нет, они почти исключительно живут в «алжирском квартале». Нет, это не гетто в традиционном смысле слова, это, скорее, нечто похожее на «немецкую слободу», в которой людям одной культуры удобнее жить рядом друг с другом. Жить среди «настоящих» французов они не хотят, да и «настоящие» французы не хотят этого. Так о какой интеграции речь?

Но все-таки выходцы из Магреба живут в самом городе, а не где-то на его окраине – это я говорю о Марселе. Что до Парижа, то там все обстоит именно так: представители иммиграции, будь она из Магреба или черной Африки, живут на окраинах. Например, в Нантере, где мы встретились с семейством Грегуар. Там были мама с папой, им около пятидесяти лет, их приятель, приехавший к ним из Кот-д'Ивуар, и две дочери, которым около двадцати лет. Они родились во Франции, совершеннейшие француженки как по языку, так и по одежде, ходят на работу, но признаются, что все их друзья – такие же черные, как они, что между ними и «настоящими» стоит невидимый, но совершенно непроницаемый и неодолимый барьер.

– Вы останетесь во Франции? – спрашиваю я.

Тут вступает папаша, который полулежит в кресле, обнажив при этом довольно большой круглый живот:

– Да, мы останемся, мы никуда не уедем, нам здесь нравится. И пройдет время – не такое уж большое – и Францией будем управлять мы.

– ???

– Мы рожаем в два-три раза больше детей, чем они, нас станет больше, чем их, вот тогда мы и будем рулить.

Интеграция?

В Нантере же мы были в гостях у Джамилы Аллауи и ее мамы. Принимали нас по высшему разряду: восточные сладости, кофе, на все просьбы – «пожалуйста». Джамила тоже родилась во Франции, является гражданкой Франции, что не мешало ей со-

Музей баскской истории и культуры в Байоне

Месье и мадам Эррамур, владельцы бара в Байоне

вершенно открыто говорить нам о том расизме, с которым ей приходится сталкиваться. Например:

– У меня – университетское образование и степень. Казалось бы, особых трудностей с получением работы быть не должно. Но достаточно позвонить куда-нибудь и на вопрос нанимателя ответить, что меня зовут Джамила, и я услышу, что место уже занято. Но однажды я сказала, что меня зовут Изольдой, и меня тут же пригласили на собеседование.

– И что же?

– А то, что я получила должность, потому что очень легко отказать по телефону, а тут я сижу перед человеком, разговариваю с ним и сумела ему доказать, что я и есть тот человек, который нужен ему.

В течение всего этого разговора мама Джамилы, которая очень плохо говорит по-французски, была явно обеспокоена, то и дело возражала дочери, что, мол, нет никакого расизма, что все у них хорошо, что зря она это говорит. Говоря проще, мать была напугана тем, что ее дочь, откровенничая с нами, журналистами, да еще русскими, подвергает себя опасности.

Для полноты впечатления мы напросились в китайскую семью. Мадам Чен проживает в 13-м округе (arrondissement) Парижа, который считается «китайским». Всего в Париже порядка ста двадцати пяти тысяч китайцев, то есть гораздо меньше, чем в Нью-Йорке или Сан-Франциско. Здесь нет никакого «чайна-тауна», но есть «китайские кварталы», помимо 13-го это 3-й, 10-й, 11-й и 19-й округа. Есть принципиальное отличие мест проживания китайцев от мест проживания иммигрантов из Африки, как северной, так и черной. Разница заключается в том, что, во-первых, китайцы живут не на окраинах Парижа, а в самом городе, и во-вторых, в китайских районах нет ни малейшей преступности. Как рассказал мне один высокопоставленный полицейский чин, который пожелал сохранить свое инкогнито, «с китайцами нет никаких проблем, они сами контролируют свои районы, чужой там если и появится, то сразу почувствует на себе китайскую опеку, нам там делать нечего, они сами прекрасно управляются».

В связи с этим – и не только – у меня возник совершенно неполиткорректный вопрос, основанный не на научных, а на сугубо личных наблюдениях. Начну издалека. Когда я хотел

Древняя баскская фигурка

Средневековый город Динан в Бретани

написать «отроком», но понял, что слово хотя и прекрасное, но попахивает нафталином, поэтому пишу совсем не русское слово «тинейджер», – итак, когда я тинейджером учился в самой престижной школе города Нью-Йорка («Питер Стайвесант Хай-Скул»), лучшими учениками были евреи. Это был общепризнанный факт. Школа была, как говорят в Америке, «публичной», то есть не частной, она была открыта для всех, но для поступления необходимо было сдать конкурсные вступительные экзамены по английскому языку и математике. Мог поступить любой, кто прошел по конкурсу. Тогда школа была почти сплошь «белой», хотя было несколько афроамериканцев.

Уехал я из Штатов в 1948 году, и прошло тридцать восемь лет, прежде чем вернулся. Понятно, первым делом решил навестить свою старую школу. Поразило только одно: количество «азиатских» лиц. Как выяснилось, это были в основном китайцы американского происхождения, корейцы, вьетнамцы и японцы. «Это наша гордость, – сказал мне директор школы, – это наши лучшие ученики». Это было в 1986 году. Прошло еще четверть века. Вы думаете, что-нибудь изменилось? Ошибаетесь: все осталось по-прежнему, именно выходцы из Азии – главным образом из Китая – учатся лучше всех, побеждают на всех олимпиадах.

Абсолютно то же самое происходит во Франции: выходцы из Китая и других стран Азии являются лучшими учениками.

Кто-нибудь может объяснить мне, почему это так? Выдающийся ученый, лауреат Нобелевской премии, открывший вместе с Фрэнсисом Криком строение ДНК, Джеймс Ватсон ответил бы мне так: «Гены, дорогой мой, гены». Но я категорически отвергаю мысль, будто одни народы и расы в чем-то выше, а другие в чем-то ниже других. Может быть, есть другое объяснение?

Ладно, пошли дальше. Известно, что где бы ни жили китайцы, они не поддаются ассимиляции. Например, они живут в городе Сан-Франциско уже значительно более ста лет, но «чайна-таун» нисколько не уменьшается, там по-прежнему китайцы рождаются, живут и помирают. А в Нью-Йорке тот же «чайна-таун» моего детства все разрастается, постепенно заглатывая район «Маленькая Италия»: итальянцы ассимилировались, китайцы же – нет, причем часто до такой степени, что они даже не говорят по-английски.

В Париже, как я уже говорил, нет «чайна-тауна», но есть районы плотного проживания китайцев. Хотя эта иммиграция не поддается ассимиляции и, очевидно, к ассимиляции не стремится, это не создает никаких проблем. Они в основном законопослушны, прекрасно учатся, работают. Другими словами, живя в чужом «монастыре», они не нарушают его «устав». Получается так, что народы с общими историко-культурно-религиозными корнями довольно легко ассимилируются, к примеру, европейцы (в том числе русские) в разных европейских странах и США. Народы, имеющие иные историко-культурно-религиозные корни, чаще всего НЕ АССИМИЛИРУЮТСЯ, примером чему могут служить: а) выходцы из исламских стран (в том числе Турции), б) выходцы из черной Африки, в) выходцы из Азии. Вот я и задаюсь вопросом: не может ли быть так, что стремление к «мультикультурализму» и «ассимиляции» на самом деле есть, в лучшем случае, **wishful thinking**, то есть принятие желаемого за действительное, а в худшем – политическая игра?

Во всяком случае, довольно подробно ознакомившись с положением дел во Франции, в которой проживают около пяти миллионов мусульман, мне показалось, что уровень расизма во Франции ничуть не меньше, чем, скажем, в Америке или в России. И что в самом деле страна делится на французов «настоящих» и французов «как бы», и, что самое печальное, не очень понятно, как Франция будет решать этот вопрос.

Бессмертный лозунг «Свобода, Равенство, Братство», рожденный Французской революцией 1789 года, для многих, в том числе и для меня, потерял свой начальный призывный блеск.

Еще две виньетки.

Патрик Пуавр д'Арвор – один из самых известных тележурналистов Франции. В течение многих лет он вел самую главную новостную программу канала ТФ-1. Когда к власти пришел Николя Саркози, ППДА, как зовут журналиста во Франции, турнули. За что, спросите вы? А за то, что когда он интервьюировал Саркози – тот еще не был президентом, он обошелся с ним не слишком учтиво, назвав его неопытным мальчишкой среди взрослой компании. Саркози оказался злопамятным – и добился его увольнения. А как же свобода печати, спросите вы?

Как бы то ни было, я интервьюировал ППДА в офисе небольшой телевизионной компании, где он снимает какие-то документальные фильмы. Спрашивал я его о разных разностях, в том числе о проблеме иммиграции из Магреба. Сказал он мне примерно следующее:

– Франция всегда была и остается открытой для иммиграции. Но только при том условии, что люди, приезжающие к нам, принимают нашу культуру, наши порядки, наш образ жизни. Париж – не Багдад и не Кабул, и мы не допустим, чтобы такое превращение имело место. Либо играйте по правилам той страны, куда вы приехали, либо не приезжайте.

Есть во Франции район, который носит название **La Côte Basque**, Баскский берег, со столицей Байон, с моим нежно любимым Биаррицем и совершенно изумительным Сан-Жан де Люзем (недаром именно там женился Людовик XIV). Там живут баски, народ столь же древний, сколь и таинственный. Неизвестно, откуда они взялись, неизвестно, откуда взялся их язык, хотя он чуть ли не единственный в Европе, который не имеет индоевропейского начала. Каким образом сей древнейший народ не только не исчез с лица земли, но к тому же сохранил свой язык, –

Цыганская свадьба, попавшаяся нам где-то во Франции

совершеннейшая загадка. Так вот, всего имеется семь «баскских стран», четыре на территории Испании, три – во Франции. Количество басков в Испании переваливает за два миллиона, тогда как басков во Франции не более трехсот тысяч. Но это не главная, не принципиальная разница: баски Испании жаждут независимости, баски Испании создали террористическую организацию ЭТА, которая под лозунгом свободы и независимости пролила немало крови. Баски же Франции не возражают против независимости, но совершенно к ней не стремятся.

Вот мы с Иваном, будучи в Байоне, заходим в бар месье и мадам Эррамур. Они – баски. Люди приветливые, улыбчивые, радушные. Налили нам выпить – что-то сугубо баскское и вполне вкусное (баски выпивать любят, говорят нам хозяева). Разговариваем о том о сем. Спрашиваю:

– Не хотели бы вы отделиться от Франции?

Они смотрят на меня, будто я с луны свалился.

– Ну, я имею в виду, не хочется ли вам независимости, как вашим братьям, живущим по ту сторону Пиренеев?

Они прямо замахали руками:

– Что вы, месье, что вы, нам хорошо во Франции!

Если вам подумалось, что они перепугались, не стали говорить с иностранными журналистами, успокойтесь: баски вообще ничего и никого не боятся. Факт остается фактом: баски Франции совершенно не стремятся к созданию независимого баскского государства. И этим принципиально отличаются от своих испанских братьев. Я нахожу этому лишь одно объяснение: во Франции басков никогда не притесняли, не пытались заставить их жить «на французский манер» или принимать католицизм, в отличие от Испании.

Чувствуют ли себя баски Франции французами? Не думаю. Чувствуют ли они себя дома во Франции? Безусловно. Парадокс?

Глава 5

«Русская» Франция

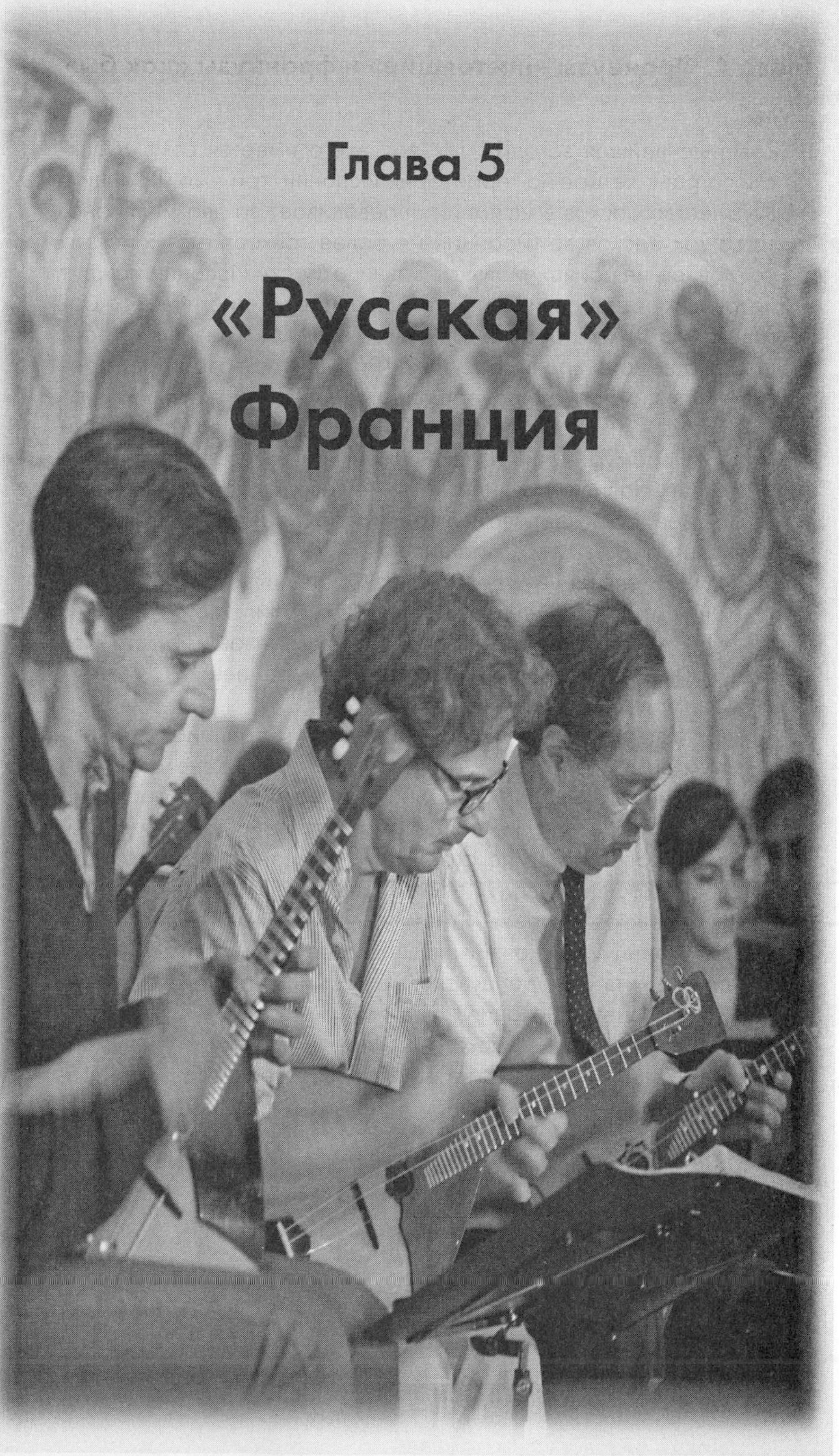

Тема это особая и имеющая долгую историю. Но хотел бы сразу сообщить, что, согласно последней переписи, во Франции проживают всего лишь около ста пятидесяти тысяч выходцев из России, что значительно меньше, чем в США. Там их более двух миллионов.

Километрах в пятидесяти к северу от Парижа находится город Санлис. Город маленький и древний. Здесь еще в X веке жили короли Франции династии Каролингов, а затем Капетингов. Множество памятников и руин, узенькие средневековые улочки, словом, довольно типичный французский городок. Мы не отправились сюда, если бы не статуя в соборе XI века: на довольно высоком постаменте стоит женщина, на голове – корона, в правой руке – скипетр, увенчанный лилией, в согнутой левой руке – модель собора. На постаменте написано: **Anne de Kiev, Reine de France. Elle fonda cette maison sous le vocable de St. Vincent l'an du seigneur 1060**, что значит: «Анна Киевская, Королева Франции. Она создала этот дом под патронажем св. Винсента в 1060 году». Статуя относится к XVI веку, так что о реальной внешности Анны судить невозможно, но она, надо полагать, была и красавицей, и умницей. Вряд ли иначе Генрих I, овдовевший король Франции, выбрал бы именно ее. Вряд ли он позволял бы ей подписывать королевские указы наравне с собой. Кстати, Генрих, как и почти весь его двор, писать не умел и расписывался, ставя букву «х»; Анна же расписывалась так: **Anna Reine**, то есть «Анна Королева». Когда ее привезли в Реймс на коронацию, она настояла на том, чтобы произнести клятву на своем, привезенном ею из Киева Евангелие. Впоследствии в течение нескольких веков все короли Франции клялись именно на этой книге, которую считали таинственной, поскольку не могли прочесть в ней ни одного слова. Тайна была нарушена Петром I: когда он приехал в Реймс и ему показали книгу, он стал читать ее безо всякого труда, поскольку написана она была на старославянском. «Реймсское Евангелие» хранится сегодня в Лувре.

История, о которой я только что поведал, произошла во второй половине XI века. Это было время, когда браки между русскими и западноевропейскими феодалами были в порядке вещей: три сестры Анны вышли замуж за датского, английского и венгерского принцев. Связи между Русью и Западной Европой бурно развивались. Этому положило конец татаро-монгольское нашествие, изолировавшее Россию от мира на два с небольшим века. По сути дела, связи с Францией возобновились только в XVIII веке, сначала при Петре, затем весьма бурно при Елизавете Петровне и, извините за выражение, на полную катушку – при Екатерине II.

В высших светских кругах России французский язык, французская мода становятся обязательными. А во Франции... во Франции происходит нечто удивительное. Нет, не подумайте, что модными становятся русский язык или русская кухня, модными становятся ***русские.*** Вот вам пример: в 1760 году Вольтер пишет поэму «Русский в Париже», в которой речь идет о некоем Иване Атлетове. И оказывается, что этот русский – единственный человек, кто во Франции еще сохранил истинно французскую культуру. Он образован, благороден, умен. Но этого мало: Россия выгодно отличается от Франции, потерявшей свое величие при Людовике XV (по Вольтеру). Во Франции стало так плохо, что Иван Атлетов жить там больше не хочет, он принимает решение вернуться на родину... но умирает в Париже.

Русские же о Франции пишут... разное. Даже очень разное. Вот некоторые отрывки из писем Дениса Ивановича Фонвизина к своей сестре, в которых он делится впечатлениями о Франции:

«Я думал сперва, что Франция, по рассказам, земной рай, но ошибся жестоко... Господа вояжеры лгут бессовестно, описывая Францию земным раем. Спору нет, что много в ней доброго, но не знаю, не больше ли худого».

И еще некоторые высказывания автора «Недоросля»: «...на скотном дворе у нашего доброго помещика чистоты гораздо больше, нежели пред самыми дворцами французских королей... рассудка француз не имеет и иметь его почел бы несчастьем своей жизни, ибо оный заставил бы его размышлять, когда он может веселиться. Забава есть один предмет его желаний... Обман почитается у них правом разума. По всеобщему их образу мыслей, обмануть не стыдно; но не обмануть – глупо. Смело скажу, что француз никогда сам себе не простит, если пропустит случай обмануть, хотя в самой безделице. Божество его – деньги... Лион стоит того, чтобы его видеть. Описав его добрую сторону, надобно сказать и о худой. Во-первых, надлежит зажать нос, въезжая в Лион, точно так же как и во всякий французский город. Улицы так узки, что самая большая не годится в наши переулки, и содержатся скверно... Дворянство, особливо, ни уха ни рыла не знает. Многие в первый раз слышат, что есть на свете Россия и что мы говорим в России языком особенным, нежели они... Правду сказать, народ здешний с природы весьма скотиноват... Белье столовое во всей Франции так мерзко, что у знатных праздничное несравненно хуже того, которое у нас в бедных домах в будни подается... Вообще приметить надобно, что нет такого глупого дела или глупого правила, которому бы француз тотчас не сказал резона... Я думаю, нет в свете нации легковернее и безрассуднее... По точном рассмотрении вижу только две вещи, кои привлекают сюда чужестранцев в таком множестве: ***спектакли*** и – с позволения сказать – **девки...**»

По сути дела, Денис Иванович не нашел во Франции почти ничего хорошего, и даже то хорошее, что обнаружил, сумел вывернуть таким образом, что оно стало плохим (например, увлечение женщин модой).

Спустя тринадцать лет такое же путешествие по Франции совершил будущий великий русский историк Николай Михайлович Карамзин. Если сравнить его впечатления с впечатлениями Фонвизина, то покажется, что они были в совсем разных странах. Посудите сами: Франция – «прекраснейшее на свете государство, прекраснейшее по своему климату, своим произведениям, своим жителям, своим искусствам и художествам». И еще: «Скажу: огонь, воздух – характер французов описан. Я не знаю народа умнее, пламеннее и ветренее...»

Не стану докучать вам цитатами из подробнейших и длиннейших описаний Парижа Карамзиным, равно как и цитатами из произведений других русских писателей. Прошу лишь верить мне на слово, что нет, насколько я могу судить, ни одного значительного русского писателя XVIII–XIX веков, который не высказывался бы о Франции и французах, причем в гораздо большем объеме, чем о любой другой европейской стране. Не берусь объяснить, почему именно Франция оказалась для русских самой притягательной страной Европы, но то, что это так, несомненно. Возможно, точнее будет сказать, что так было вплоть до первой четверти прошлого века: значительное большинство тех, кто бежал от большевиков, бежали во Францию – так называемая «первая волна» эмиграции. Куда бежали те, кто уходил с оккупированных территорией вместе с отступающей германской армией в 1944 году («вторая волна»), сказать трудно, но представляется, что большей частью эти люди оказывались в Южной Америке. Что до «третьей волны», которая берет свое начало в 1972 году (в результате договоренности между Л.И. Брежневым, тогдашним Генеральным секретарем ЦК КПСС, и Президентом США Р. Никсоном), то она хлынула в Израиль и США. После распада СССР, когда стало гораздо проще с выездами, эмиграция шла в основном в США, Германию и Великобританию, Франция в этом смысле перестала манить русских. Очевидно, это объясняется как экономическими причинами, так и тем, что французский язык и французская культура перестали для русских считаться эталонами. Тем более что эталонами-то они были для дворян и интеллигенции, коих в России по сути дела к середине прошлого века не стало вовсе.

Конечно, есть свежеиспеченные русские иммигранты во Франции, но они встречаются довольно редко. Прямых же потомков представителей «первой волны» все меньше и меньше, поскольку самым «молодым» из них, как правило, за восемьдесят.

Мы в своем путешествии хотели присмотреться к «русской» Франции. Но, присмотревшись, убедились в том, что исчезли последние «белые» беженцы, а их дети и тем более внуки совершенно «офранцузились». Многие из них продолжают говорить на русском языке, но гораздо хуже, чем на французском. В своих манерах, в способе жить, в общении они, конечно, французы. Я довольно хорошо знаю этих людей, поскольку среди них рос. Мой отец и две его сестры уехали с родителями из советской России в 1922 году, уехали сначала в Берлин, а затем, тремя годами спустя, в Париж. Все в круге их близких друзей, да и приятелей были такими же иммигрантами, как и они сами. Тогда, будучи ребенком, я воспринимал их с любопытством – они то и дело говорили на совершенно непонятном мне языке, а когда говорили по-французски, то с заметным акцентом. Лишь гораздо позже я стал понимать, что отличало этих людей от советской и постсоветской эмиграции. Это была их любовь к России. Я никогда не слышал, чтобы они последними словами поносили свою родину, я никогда не видел, чтобы они позволили кому-либо ругать Россию в своем присутствии, наконец, они превосходно говорили по-русски до самой своей смерти и добивались того, чтобы их дети тоже говорили на русском языке.

То, что эмигранты нынешние плохо говорят по-русски, очевидно и понятно: они не аристократы по происхождению, они, в своем подавляющем большинстве, не представители русской интеллигенции, они... ну, как бы это сказать... мещане. Но дело не в том, что они куда хуже владеют своим родным языком, чем та эмиграция, о которой я говорю, они не любят ни свой язык, ни страну, где они родились, и часто – хотя не всегда – делают все, чтобы их дети вообще не умели говорить по-русски.

Возвращаюсь, однако, к тому, о чем я писал. Нам не удалось найти во Франции какое-либо «русское сообщество» – не то, чтобы хоть чем-то напоминающее район Брайтон-бич в Бруклине, или то, которое время от времени собирается в Сан-Франциско, но вообще какое-либо. Хотя...

Была встреча с оркестром балалаечников в Париже – человек тридцать или сорок. Почти все они внуки и внучки той, «первой волны». Почти все они говорят по-русски – кто лучше, кто хуже, но говорят. По сути, на вопрос: «Кем вы себя считаете, русским или французом?» – многие отвечают, что «русским – по душе», некоторые – «русским французом», и это, наверное, довольно точно, однако по сути дела они конечно же французы.

Остались в памяти еще три встречи – и все они с оттенком печали. Первая была с Ниной Владимировной Гейтс, женщиной престарелой, привезенной во Францию родителями, когда она еще была совсем девочкой, всю жизнь прожившей в Ницце и ныне доживающей свой век в доме для престарелых. Говорила она на чистейшем и красивом русском языке, чуть презрительно высказывалась о новой, «советской», эмиграции, «с которой мы не общаемся». Когда я спросил почему, она немного зло хохотнула и в свою очередь спросила:

– А вы американец?

На мой вопрос, почему она так считает, Нина Владимировна ответила:

– Только американец может задать такой прямой и глупый вопрос.

Чем-то она напомнила мне мою тетю, Викторию Александровну, младшую сестру моего отца, – та же резкость, то же презрительно-снисходительное отношение к «советской» эмиграции. Виктория Александровна, или Тото, как звали ее близкие, так и не очень, умерла в возрасте девяноста шести лет, года три тому назад, умерла в полном одиночестве – все ее друзья-приятели, такие же «бывшие» русские, давно ушли из этой жизни. То же можно сказать о Нине Владимировне. Она словно музейный экспонат, или точнее, один из самых последних представителей вымирающего вида. У этих людей нет потомства; вернее, оно есть, но оно родилось и росло в совершенно иных условиях, в других традициях, и оно принципиально отличается от своих родителей.

Вот, например, сын Нины Владимировны, Иван Булгаков, он же отец Иоанн, приход которого расположен под Марселем. Превосходно говорит по-русски, хотя родился и вырос во Франции. Сочетает юридическую практику с богослужением. Приход убогий, навевает тоску. При упоминании о Русской православной церкви отец Иоанн морщится, а затем говорит о своем с ней конфликте, суть которого в том, что РПЦ пытается «заграбастать» все православные храмы, находящиеся во Франции.

– Будем сопротивляться до конца, – говорит священник-юрист, – не хотим быть под Москвою, не верим им.

И в общем, это довольно типично для представителей «первой волны» и их детей. Для них Россия сегодняшняя все еще остается советской, они относятся к ней с неприязнью – правда, не все.

Недалеко от Биаррица, в деревушке Бегио, находится дом Александра Николаевича де ла Серда, почетного вице-консула России в Биаррице. Рода он древнейшего, испанского, о чем он непременно вам расскажет, красиво грассируя и говоря на явно «дореволюционном» языке. Он гордится своим консульским званием, принимая его совершенно серьезно, даже трогательно. Считает своим долгом встречать «высоких гостей», в особых случаях быть их гидом по Биаррицу. Видел я его раза четыре или пять, он всегда был тщательно одет, с непременным шелковым нашейным платком, с прямым, как стрела, пробором. Были мы у него дома, где он угощал нас вином собственного бордоского виноградника, показывал фотографии «тетушки» Зинаиды Гиппиус и «дядьки» Мережковского, но при этом я не мог избавиться от ощущения какой-то печали, ощущения того, что у человека главное – это прошлое, прошлое громкое и славное, прошлое, которое у него дома висит на стенах, стоит на полках, все время напоминает о себе. У Александра Николаевича жена по-русски не знает ни слова. Есть у него дети или нет, неважно: уйдет из жизни Александр Николаевич – и на этом испано-русский род де ла Серда закончится, уйдет навсегда эпоха. У меня от понимания этого щемит сердце.

Вдруг в голову пришла вот какая мысль. Еще до всяких «волн», в самом конце XIX века и сразу после 1905 года, из России бежали противники царизма, и среди них был очень большой процент евреев, что не странно, учитывая антисемитизм царской России и вовлеченность многих евреев в революционное движение. Они-то стремились не во Францию, за которой еще со времен печально известного «дела Дрейфуса» закрепилась репутация страны антисемитской, они стремились главным образом в Америку. А от большевиков и революции 1917 года спасались в основном русские – и они бежали во Францию. Когда после почти шести десятилетий советской власти чуть приоткрылась эмиграционная дверь, ею могли воспользоваться только евреи – и снова поток пошел не во Францию, а в Израиль и Америку.

Прав я или нет, не знаю, но, как мне кажется, в этом что-то есть.

Глава 6

О «носах», питье и еде

Бесспорно, самый знаменитый, самый воспетый нос не только во французской, но и в мировой литературе принадлежал бесстрашному, безупречному, бессмертному гасконцу Сирано де Бержераку, сказавшему: «Большой нос есть признак человека приветливого, доброго, куртуазного, остроумного, отважного, каким являюсь я».

Но есть и другой нос, который следует заключать в кавычки: «нос». Это не та часть лица, которая выдается над всеми остальными его частями, у кого больше, у кого меньше. «Нос» – это человек, да не просто человек, а такой, который, обладая тончайшим обонянием, различая сотни, а то и тысячи оттенков запахов, словно композитор музыку, сочиняет духи.

Надо ли доказывать, например, что лучший джаз в мире – американский, что самую лучшую пасту в мире делают в Италии? Точно так же нет необходимости доказывать, что лучшие духи в мире – французские. И родина их – город Грасс, куда мы и поехали в поисках «носов».

Вот что пишет о Грассе в своей знаменитой книге «Парфюмер» Патрик Зюскинд:

«...Этот город слишком часто подвергался захвату и снова высвобождался, он словно устал оказывать серьезное сопротивление будущим вторжениям – но не по слабости, а по небрежности или даже из-за ощущения своей силы. Он как будто не желал тщеславиться. Он владел большой ароматной чашей, благоухавшей у его ног, и, казалось, этим довольствовался. Этот городок назывался Грасс и вот уже несколько столетий считался бесспорной столицей торговли и производства ароматических веществ, парфюмерных товаров, туалетного мыла и масел... Рим ароматов...»

Рим упомянут не случайно. Парфюмерная страсть римских завоевателей задела душу древних галлов-варваров, но они по-настоящему открыли для себя волшебство драгоценных арома-

Софи Лаббе, «нос» парфюмерной компании IFF

тов гораздо позже, уже став французами, в связи с Крестовым походом Людовика Святого в XIII веке.

Первое название духов, дошедшее до нас, относится к 1367 году: «Вода венгерской королевы». Как гласит легенда, королева получила рецепт приготовления духов не то от монаха-отшельника, не то от человека, владевшего черной магией.

Парфюмерное производство стало развиваться в Грассе в XVI веке, когда сюда из Италии переселились ремесленники, изготовлявшие кожаные перчатки. Надо вам сказать, что натуральная, ничем не обработанная кожа пахнет... ну, скажем, не лучшим образом. Этот запах пытались убивать, втирая в перчатки летучие ароматы мимозы, нарциссов, туберозы, лаванды, фиалок, цикламенов, апельсинов, вербены и жасмина – и все тщетно. Но вот одному умельцу удалось-таки убить чудовищный «кожаный запах», втирая в перчатки эфирные масла различных трав и цветов. Это было в Грассе, и именно в Грассе родилась и рождается европейская – а значит, мировая – парфюмерная мода.

Вы помните возмущенные комментарии русских писателей XVIII–XIX веков по поводу того, как во Франции все... уж извините, воняло. Отчасти это объяснялось отсутствием канализации, тем, что на улицы выбрасывали все нечистоты. Кроме того, люди не мылись. Нет, речь не о простолюдинах, речь о самых что ни на есть изысканных аристократах. И они-то обливались не водой, а духами, чтобы отбить запах собственного немытого тела. Дворец короля Людовика XV стали называть «ароматным дворцом»: духами было пропитано буквально все – и одежда придворных, и мебель.

Одно из главных открытий XVIII столетия – одеколон, составленный из смеси розмарина, бергамота и лимона, его добавляли в ванну, им полоскали рот, его использовали для... клизмы!

Никакие потрясения не могли повлиять на все растущую популярность духов, в том числе Французская революция, во времена которой были выпущены духи Parfum à la Guillotine – «Духи гильотины».

Кстати, об одеколоне: название «туалетная вода» было дано Наполеоном. Когда он находился в ссылке на острове Св. Елены, он придумал собственный рецепт одеколона с добавлением бергамота и назвал его туалетной водой.

Но вернемся в Грасс. Там я встретился с Жозефом Мюллем – нет, он не «нос», он заведует полями, на которых растут розы и жасмин, являющиеся основой самых знаменитых духов в мире – «Шанель № 5». Он – потомственный крестьянин, коренастый, простоватый (но не прост!), с натруженными руками и обветренным лицом.

– Я уж не знаю, в каком поколении я на земле, – говорит он. – Все мои предки были крестьянами, но дело это трудное, конкурентное, особенно оно стало таким, когда стали возникать агропромышленные комплексы. Не знаю, как бы мы выжили, если бы не потребность духов в цветах, в розах и жасмине. Мы сообразили это довольно рано, мы стали эксклюзивными поставщиками для дома «Шанель». Наши розы – особые. Даже не розы, а земля. Такие розы растут в других странах, например в Индии. Но пахнут они иначе. Нигде в мире нет таких роз.

На самом деле розы неказистые. Растут они на кустах целыми гроздьями, вид имеют самый обыкновенный, но запах... Самое важное — это успеть собрать их в тот момент, когда они созревают – увядшая роза никуда не годится. Собирают их мешками, я был свидетелем того, как сборщики-иммигранты (французы такой черной работой не занимаются), защищенные от палящего солнца широченными шляпами и укрытые свободной одеждой, собирают розы. Работа не из легких. Удивительно то, что все делается по старинке: никаких тебе современных машин-автоматов, весь процесс – от сбора до получения той основы, из которой потом сделают духи, – вручную.

Я спрашиваю господина Мюлля:

– Сколько надо собрать розовых лепестков, чтобы получить один литр розового масла?

– Восемь тонн.

– Почему вы все делаете по старинке?

Он улыбается хитрой улыбкой и отвечает, чуть наклонившись и понизив голос, будто делится со мной секретом:

– Месье, потому что по старинке, как вы изволите выражаться, получается лучше. Конечно, если вы стремитесь к массовому производству, вам нужны современные машины. Но если ваш сектор – люкс, то вы все делаете по старинке, руками. В нашей области никакая сверхсовременная машина не заменит человека.

Попробуйте создать машину, которая заменит «носа» и создаст новые «Шанель № 5». Не получится, месье, не получится.

Эти духи – «Шанель № 5» – имеют историю, которую следует рассказать. Появились они в 1921 году. За год до этого мадемуазель Габриэль Коко Шанель, будучи в Биаррице, познакомилась с великим князем Дмитрием Павловичем Романовым. Она была на одиннадцать лет старше него – ей было тридцать семь, ему двадцать шесть. Вообще говоря, ситуация вполне классическая. Великий князь влюбился до потери сознания, а мадемуазель Шанель была к нему благосклонна. Как-то Дмитрий Павлович представил ее придворному парфюмеру семьи Романовых – Эрнесту Бо, который в то время работал в Грассе. Это знакомство и навело Коко Шанель на мысль создать свои духи. В то время духи основывались на натуральных цветочных эссенциях и быстро испарялись после открытия флакона. Духи «Шанель № 5» были составлены из восьмидесяти различных ингредиентов, что придавало им стойкость. Эрнест Бо работал над духами несколько месяцев, пока Коко Шанель не нашла ту композицию ароматов, которая ее устроила. Это произошло так: Бо поставил перед ней несколько флакончиков на пробу, на каждом был наклеен номер. Больше других ей понравился флакон с номером «5» – откуда и произошло название духов.

Эти духи принесли Коко Шанель всемирную славу и полную финансовую независимость до конца ее жизни. Не было ни одной знаменитой и привлекательной в мире женщины, которая не пользовалась бы ими. Самая знаменитая из всех, Мерилин Монро, в ответ на вопрос репортера: «В чем вы спите?» – ответила: «В «Шанеле № 5», конечно», что произвело фурор. После этого всего за пару дней было продано несколько миллионов флаконов духов.

Итак, Грасс. Вокруг него сосредоточены около сорока парфюмерных фабрик, работающих на различные бренды, в частности на бренд «Фрагонар», который гордится тем, что вся их косметика делается полностью на натуральной основе – из сотен прованских цветов и трав. У «Фрагонара» имеется лаборатория запахов, где работает «нос». В этой лаборатории побывал ваш покорный слуга.

Стол, за которым сидит и «сочиняет» запахи «нос», называется «оргАн» парфюмера. «Нос» сидит лицом к трем или

Сбор лепестков роз под Грассом

четырем возвыщающимся друг над другом рядам с сотнями колбочек «чистых запахов». Верхний ряд называется верхним регистром, средний – средним и нижний – нижним регистром, а каждая колбочка называется «нотой». «Нос» берет те или иные «ноты», смешивает их в разных пропорциях, составляя таким образом свеобразный «аккорд», из разных же «аккордов» «нос» «сочиняет» «мелодию». Меня пригласили, чтобы я сочинил собственные духи, для чего я должен был принюхаться к нескольким десяткам флакончиков, отобрать и смешать отобранное... Словом, совершить целый процесс, в результате которого мне был вручен диплом о том, что я успешно сдал экзамен подмастерья. Мило, конечно, но не более того. Когда я спросил своего мастера, милую женщину лет тридцати пяти, являющуюся главным «носом» «Галимара», сколько она различает запахов, она ответила:

– Около трех с половиной тысяч.

Позже я выяснил, что это, конечно, талант, как, например, абсолютный музыкальный слух. Однако и этому делу надо учиться в специальной школе, а для того, чтобы стать выдающимся «носом», надо не меньше десяти лет теории и практики. Кроме того, я узнал, что таких «носов» в мире сто пятьдесят человек, что сто из них живут и работают во Франции, а пятьдесят – в Грассе. Я имел счастье пообщаться с некоторыми из них.

Софи Лаббэ. Среди «носов» женщин почти что и нет. И это несмотря на то, что доказано: у женщин более тонкое, более чувствительное обоняние, чем у мужчин. В 2005 году Софи Лаббэ выиграла приз Франсуа Коти и стала первой женщиной, получившей эту высшую для «носов» награду. Работает она в компании «Интернешнл Флейворз & Фрейгрансез» (буквально: «Международные вкусы и запахи»), а это значит, что выполняет заказы самых разных фирм. Вообще ею сочинено более тридцати пяти различных духов.

Когда я сидел в ее маленьком парижском офисе, то приглядывался к ее носу – притом настолько пристально, что она рассмеялась и спросила меня, что я предполагал там увидеть. Я, конечно, смутился, даже покраснел, чем еще больше рассмешил ее. Но потом она сказала, что может рассказать мне о чем-то таком, чего почти никто не знает.

– Имеет отношение к носу? – спросил я.

– Вот именно, – ответила она с таинственной улыбкой, отчего сразу стала немного похожей на мою любимую Джоконду.

– Я слушаю вас.

– Так вот, месье, – начала мадам Лаббэ, – вам, вероятно, кажется, что у всех людей – один нос, а на деле их два.

– ???

– Ну, я же сказала вам, что расскажу нечто малоизвестное. Первый нос — это тот, который мы с вами видим и который создан для обоняния. К сожалению, мы из поколения в поколение делаем все, чтобы утерять это чувство – хотя, поверьте мне, оно гораздо сильнее, чем зрение или слух.

– ???

– Ну, подумайте сами: смотрите, что такое обоняние для любого животного: оно чует приближение другого задолго до того, как увидит или услышит. О рыбах я даже не говорю. Если так будет продолжаться, нам нос будет нужен только для того, чтобы вдыхать и выдыхать да чтобы чихать и сморкаться. Так вот, наш первый и всем видимый нос нужен для обоняния вообще, для определения всех запахов. Но внутри этого первого носа есть второй. Не так давно выяснилось, что рядом с обонятельными клетками, внутри ноздрей, есть пятнышко. Путем опытов удалось выяснить, что если «главный» нос обоняет пищевые и прочие запахи, нос второй чует сексуальные. Это запаховые сигналы, которые выделяет человек для противоположного пола. Это очень мощный сигнал, при этом, в отличие от запаха пищи, он сознанием не регистрируется. Этот запах ставит человека на колени.

– ???

– Знаете выражение **coup de foudre**? (Буквально: «удар молнии», что на самом деле по-русски означает любовь с первого взгляда. – *В. П.*) Молекулы сексуального запаха разносятся в воздухе куда стремительнее любых духов.

– Послушайте, по-русски говорят «любовь с первого взгляда», а надо, выходит, говорить «любовь с первого запаха»?

– Именно так!

– Означает ли это, что можно сочинить этот запах?

– Ну, об этом лучше всех написал Зюскинд в «Парфюмере», но на самом деле это невозможно, потому что речь идет о конкретном запахе конкретного человека – и заметьте, нет двух одинаковых в мире, точно так же, как нет двух идентичных людей, – который действует на второй нос другого конкретного человека. Но вы же понимаете, что основа запаха – это чувственное начало.

– Ну и все-таки, не все влюбляются сразу...

– Разумеется, но запах играет роль, мы привыкаем к нему. И уверяю вас, если запах не нравится, вы этого человека не полюбите никогда...

Много позже, ближе к концу нашей поездки, я вспомнил слова Софи Лаббэ. Это было, когда мы поехали в деревеньку километрах в пятидесяти от Парижа, где живет одна из самых знаменитых, легендарных французских шансонье Жюльет Греко. Мы вошли в ее дом – дверь открыла служанка, – и через минуту-другую вышла к нам Греко. Представьте себе женщину высокого роста, стройную, с совершенно черными волосами, обрамляющими матово-бледное лицо, с которого на тебя смотрят огромные черные глаза. Да еще представьте себе необыкновенно красиво очерченный щедрый рот, и из него выливается голос такой, что начинает кружиться голова. Голос низкий, окрашенный обертонами, голос пленящий... Я был совершенно сражен, мне казалось, что я полностью в ее власти, я не помню, о чем мы говорили, я только помню эти глаза, этот голос.

Видимо, сработал мой второй нос.

Ей тогда было 82 года.

Встретиться с Софи Лаббэ было делом простым: пара телефонных звонков. А вот встреча с главным «носом» «Шанель» Жаком Польжем потребовала бесконечного числа звонков, ответов на множество вопросов, гарантий и так далее.

Пока я дошел до самого Польжа, пришлось пройти через несколько рядов людей, оберегающих его покой. Наконец, когда он вошел в кабинет и, поздоровавшись, сел в кресло напро-

Мирей Гьяно знает, почему француженки не толстеют

Знаменитый кулинар Аллен Дюкас

Жюльет Греко. Более обаятельной женщины я не встречал

Главный «нос» дома «Шанель» Жак Польж

тив меня, то и здесь его одного не оставили: за всем следили и все слушали еще двое. Наблюдая за тем, как Польжа охраняют, я вдруг вспомнил истории о первых мастерах фарфора, в частности фарфора Майсен, которых держали взаперти, не давая ни с кем общаться, чтобы они не разболтали секреты производства. Если мне не изменяет память, легенда гласит, что Иван Грозный приказал выколоть глаза строителям храма Василия Блаженного Барме и Постнику, чтобы они никогда не смогли построить ничего подобного. Интересно, а если бы Жак Польж жил несколько веков тому назад да работал бы у Грозного, ему бы отрезали нос, прежде чем отпустить на пенсию?

Жак Польж высок, строен, лысоват, прост, улыбчив и вполне отдает себе отчет в том, что он – главный «нос» фирмы «Шанель», в которой он работает с 1978 года. Он – сочинитель порядка сорока весьма успешных духов. Каким образом стал «носом»?

– Я родился в Провансе, на юге Франции, что и определило мое будущее. Родись я в Париже или на севере Франции, никогда не стал бы «носом». Жили мы в Авиньоне и летом ездили в Грасс и Канны. Знаете, тогда, в моем детстве, эта дорога, Авиньон – Грасс – Канны, была сплошным садом, росли повсюду розы, лаванда, жасмин, апельсины, а когда ты подъезжал к Грассу, то чуял запах духов. Теперь это не так, стали меньше производить, многие поля исчезли. Я не сразу пришел в отрасль, какое-то время занимался английской литературой, тем более что мой отец всячески уговаривал меня не становиться «носом», но против природы не устоишь.

– Что значит для вас быть «носом»?

– Это значит жить в мире прекрасных запахов, создавать прекрасное, делать работу, прекрасней которой нет и быть не может.

Для меня особняком стоит встреча с последним главным «носом» фирмы «Герлен», Жаном-Полем Герленом. Позвольте чуть-чуть истории.

Дом «Герлен» был основан в 1828 году Пьером-Франсуа Герленом, который достиг пика своей славы, когда он создал **Eau de Cologne Impériale** в 1853 году, за что получил титул официального парфюмера Его Королевского Величества. После его смерти дела перешли в руки двух его сыновей: Габриэля, который занимался бизнесом, и Эйме, который стал вторым главным «носом» и создателем многих знаменитых духов, среди которых самые знаменитые и по сей день пользующиеся успехом были «Жики» (1889). С течением времени дом «Герлен» перешел в руки двух сыновей Габриэля, Пьера и Жака. Жак стал третьим главным «носом» и прославился духами «Митсуко» (1919) – самыми любимыми духами моей мамы.

Четвертым главным «носом» из семьи Герлен стал внук Жака, Жан-Поль, сочинитель, среди прочих, духов «Самсара». Детей у него не было, поэтому он стал последним главным «носом» из семьи Герлен. С ним-то я и встретился в главном магазине «Герлен», что стоит на Елисейских Полях.

Ему тогда было около семидесяти лет, хотя он казался старше. Одет он был строго и торжественно, говорил медленно и мало, но от него веяло силой, основательностью, властью.

– Я, знаете ли, родился подслеповатым – очень плохо видел. Настолько плохо, что не мог ничего читать. Не мог ходить в школу, в общем, бездельничал. В один прекрасный день мой дед Жак сказал моему отцу: «Отдай его мне, я что-нибудь с ним придумаю». Вот меня отдали. Дед стал мне давать разные склянки с запахами, потом отвел меня в комнату, посадил и сказал: «Будешь учиться различать запахи. Каждый день будешь запоминать сто новых запахов, буду проверять тебя, посмотрим, какой из тебя выйдет толк». Вот так получилось.

– Скажите, месье Герлен, «нос» – это особый талант или этому может научиться любой человек?

Он пожал плечами, чуть брезгливо улыбнулся и ответил:

– Нос есть у всякого человека, его надо только разработать.

Помолчал и иронично добавил:

– Конечно, быть слепым помогает.

Этот разговор происходил в октябре 2009 года. Ровно через год, рассказывая для телевизионной компании «Си-Эн-Эн» о том, как он создавал духи «Самсара», Жан-Поль позволил себе выразиться неполиткорректно:

– Я наконец-то стал вкалывать как негр. Я не знаю, впрочем, так ли много вкалывали негры...

Скандал разразился грандиозный – как в Америке, так и во Франции. Старику пришлось публично извиниться, что, думаю, далось ему нелегко. Уж больно горд.

О французской кухне написано столько, что я вряд ли могу что-либо добавить. Поэтому я ограничусь лишь некоторыми наблюдениями, но при этом хочу вас предупредить: я родился в Париже, моя мама была француженкой, она замечательно готовила, привив мне и моему младшему брату Павлу и вкус к хорошей еде, и привычку есть три раза в день, но не кусочничать в течение дня, и ко многому другому. Недаром и Павел и я любим и умеем готовить, недаром мы с ним в честь нашей мамы открыли в Москве брассери «Жеральдин». Сообщаю все это для того лишь, чтобы затем признаться в своей предвзятости. По мне, существуют две великие и противопоставленные друг другу кухни: французская и китайская. Противопоставление заключается в том, что французская кухня исходит из того, что вы, глядя на поданное вам блюдо и пробуя его на вкус, должны сразу же понять, что именно вам подали. Китайская кухня, напротив, исходит из убеждения, что, глядя на блюдо и пробуя его, вы ни за что не можете угадать, из чего оно, это блюдо, состоит.

По утонченности, по разнообразию, по превосходным вкусовым ощущениям эти две кухни не знают себе равных. Вы мне возразите: «А мне больше нравится итальянская кухня!» На здоровье. Но позвольте вам заметить, что оттого, что вам, например, больше нравится автомобиль «Лада», чем автомобиль «Ауди», вряд ли можно сделать вывод, что российская автомобильная промышленность лучше немецкой...

Теперь некоторые общие замечания.

Во-первых, еда для француза – это прежде всего удовольствие и только потом способ утоления голода.

Во-вторых, за едой француз не спешит; недаром во Франции обеденный перерыв длится два часа.

В-третьих, для француза назвать закуску, основное блюдо и десерт «первым», «вторым» и «третьим» – несомненный признак варварства.

И наконец, ни один француз не ***думает***, что его кухня лучшая в мире, он это ***знает***. Поэтому в ответ на все ваши возражения он не станет спорить, а лишь с сожалением и некоторым состраданием к вам улыбнется.

Что ж, начнем, пожалуй.

МАРСЕЛЬ. Ресторан «У Фонфона» (никакого отношения к Фанфану-тюльпану не имеет). Расположился в уголке рыбацкого порта в старом городе. Каждый день к небольшому причалу подплывают рыбацкие лодки со свежим уловом. Далее следует отбор рыбы. А далее, если вы что-нибудь понимаете, вы заказываете буйабес. Говоря попросту, это рыбный суп. Но вы ведь не станете называть тройную уху обыкновенным «супом из рыбы», ведь так? Марсель – родина буйабеса, его готовят в каждом доме, у каждой семьи свой рецепт (конечно, самый лучший из всех!).

Я воздержусь от того, чтобы предлагать здесь рецепт, скажу лишь, что изумительный вкус буйабеса зависит от: а) провансских трав и специй, б) пород и, разумеется, свежести рыбы, в) качества овощей, г) сорта хлеба и д) умения повара приготовить соус с не слишком гастрономическим названием «ржавчина».

Вкусен ли буйабес «У Фонфона»? Слово «вкусно» не подходит. Вы язык проглотите. С каждой ложкой внутри вас будет разливаться пение, сначала тихое, будто играет лишь один инструмент, а потом все громче, пока вас изнутри не охватит звучание большого симфонического оркестра.

ЛИОН. Скажу вам напрямик: в Лион мы приехали из-за величайшего шеф-повара Поля Бокюза. Ну, то, что у него три мишленовские звезды, знают все. То, что им учрежден приз «Золотой Бокюз», который считается Нобелевской премией для шеф-поваров, знают многие. То, что в 1989 году он был избран «Шеф-поваром века», что им изобретен всемирно известный «трюфельный суп», что он является основоположником так называемой «новой кухни», которая отличается от haute cuisine меньшими порциями, пониженной калорийностью и свежайшими ингредиентами наивысшего качества, тоже не секрет.

А вот кто знает, что у Поля Бокюза есть феноменальная коллекция старинных музыкальных инструментов, среди которых особенно выделяется механический орган, играющий самые разнообразные произведения, в том числе гимны многих стран? А кто знает, что Бокюз обладает тончайшим чувством юмора, а это значит, что умеет шутить без тени улыбки. Примеры? Пожалуйста:

> Марсель основан ок. 600 г. до н. э. фокейцами — греками из Малой Азии — и назывался тогда «Массалия».
> По легенде история города началась как история любви Жиптис, дочери короля Нана племени лигурийцев, и грека Протиса: греки высадились на берег Прованса в тот момент, когда король Нан выдавал замуж свою дочь. Для этого он созвал пир, на котором Жиптис выбрала бы себе жениха. Именно греку Протису протянула она свой кубок с вином. В качестве свадебного подарка молодые получили часть побережья, на котором и основали город, названный Массилия.

Марсель

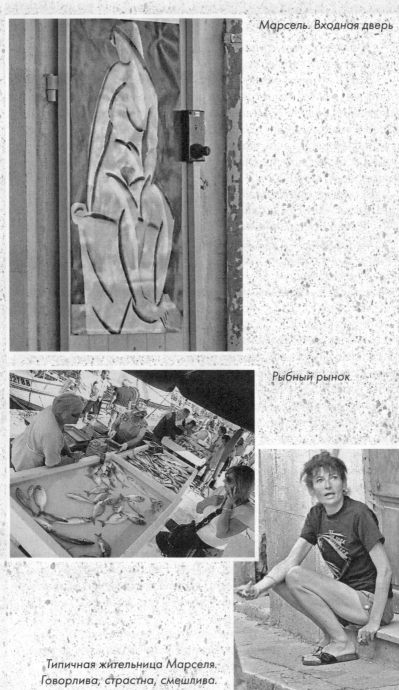

Марсель. Входная дверь

Рыбный рынок

*Типичная жительница Марселя.
Говорлива, страстна, смешлива.
Словом – одесситка*

– Месье Бокюз, а чем вы объясняете то, что Лион, а не Париж является сердцем кулинарии и гастрономии Франции?

– Дело в том, месье, что Лион превосходно расположен. У нас две полноводные реки со множеством рыбы, рядом долина Роны с ее великими винами, здесь же плодородные земли, дающие великолепные овощи и фрукты, к тому же Лион находится на перекрестке всех главных дорог, и теперь благодаря ТЖВ Париж всего в двух с половиной часах езды, то есть Париж стал пригородом Лиона.

На кухне в ресторане Бокюза, над входом, висит табличка. Она гласит: «На кухне – тишина!»

– Месье Бокюз, почему эта табличка висит у вас на кухне?

Он пристально и без тени улыбки смотрит мне в глаза и отвечает:

– Я не люблю шум.

Вообще я счастлив, что встретился с Полем Бокюзом. Поначалу нам сказали, что он себя чувствует не очень хорошо (ему тогда, летом 2009 года, было восемьдесят три года) и вряд ли сможет встретиться с нами. Это конечно же был удар, но что поделаешь, все равно поехали в его ресторан, который расположен под Лионом в городке Коллонж-о-Мон-д'Ор, где, кстати говоря, Бокюз родился. Приехали, выгрузили аппаратуру и пошли ко входу. Входим – и замерли: нас встречает целая делегация, облаченная в белоснежные поварские одежды. Во главе – мужчина среднего роста, на голове высоченный белый колпак, лицо необыкновенно выразительное: крупный нос, высокие скулы, пронзительные черные глаза, большой, четко очерченный рот. Он делает мне шаг навстречу, протягивает руку и говорит:

– Поль Бокюз.

А потом была феерия. Сначала он повел меня во двор ресторана, на стене которого нарисованы картины из кулинарного прошлого Франции. Тут и шеф-повары, и исторические личности, пользовавшиеся их услугами, от Наполеона до де Голля. Подводя меня к очередной картине, Бокюз объясняет, кто есть кто. На последней картине изображены его дочь, сын, жена и сам Бокюз.

– А там, месье, смотрят на меня мои мама и папа, – и он показывает наверх, где на уровне третьего этажа вместо окна виднеется изображение его родителей.

Знаменитейший и официально признанный лучший кулинар XX века Поль Бокюз...

... со своим изображением на фоне дома

На кухне царит тишина при полнейшей сосредоточенной работе. Трудятся шеф-повары – я насчитал восемь человек, у семерых белые курточки увенчаны невысоким стоячим воротничком в цветах французского триколора: сине-бело-красный. Далеко не всякий имеет право носить этот воротничок, это знак отличия, которым награждается, как бы сказали мы, отличник своей профессии. На французском это называется **Meilleur ouvrier de France**, что можно перевести как «Лучший рабочий Франции» или «Лучший работник Франции», как вам больше нравится. Так или иначе, но получается, что под началом Бокюза работают семь шеф-поваров высочайшей квалификации.

Потом был ужин. Сохранил меню для себя и потомства, предлагаю вашему вниманию:

– суп из черных трюфелей;
– поджаренный утиный фуа-гра;
– спаржа под соусом божолэ;
– телячьи ребрышки, сваренные в кокотке;
– голубь, фаршированный капустой и фуа-гра;
– вкусноты и гурманское наслаждение;
– бокал «Моэт э Шандон брют империал»;
– бутылка «Нюи Сен Жорж лэ Кай 04 – Бушар»;
– вода «Шателдон»;
– вода «Эвиан»;
– эспрессо.

Четыре персоны. Счет – шестьсот шестьдесят три евро. Или сто шестьдесят три евро семьдесят пять центов на человека. Дорого? Да. Вкусно? Впечатление на всю жизнь.

Я вообще не помню точно, что мы ели, помню только чувство открытия, совершеннейшего удивления: вот передо мной лежит на тарелке абсолютно узнаваемая еда, я точно знаю, какой у нее должен быть вкус, я ожидаю, что вкус этот будет очень и очень приятным, но то, что попадает мне в рот, сметает все мои представления о привычном. Я просто замираю, перестаю жевать, чтобы этот вкус никуда не ушел, а Бокюз смотрит на меня и не то спрашивает, не то утверждает:

– Правда, вкусно?

И, не дожидаясь моего ответа, разворачивается и проходит по своему ресторану, останавливаясь то у одного, то у другого стола, чтобы перекинуться словом с посетителями.

Поль Бокюз
и его ресторан

Виды Лиона, сердца французской кулинарии

В чем секрет этой кухни?

– Нет, месье, никаких секретов. Надо, чтобы все продукты были совершенно свежими и наивысшего качества. Надо уважать природу, использовать ее по назначению, надо, чтобы человек понимал, что именно он ест, и надо любить готовить.

o—o

На следующий день вместе с Дави Тиссо, шеф-поваром гостиницы «Вилла Флорентин», в которой мы остановились, пошли утречком на главный рынок Лиона, на рынок имени... правильно, Поля Бокюза.

Бутылка воды «Эвиан»

Я не могу сказать, что французский рынок поражает неслыханным богатством продуктов по сравнению, например, с Дорогомиловским рынком города Москвы. Но есть некоторые принципиальные отличия. Во-первых, эстетика. Все, что есть, выставлено необыкновенно красиво. Это касается всего, но особенно – и по сравнению с тем, что у нас, – мясных рядов. Во-первых, французы великие мастера по разделке мяса, они действуют не топором, а тончайшими и острейшими ножами, количество различных «срезов» трудно посчитать. Во-вторых, у них нет ни «перекупщиков», ни «посредников» – продает свой товар тот, который его производит, и это касается всего: от обыкновенных овощей до хлебобулочных изделий и всяких колбас. В-третьих – и это вытекает из предыдущего, – человек за прилавком подробно расскажет вам о своем продукте и о том, как лучше его готовить. В-четвертых, разговаривая с этими людьми, ты начинаешь понимать, что они гордятся своим делом, любят его, что разговаривать с вами для них удовольствие.

После того как Тиссо познакомил меня с хозяйкой прилавка колбасных изделий, она подарила мне несколько разных колбас, и я спросил:

– Сколько я должен вам?

Рынок «Поль Бокюз» в Лионе

На что она – женщина лет шестидесяти – ответила:

– Une bise («поцелуйчик»).

Что было тотчас исполнено.

Есть в мире множество видов горчиц, но нет горчицы более знаменитой в мире, чем дижонская. Первое упоминание о ней относится к XII (!) веку. Словом, Дижон считается горчичной столицей мира. Дижон настолько знаменит, что даже удостоился специального анекдота.

Один француз встречает другого.

– Ну, как дела? – спрашивает он.

– Нормально, – отвечает второй, – но, знаешь, мне ночью приснился невероятный сон.

– Расскажи-ка.

– Мне приснилось, будто мне так захотелось горчицы, что я поехал за ней в Дижон! Представляешь?

– Подумаешь, разве это сон? Вот мне сон приснился просто потрясающий. Я сплю. Вдруг звонок в дверь. Встаю, открываю, а там стоит Брижит Бардо. Ну, я опешил от удивления, а она говорит: «Что вы так удивляетесь, месье, я давно мечтала познакомиться с вами. Можно, я войду?» Ну, я, конечно, ее впустил, а она в шикарной шубе. Вот она говорит: «У вас очень жарко, можно, я сниму шубу?» И сняла. А под шубой у нее нет ничего! Словом, мы провели два совершенно потрясающихся часа. Она ушла, я лег и снова заснул. И меня опять будит звонок в дверь. Открываю – а там Джина Лолобриджида. Я снова опешил, а она сразу вошла, скинула шубу... и опять два часа восторга. Она ушла, а я еле ноги волочу. Лег, только заснул – опять звонок в дверь. Я открываю, а там Мерилин Монро. Я говорю: «Мадам, не могу, в другой раз – пожалуйста, но сейчас не могу». А она: «Но как же так, месье, мне так хотелось с вами познакомиться». А я ей: «Извините, не могу». И она ушла.

Приятель ему говорит:

– Ну и сволочь ты, мог бы мне позвонить.

– Так я звонил тебе, но ты уехал в Дижон!

Мы в Дижон не поехали, но были рядом, в городе Боне (не путать с немецким Бонном), где посетили горчичную фабрику

Жена Эрика Аллегре, хозяина трюфельной фермы, готовит нам обед

Лилиан и Жан Луи Шартруль, хозяева фермы, где производят фуа-гра из печени...

... этих гусей

Мэр г. Бона
Ален Сюгено

Здесь делают настоящую
дижонскую горчицу

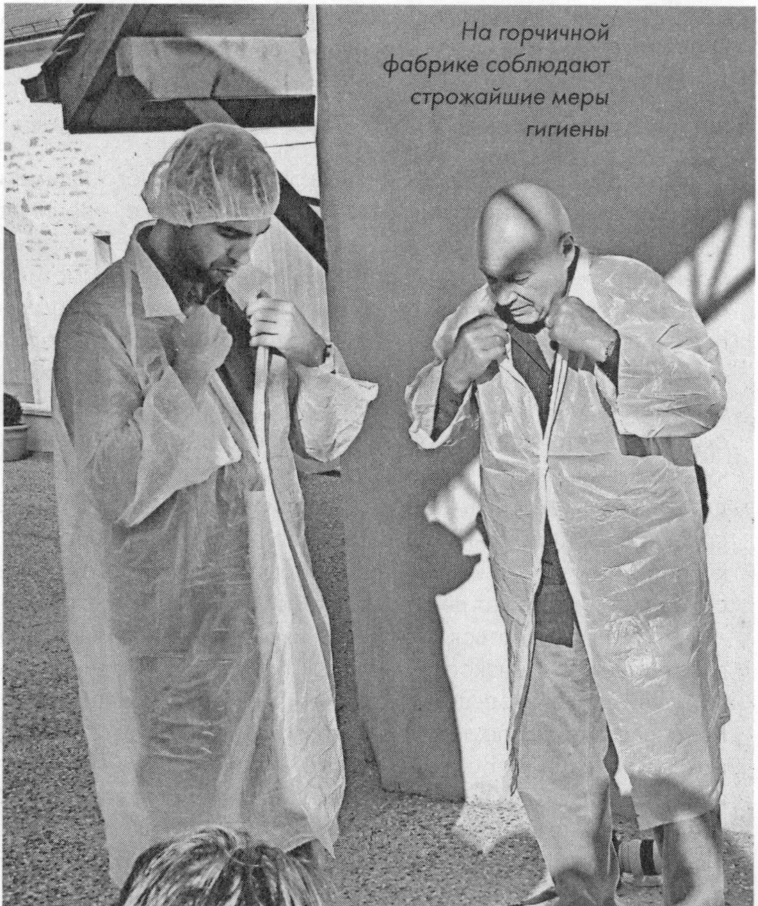

На горчичной
фабрике соблюдают
строжайшие меры
гигиены

«Фало». Это было довольно скучное дело, но хозяин предприятия, Марк Дезарменьен, рассказал нам любопытную историю. Оказывается, марка «Дижонская горчица» ничем не защищена, другими словами, вы можете налепить такую этикетку на свою горчицу независимо от того, где она сделана. Иначе говоря, покупая горчицу, на баночке которой написано «Дижонская горчица», вы, возможно, покупаете продукт, сделанный вовсе не в Дижоне и – что еще хуже – совсем по другой рецептуре и из других продуктов. А вот покупая горчицу «Фало», вы можете быть совершенно уверены в том, что это и есть настоящая дижонская горчица, поскольку марка «Фало» является защищенной торговой маркой. Господин Дезарменьен, таким образом, провел ликбез и в завершение подарил всей съемочной группе несколько десятков банок разнообразной дижонской горчицы «Фало».

На самой вершине французского кулинарного олимпа в гордом одиночестве стоит Поль Бокюз. Чуть ниже – сонм претендентов, среди которых выделяется Ален Дюкасс. К моменту моей встречи с ним – она происходила в парижской гостинице «Плаза Атенэ», где он держит ресторан, – я уже знал о нем многое. Например, что к своим пятидесяти трем годам он добился феноменальных успехов. Принадлежавшие и принадлежащие ему рестораны суммарно получили девятнадцать мишленовских звезд, что является абсолютным рекордом. Он открыл две кулинарные школы в Париже, одну для профессионалов, другую для всех желающих (мы побывали там и убедились в наличии высококвалифицированных шефов-учителей, самой современной кулинарной техники и великолепной организации всего процесса). Ему принадлежат десятки ресторанов во многих странах.

Должен признаться в том, что изначально я был настроен по отношению к Дюкассу не слишком хорошо. В один из первых дней нашей поездки мы должны были ехать специально из Канн в Монте-Карло, где один из помощников Дюкасса обещал нам встречу с ним. Встреча, однако, не состоялась. После двух или трех часов ожидания нам сообщили, что «к сожалению, месье Дюкасс не приедет, он занят». Вообще в какой-то момент я почувствовал, что Дюкасс уже давно не повар, а бизнесмен, притом весьма успешный. Подтверждением последнего может служить тот факт, что Дюкасс, который родился во Франции и был ее гражданином, не так давно взял гражданство Монако, а поскольку Монако не признает двойного гражданства, Дюкасс автоматически лишился французского. Напомню, что уровень налогообложения в Монако необыкновенно низок...

Но когда-то Дюкасс был шефом. Он учился у великих мастеров, в частности у легендарного владельца и шеф-повара ресторана Le Moulin de Mougins («Мельница Мужена») Роже Верже. Договориться с ним о встрече оказалось сложным делом, да и «охраняли» его не слабее Жака Польжа. Но все-таки встреча состоялась.

Мне показалось, что Дюкассу неинтересно говорить о еде, что гастрономия его перестала увлекать. Он смотрел на меня чуть потухшим взглядом, было ощущение, что он спешит куда-то, что он более всего озабочен своей все растущей империей, что Ален Дюкасс это уже не человек, а марка, которую следует писать в кавычках: «Ален Дюкасс».

o—o

Самое время поговорить о знаменитых мишленовских звездах. Но и здесь, как почти во всем, что касается Франции, придется начать издалека.

Жили-были два брата, Андрэ и Эдуард Мишлен. И владели они заводом по производству каучуковых изделий в городе Клермон-Ферране. Однажды к ним заехал велосипедист: одна из его шин нуждалась в починке. Как выяснилось, шина «прикипела» к ободу, потребовалось три часа, чтобы ее снять. Далее она должна была сохнуть всю ночь. Утром Эдуард надел и надул шину, сел на велосипед и поехал, шина вновь вышла из строя уже через сотню-другую метров. Что, впрочем, не охладило пыл братьев Мишлен, которые взялись за производство надувных, но не прикипающих шин. Первый патент был взят в 1881 году.

Производство шин стало главным делом братьев Мишлен. Они владели каучуковой плантацией во Вьетнаме, где жесточайшим образом эксплуатировалось местное население. Были стачки, была кровь, но ничто не могло остановить братьев. Сегодня «Мишлен» – крупнейший производитель шин в мире.

Когда в начале прошлого века автомобильная промышленность стала бурно развиваться в Европе, в частности во Франции, братьям – вернее, Андрэ – в голову пришла гениальная мысль: создать гид, из которого автомобилисты могли бы узнать, где ближайшая автозаправка, мастерская, закусочная, гостиница. Первый номер гида синего цвета вышел в 1900 году, и до 1920-го он раздавался и рассылался бесплатно.

С 1926 года в гиде стали давать рейтинги лучшим ресторанам Франции, отметив их одной, а начиная с ранних тридцатых годов – двумя и тремя звездами. Гид «покраснел» в 1931 году и по сей день называется «Красный гид Мишлен».

В Париже, в музее «Мишлен», я встретился с директором «Красного гида» Жаном-Люком Нарэ.

– Скажите, пожалуйста, каким образом определяется, что ресторан достоен звезды?

– Это, месье, дело сложное и, главное, тайное: мы никому не говорим, из каких слагаемых получается звезда. Могу же рассказать вам, что это результат работы наших инспекторов, людей, прошедших специальное обучение, личности которых хранятся в строжайшем секрете от всех, включая членов семьи.

– А сколько у вас таких инспекторов?

– К сожалению, месье, это тайна. Могу лишь сказать, что ресторанов, как вы понимаете, много, их проверяют регулярно, особенно те, которые так или иначе попадают в наш гид.

– Для чего?

– Для того, чтобы убедиться в том, что они либо не удержались на своем уровне, либо удержались, либо, наконец, превзошли его и достойны второй или третьей звезды.

– Сколько же существует в мире ресторанов с тремя мишленовскими звездами?

– На сегодняшний день (осень 2009 года. – *В. П.*) их сто двадцать семь, в том числе двадцать шесть во Франции.

– А в какой стране больше всего ресторанов, имеющих хотя бы одну звезду Мишлен?

– Месье, вы говорите «хотя бы» совершенно напрасно. Эта одна звезда стоит чрезвычайно дорого в том смысле, что ресторан сразу приобретает славу, может легко повысить цены, получает иную клиентуру. Но отвечаю на ваш вопрос: более всего таких ресторанов в Токио – сто девяносто семь, в том чис-

Жан-Люк Нарэ,
директор гидов «Мишлен»

В музее гидов «Мишлен»

Музей «Мишлен»

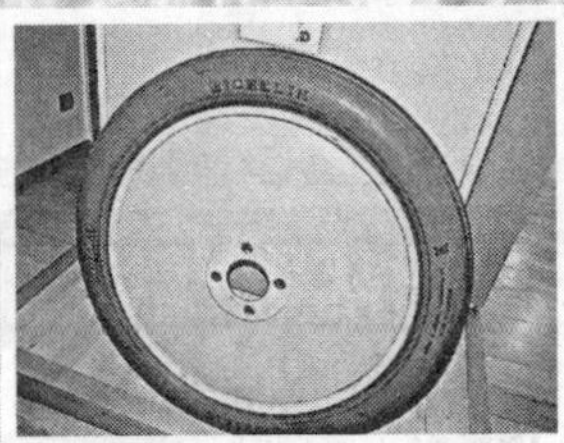

ле одиннадцать с тремя звездами и сорок два с двумя. Затем идет Париж – девяносто шесть ресторанов. Затем Нью-Йорк – пятьдесят шесть. Но на самом деле самая высокая концентрация таких ресторанов находится в Париже.

– ?

– Понимаете, в Токио – сто шестьдесят тысяч ресторанов, в Нью-Йорке их двадцать пять тысяч, в Париже всего тринадцать тысяч. Если соотнести количество «звездных» ресторанов с их общим числом, то Париж, конечно, на первом месте.

– Не может ли это быть результатом того, что ваши инспекторы не совсем объективны и отдают предпочтение французским ресторанам?

Тут месье Нарэ буквально выпучился на меня и сказал:

– Месье, наши инспекторы – люди чести. Они постоянно в дороге, они самоотвержены, им платят весьма скромно, их интересует только истина. Плохо о них говорят лишь те бессовестные люди, чьи рестораны не сумели подняться до звездного уровня. Это жалкие завистники, которым авторитет Мишлена стоит поперек горла.

Выступление было страстным и не оставляло сомнений в преданности месье Нарэ своему делу. Братья Мишлен, несомненно, гордились бы им.

Всем хорошо знакома крылатая фраза де Голля: «Как можно управлять страной, имеющей 246 сортов сыра?» Я, конечно, тоже с нею знаком, причем очень давно, но только недавно над ней задумался. Ведь во Франции сортов хлеба столько же, если не больше. А марок вина, безусловно, больше. Так почему генерал и президент сослался именно на сыры? Он ничего об этом не сказал, и к сожалению, не нашлось ни одного журналиста, который задал бы ему этот вопрос, но если представить себе, что такой журналист был, то де Голль, как мне представляется, ответил бы следующее:

– Сыр, как ничто другое, говорит о характере того народа, который его производит. Аромат, вкус, мягкость или твердость, выдержка, цвет – все это говорит о том, каков его создатель. Взять, например, Швейцарию. Там три-четыре сыра, самый известный из них так и называется – швейцарский. Ну и каков он? Твердый, почти без запаха, да и вкус, скажу так, **комфортабельный**. Как и вся Швейцария. Или взять Голландию. Сыров раз-два и обчелся. Ни запаха, ни вкуса, говоря по чести, нет. **Беспроблемные** сыры. Даже Италия – да, там сыры сильно пахучие, можно даже сказать вонючие, например, горгонцола, который много говорит о том, каковы на самом деле итальянцы, у которых сыров-то с гулькин нос. А вот Франция... это гигантский букет запахов, вкусов, видов, этот букет и есть Франция, но управлять таким букетом почти невозможно.

Я от себя могу добавить, что во Франции не бывает ужина без сыров, сыры являются предметом дискуссий, даже национальных дебатов.

Мы были у Вероник Рише-Леруж, борца за «подлинность» французских сыров, автора «сырного календаря». Она утверждает, что сыры – составная часть французской культуры, но сейчас идет уничтожение этой части крупными молочными хозяйствами, которым за счет массового производства удается продавать свои сыры дешевле, чем владельцам мелких крестьянских хозяйств, в результате чего последние разоряются. Но самое ужасное, утверждает Рише-Леруж, заключается в том, что эти крупные комбинаты ***подвергают пастеризации*** свои сыры, что совершенно лишает их «правильного вкуса».

– Вы понимаете, какой ужас, – возбужденно говорит она, – скоро молодежь просто не будет знать, каким должен быть вкус настоящего камамбера!

Я разговаривал с мадам Рише-Леруж примерно через год после того, как «война камамберов» закончилась победой мелких производителей, добившихся запрета на присвоение государственной сертификации тем сортам камамбера, которые делаются из пастеризованного молока. Как доказывают мелкие производители, разовое нагревание молока до тридцати семи градусов по Цельсию лишает сыр его настоящего запаха и вкуса. Крупные производители – они заполонили восемьдесят процентов мирового рынка камамбера – ссылаются на содержащиеся в молоке микробы, которые могут навредить человеку. Мелкие производители отвечают, что, во-первых, камамбер – это не предмет массового производства, и во-вторых, никому не позволено нарушать его рецептуру, открытую в 1791 году крестьянкой из нормандской деревни Камамбер Мари Арэль, которой, между прочим, там установили памятник.

Хотя нет, не она открыла рецепт. Было дело так: Мари Фонтэн родилась в нормандском городе Крутте двадцать восьмого апреля 1761 года. Десятого мая 1785 года (все это записано в местной церкви) она вышла замуж за Жака Арэля, рабочего. Молодая чета переехала жить в деревушку Камамбер, где у них была своя ферма. Мари делала сыр и продавала его на рынке. В 1789 году грянула революция. Однажды в 1790 году в дверь дома супругов Арэль постучался священник из города Бри: он просил убежища. С риском для жизни Мари спрятала его у себя дома. Священника звали Шарль-Жан Бонвуст. Он был бесконечно благодарен Мари, и однажды, глядя, как она готовит к продаже свой традиционный сыр, он поделился с ней секретом того, как делался «сыр королей», так называли бри. Мари решила использовать и этот рецепт, и свой – получился необыкновенно вкусный сыр. С годами этот сыр пользовался все большей популярностью, пока не дошел до императора Наполеона III. Тот от восторга назначил внука Мари Арэль поставщиком его императорского двора и дал сыру его нынешнее название: «камамбер».

Памятник тот был открыт в 1928 году и стоит на центральной площади города Вимутье.

В деревне Камамбер мы побывали на ферме мадам и месье Дюран «Ла Эронньер», что невозможно нормально перевести на русский, поскольку «эронньер» означает место, где размножаются или разводятся цапли («цаплеводство»?). Сразу хочу внести ясность: никаких цапель супруги Дюран не разводят, они делают камамбер. Брат хозяйки ухаживает за коровами – их голов восемьдесят, сам месье Дюран делает камамбер, а мадам продает его, стоя за прилавком небольшого магазина, имеющегося при ферме. Я попробовал только что попавший на прилавок камамбер – как сказал бы Аркадий Райкин, вкус специфический. В смысле, совершенно изумительный.

Месье Дюран был занят приготовлением камамбера и совершенно не хотел разговаривать со мной, более того, не разрешил нашим операторам снимать его за работой. Возможно, поэтому мадам Дюран была столь любезна, что рассказала мне две очень любопытные истории.

– Месье знаком с творчеством Сальвадора Дали?

Любившие сыр бри...

...Генрих IV

...и Людовик XVI

Кондитер Жоэль Дюран: «Шоколад сочиняется, как музыка»

– Да, мадам, – ответил я, пытаясь понять, какая связь между Дали и сыром камамбером.

– Месье помнит его картину, на которой изображены «текучие» часы?

– Да, мадам.

– Так ведь эти текучие часы навеяны консистенцией камамбера. Так что, не будь камамбера, не было бы этой гениальной картины.

– Потрясающе.

– Месье, есть кое-что почище. Есть такой сыр – бри. Пробовали?

– Очень люблю.

– Когда-то он назывался «королевским», потому что его очень любили короли – Шарлемань, Генрих IV. Очень любил его и Людовик XVI. Рассказывают, что, когда он бежал от революционной толпы в 1789 году, он не устоял перед соблазном и заглянул в местечко Варен, рядом с городком Мо, где делали и делают самый лучший бри. Пока он дегустировал сыр, его узнали и схватили. Кончил он на гильотине, а сыр переименовали в «народный». Не будь бри, Людовик удрал бы и вся история могла бы перемениться...

Такие мелкие крестьянские хозяйства, как у семейства Дюран, составляют спинной хребет французского сельского хозяйства и гастрономии страны. Здесь и только здесь производятся продукты без химии, высочайшего качества, здесь работают поколениями, передавая из уст в уста секреты возделывания всего, что растет.

o—o

В Перигоре, где растет ценнейший и вкуснейший гриб трюфель, мы были на ферме семейства Аллегрэ, где глава семьи, Эрик, высокий, худощавый, чуть седоватый мужчина, который сразу стал говорить со мной на «ты», показал нам, как его собачка Прюн (по-русски Слива), специально обученная этому делу, «охотится» на трюфелей.

– Ищи, Прюн, ищи! – командует Эрик, и Прюн ищет. Ищет она прежде всего участки под некоторыми деревьями и кустами, которые на первый взгляд кажутся выжженными солнцем.

– Нет, – говорит Эрик, – это не солнце, это трюфель так действует. Ну, Прюн, ищи!

Прюн принюхивается к участку и начинает лапкой рыть довольно рыхлую землю.

– Ну, Прюн, давай, – поощряет ее хозяин, – а теперь стоп, хватит!

Наклоняется, сам чуть копает и вынимает черный трюфель размером со средний камень.

– Сколько такой трюфель стоит? – спрашиваю я.

– Такой? Недорого. Десять, может, пятнадцать евро.

– А белый стоит дороже?

– Белый идет на вес золота. Но его нет во Франции, он растет только в Италии, да и там только в Пьемонте.

– Я слышал, что раньше использовали свиней для трюфельной охоты, это так?

– Да, но свинья не только находит трюфель, она его сжирает. А собаки трюфелей не едят.

И Эрик дает Прюн кусочек колбасы, который он припас как награду за удачную охоту.

А потом для всей группы был устроен трюфельный обед: трюфельный суп, трюфельный омлет и даже трюфельное мороженое. Все было приготовлено прямо при нас супругами Аллегрэ, приготовлено не тяп-ляп, давай побыстрее для туристов, а с толком, со знанием дела, с желанием, чтобы все было красиво – от накрытого стола, украшенного яркими цветами, до самих блюд. Я затрудняюсь объяснить это врожденное чувство прекрасного, которое так заметно в этих действиях самого простого французского крестьянина, не говоря об особом отношении к еде, которая должна протекать в атмосфере гармонии. Да-да, это точное слово: в гармонии.

Лилиан и Жан-Луи Шартруль – фермеры не то в девятом, не то в десятом поколении. Они люди местные, всю жизнь живут в Перигоре, никогда не бывали ни в какой другой стране. Да что стране, никогда не бывали даже в Париже. Говорят об этом обыденно, без сожалений. Их куда больше волнует судьба их фермы, будут ли продолжать их дело дети. А дело это – разведение гусей и производство одного из главных французских деликатесов: фуа-гра (буквально «жирная печень»).

Сколько у них там гусей, я не спросил, но ходят они – хочется сказать «стадами», хотя гуси стадами не ходят. Да и вообще, в России гуси не ходят, а летают (клиньями, что ли?). Как бы там ни было, одомашненные французские гуси передвигаются гусиным шагом, словно солдаты на параде: все вместе, рядами, постоянно переговариваясь между собой и никого близко не подпуская, кроме знакомого «гусевода», который их кормит. Они его слушаются: когда он тихо начинает посвистывать, вся эта гусиная армада разворачивается и, если нет поблизости никого чужого, дружно движется к нему. Впечатление сильное.

Супруги Шартруль не только производят фуа-гра, но и являются его знатоками. Оказывается, еще древние египтяне знали, что если птиц перекармливать, у них происходит ожирение печени и печень эта вкусна необыкновенно. Эти знания были переданы древним грекам, а затем римлянам (где бы мы были без Древнего Рима?). Потом, после падения империи и воцарения варваров, знания эти пропали и совсем исчезли бы, если бы не евреи, сохранившие знания египтян и взявшие их с собой во время Исхода. Однако рождение настоящего фуа-гра относится к 1778 году, когда маркиз де Контад, маршал Франции и правитель Страсбурга, сказал своему повару Жану-Пьеру Клозу:

– Сегодня хочу угостить гостей настоящей французской кухней.

Клоз взял и придумал рецепт: приготовил гусиную печень в сале и зафаршировал ею тесто. Как описывал это очевидец ужина и знаток гастрономии того времени Брийа-Саверин, «когда блюдо внесли в зал, разговоры сразу смолкли, и на лицах всех выразились экстаз, желание и радость».

Я не мог не спросить месье Шартруль о гаваже – насильственном кормлении гуся, когда ему открывают клюв и вводят трубку, через которую впихивают кукурузную кашицу.

– Многие говорят, что гусю больно, что это варварство. Как вы, возможно, знаете, в шестнадцати странах производство фуа-гра запрещено. Что скажете?

– Скажу я, месье, вот что: если вы посмотрите на то, как производят куриц-бройлеров, на то, как забивают скот, как режут свиней, то убедитесь, что это куда более жестокое дело, чем то, что мы делаем с гусями. Это во-первых. Во-вторых, при гаваже гусь не испытывает никакой боли – это доказано. Не говоря о том, что, однажды испытав гаваж, гусь не только привыкает к нему, но прямо бежит к тебе, когда наступает очередное время гаважа.

Так это или нет, не знаю. Спросил бы гуся, но, как я сказал, они к себе близко не подпускают, шипят и уносятся прочь. Да и не владею гусиным языком – пробовал сказать им «га-га-га», в ответ на что получил хоровое шипение.

– Когда члены Европейского союза попытались надавить на нас, – сказала мадам Шартруль, – наша Национальная ассамблея ответила им... – Тут она из сумочки достала бумажку, надела очки и зачитала: – «Фуа-гра является культурным и гастрономическим наследием, охраняемым Францией». Так-то, месье. А теперь пойдемте в наш магазинчик: мы продадим вам и вашей команде такой фуа-гра, что вы долго будете помнить нас.

И то правда. Не скоро забуду этот восхитительный вкус.

Для любителей статистики: ежегодно в мире съедают чуть больше двадцати пяти тысяч тонн фуа-гра, из которых восемнадцать тысяч семьсот пятьдесят тонн производится во Франции.

o—o

Возможно, я уже говорил о том, что, будучи в Париже, я однажды в течение целого дня ходил по городу в поисках толстой француженки или француза и... не нашел. Вопрос: почему французы, которые так любят поесть, которые не представляют себе завтрака, обеда или ужина без белого хлеба, намазанного маслом (чаще слабосоленым), почему же они не толстеют?

В поисках ответа на этот судьбоносный (для многих) вопрос мы отправились к автору книги «Почему француженки не толстеют?» Мирей Гийяно. Эта миловидная женщина средних лет приняла нас в своей парижской квартире, где призналась нам в том, что писала книжку главным образом для американок.

– ?

– Месье, вы же знаете, что Америка страдает от ожирения?

– Да.

– Что вся Америка занята поисками панацеи от полноты?

– Да.

– Что на этом зарабатывают миллиарды всякие компании, предлагающие чудо-средства, прием которых якобы приведет к мгновенному похуданию?

– Да.

– Но все это чепуха. Все дело в том, ЧТО вы едите и КОГДА вы едите. Никаких секретов нет.

– Ну и как, действует на американок?

Мадам Гийяно смеется.

Герб Аркашона

– Не очень, и знаете почему? Потому что это слишком просто, с одной стороны, и требует слишком серьезных усилий, с другой. В Америке хотят результата здесь и сейчас, незамедлительно, съел пилюлю-другую – и порядок. Или подписался на какую-то очередную магическую диету. А просто соблюдать определенные правила, не перехватывать в течение всего дня – нет, это не подходит. Кроме того, американки почти не потребляют красное вино, а без вина...

Ну, наконец-то!

Оказывается, ларчик просто открывался. Все дело в вине.

Моя мама родилась в Аркашоне – это место на берегу Атлантики, немного юго-западнее Бордо. Мне хотелось поехать

Кап Ферре, Аркашонский бассейн, место разведения устриц

Катрин Ру, хозяйка устричной фермы: «Устрицы повышают потенцию, месье»

При отливе в Кап Ферре собирают устриц...

... а собаки ловят рыбу

туда, но одного соображения о том, что это родина моей мамы, было бы недостаточно. Но отыскался и другой, куда более мощный аргумент: устрицы. Разве можно говорить о Франции, тем более о французской гастрономии, не сказав ничего об устрицах?

Небольшая справка: так называемый бассейн Аркашона – это мелководный залив размером примерно пятнадцать на пятнадцать километров. На входе в залив со стороны океана расположены многочисленные отмели, частично заливаемые во время приливов. Эти отмели используются для разведения устриц, почему Аркашон и считается мировой устричной столицей.

Если вы бывали в странах Балтии и помните балтийское побережье с его дюнами и соснами, то вы имеете некоторое представление о том, как выглядит природа бассейна Аркашона. Только надо добавить градусов десять – пятнадцать тепла, надо умножить ширину и длину пляжей примерно на три, к соснам надо добавить еще кое-какие другие деревья. И еще вдоль побережья надо выстроить в уме десятки и десятки устричных ферм – небольших деревяных домов, в которых можно в любое время заказать дюжину-другую устриц со стаканчиком белого вина и нарезанным клиньями лимоном. На крайней точке бассейна Кап Ферре расположилась устричная ферма Катрин Ру. Блондинка с голубыми глазами, резковатая, жестковатая, говорящая короткими рублеными фразами.:

– Устрицы едят давно. Прежде всег, римляне (опять?! – *В. П.*). Потом уже все остальные.

– Почему их не едят с мая по август, то есть в течение тех месяцев, в которых нет буквы «р»?

– По глупости. Одни говорят, что это придумал наш Людовик XIV, большой любитель женщин и устриц, которые считались да и являются афродизиаками. Знаете, что это такое? – спрашивает мадам Ру, пристально глядя мне в глаза.

– Да, мадам, знаю.

– Так вот, король, говорят, боялся, что все его придворные и вся Франция последуют его примеру и будут съедать на завтрак дюжину устриц. Вот он и придумал запретить есть устрицы с мая по август. Чтобы они, бедные, могли размножаться и не исчезли бы. Это одна легенда.

– А еще?

– А еще говорят, что это придумали в Англии – в которой ничего не понимают в еде, чтобы в жаркие летние месяцы не портились во время перевозок устрицы, ведь у англичан своих-то нету.

– Вы, видимо, не жалуете англичан?

– Как можно относиться к народу, который придумал тушить и жарить устрицы?!

– Вы выращиваете устрицы, но есть ведь и «дикие». Они, наверное, вкуснее и дороже?

– Ровно наоборот. Они менее вкусные и дешевле.

– Не понимаю. Например, выращенная форель менее вкусна и дешевле дикой...

– Да, потому что выращенная форель всю жизнь плавает в пруду, а дикая борется с течением, преодолевает водопады, и поэтому у нее мясо плотнее, вкуснее. Что касается устриц, то все живут в одних и тех же условиях, что дикие, что выращенные, но выращенные имеют преимущество.

– Какое?

– Мы их охраняем от хищников: рыб, крабов, других моллюсков, чаек.

– Это трудная работа?

– Это тяжелая работа, можете мне поверить.

– Используете иммигрантов?

Мадам Ру смотрит на меня чуть ли не с возмущением:

– Конечно нет!

– Почему же?

– Потому что для того, чтобы выращивать устриц, надо, чтобы океан был у тебя в крови. Этим занимался мой отец, и его отец, и отец отца моего отца.

– Интересно, что по-французски вы говорите не «растить» устриц, а élevage, что можно перевести как «воспитание». Кстати, то же слово используют виноделы. А потом вы «доводите» устрицы – это у вас называется affinage; расскажите об этом, пожалуйста.

Впервые Катрин Ру смотрит на меня с улыбкой:

– Смотрите, на милость, журналист, а кое-что знает. Ну, слушайте. Мы «воспитываем» устриц в садках. По мере того как они растут – а для этого требуется от двух до четырех

Устрицы, устрицы, устрицы и я

лет, – мы пересаживаем их из садка в садок. В зависимости от того, сколько раз их пересаживают и сколько устриц в садке, они делятся на «финн», «спесьяль», «фин де клер» и «спесьяль де клер». Например, устрицы «фин де клер» должны провести «аффинаж» – доводку – не менее двух месяцев в садке, и их должно быть не больше двадцати штук на квадратный метр. А садок «спесьяль де клер» еще менее населен – не более десяти штук на квадратный метр. Ну, и есть элита – «пус эн клер» – пять устриц на квадратный метр.

– Мадам Ру, все-таки история о том, что устрицы повышают мужскую потенцию, – правда?

– А что, есть проблемы?

Я покраснел, а она расхохоталась, потом сказала:

– Говорят, что Казанова съедал двенадцать дюжин устриц в день, чтобы разжигать свою страсть. Кроме того, сама устрица живет очень странной половой жизнью. Одна и та же устрица меняет свой пол по собственному желанию несколько раз в жизни. На вкус невозможно отличить мужскую особь от женской, но, видимо, это смешение действует на вас, мужчин. Давайте угощу.

И угостила совершенно потрясающими на вкус «фин де клер» со стаканчиком «Пуи фюиссе».

– Ну как, почувствовали? – спросила Ру, подмигнув мне и пройдя мимо моего деревянного столика.

Почувствовал. Потом на тракторе поехал в объезд части залива, чтобы выйти к отмели, где находятся садки Катрин Ру. Не знал, что устрица-ребенок похожа на гальку, если не знать — не догадаешься. Посмотрел на садки, уходящие далеко в океан, потом пошел назад, прямо через обнаженное дно залива, благодаря тому, что был в высоких резиновых сапогах из хозяйства Катри Ру. То там, то сям виднелись корпуса лежавших на боку парусных лодок. Кое-где вода не ушла, образовав довольно большие заводи. В одной два золотистых ретривера ловили рыбу. Я так засмотрелся на них, что забыл наставление Катрин смотреть в оба. И не сходить с «тропинки», ведущей к ее устричному магазинчику, а то можно угодить в бездонную черную засасывающую липкую грязь. И попал одной ногой. Еле выбрался.

Если мне не изменяет память, я впервые попробовал вино, когда мне было шесть лет. Это было за воскресным обедом: мама налила мне немного красного вина в бокал, разбавила его водой и предложила попробовать. Если бы я не испытал никакого ощущения, вряд ли бы помнил об этом. Но мне понравилось – это я четко помню. Как и то, что мне давали разбавленное водой красное вино лет до четырнадцати, а потом стали наливать вино, не разбавляя его. И так, или почти так, происходит во многих, если не во всех французских семьях.

С самого юного возраста вино входит в твою жизнь как нечто совершенно нормальное, как хлеб, например. С очень раннего возраста ты начинаешь различать вина по аромату, по вкусу, по цвету, ты начинаешь понимать, с какой едой сочетается или не сочетается то или иное вино.

Не вредит ли это здоровью вообще, спрашиваете вы, и юному растущему организму в особенности? Позволю ответить вам двумя цитатами:

«Вполне можно рассматривать вино как самый здоровый и самый гигиенический из всех напитков». Это написал великий ученый Луи Пастер в своем труде «Винные исследования» в 1873 году.

А почти за век до этого автор Декларации независимости и третий президент США Томас Джефферсон написал:

«Я считаю величайшей ошибкой рассматривать высокий налог на вино как налог на роскошь. Напротив, это налог на здоровье наших граждан».

Я мог бы привести еще сотни таких высказываний. Дома у меня десятки книг о вине на библиотечной полке. Но эти книги вы при желании можете купить и прочитать, я же хочу попытаться дать вам представление о том, что такое вино для французов. Я начну с конца.

Когда наше путешествие завершалось – а это было в самом начале октября 2009 года, – мы были приглашены в замок Лагрезетт. Замок находится совсем недалеко от города Каор, или, на русский лад, Кагор, который требует отдельного упоминания. И дело не только в том, что это один из самых древних городов Франции; и не в поразительном романском соборе

На любом средневековом соборе полно этих страшилищ

Фарфор продается на вес

Св. Стефана-Сент-Этьен, построенного в XII веке; и не в том, что уроженец этих мест папа Иоанн XXII осыпал город дарами и привилегиями, в том числе работами лучших флорентийских мастеров; и даже не в «доме Генриха IV», не в фонтане Шартрез, не в старинных укреплениях, не в четырехстах старинных воротах XII–XVII веков. Дело, конечно, в мосте Валентрей. Он был заложен в 1308 году, это бесспорно один из красивейших укрепленных мостов в Европе, его три башни и зубцы делают его похожим на крепость, нависшую над водой. Он строился семьдесят лет, строился очень медленно, и как гласит легенда, архитектор, чтобы скорее завершить работу, обещал душу дьяволу в обмен на его помощь. Дьявол, понятное дело, обрадовался, но не понимал, что архитектор не прост. Согласно договоренности, если дьявол по каким-либо причинам отказывался или не мог выполнить приказы архитектора, пакт немедленно расторгался.

Строительство стало продвигаться с дьявольской скоростью, и наступил день, когда оно должно было завершиться. И тогда архитектор сказал сатане: «Мой друг, ты славно мне послужил до сих пор, продолжай в таком же духе. Вот тебе решето, не меняй в нем ничего и принеси в нем воды каменщикам для гашения извести». Делать нечего, Сатане пришлось носить воду. Двадцать раз мчался он от реки на самый верх строительных лесов, каждый раз быстрее и быстрее, но всегда тщетно: вода не держалась в решете. Чертыхаясь (!), дъявол вынужден был признать свое поражение, но он обещал отомстить.

Вскоре мост был закончен. Архитектор получил почет и деньги и уехал, но наутро оказалось, что последний камень в кладке моста у вершины средней башни был выломан и унесен дьяволом. Пришлось вырубать новый камень и закладывать поврежденное место, но на следующее утро камня опять не оказалось. Двадцать раз восстанавливали камень, и двадцать раз на следующее утро на его месте зияла дыра, почему народ и прозвал эту башню Башней дьявола.

Отчаявшись, вновь послали за архитектором. Тот все выслушал и отправил гонцов в монастырь ордена тамплиеров, где хранился камень, принесенный крестоносцами из Святой земли. Этот камень был частью закладки колодца, из которого самаритянка дала напиться Иисусу. Камень доставили из монастыря и положили вместо украденного дьяволом.

Следующей ночью сатана явился к мосту и попытался заклинаниями выбить камень – тщетно. «Тысяча чертей, – взревел Вельзевул, – что случилось с моей черной магией, что я не могу сдвинуть этот несчастный камень? Ладно, тогда я выломаю его собственными руками!» И он вонзил свои когти в камень и... прилип. Как ни старался дьявол, он не мог оторвать от камня руки. Он тряс и тянул камень, изрыгая неслыханные богохульства, но все напрасно. И при первых лучах рассвета дьявол сдался: он уменьшился в размерах и замер, превратившись в камень. И сидит он там по сей день, чему я являюсь свидетелем.

Думаете, мне это показалось? Что я выпил лишку кагора? Признаюсь, выпил – и как я мог не выпить, когда мне рассказали, что каор (правильное произношение) подавали на свадьбу Элеоноры Аквитанской и Генриха II Плантагенета? Что среди любителей каора были и Папа Римский Иоанн XII, и мой любимый король Франции Франциск I, и Петр I? Как я мог не выпить его, черного, словно чернила, из-за винограда мальбек, терпкого, мощного и к тому же лечебного? Нет, не мог не выпить. Но не перебрал. Застывшего на высоченной башне окаменевшего черта я видел. Увидите его и вы, если приедете в Каор.

Но вернемся к замку Лагрезетт и его владельцу, Алену Доминику Перрену, человеку во всех смыслах выдающемуся. Именно он спас фирму «Картье» от забытья и разорения. Именно он создал Высшую школу маркетинга люкса, именно он создал Фонд Картье современного искусства, именно он возглавил и мощно развил компанию «Ришмонт», теперь она вторая по торговле предметами роскоши в мире. Именно он, выпускник Школы кадров, которая в свое время была единственным частным высшим учебным заведением по подготовке бизнесменов, затем выкупил эту школу, создав на ее месте Школу лидеров и творцов бизнеса, которая в мире котируется очень высоко, именно он... Впрочем, достаточно.

Осенью 2009 года нас пригласили на день начала сбора винограда – это был пятьсот шестой сбор, другими словами, первый сбор винограда в этом месте состоялся в 1503 году. Цифра наводит вас на какие-то мысли? Не на тот общеизвестный факт, что вино пьют с незапамятных времен, а на размышление о том, что пятьсот с чем-то лет тому назад сбор винограда во Франции ***отмечался особо, как важное событие***. И когда этот

Замок Лагрезетт

человек – чуть погрузневший в свои шестьдесят семь лет, но все же красивый, с сильным мужским лицом, когда он, собрав человек двести в саду дворца, поздравил их с началом vendange, как называется это по-французски, и поднял свой бокал, заполненный вином «Шато Лагрезетт», который в 2005 году был причислен к ста лучшим винам мира, когда он поздравил виноделов и собирателей лозы и членов их семьи (а именно их собрал он в первую голову) с этим замечательным праздником, то в голосе его звучали непередаваемые нотки гордости и, я бы даже сказал, счастья.

И еще, в конце моего с ним интервью, когда я задал свой традиционный вопрос:

– Пожалуйста, завершите для меня следующее предложение: для меня быть французом означает...

Перрен чуть задумался, потом поднял свой бокал и как-то озорно, с улыбкой, но вместе с тем совершенно серьезно ответил:

– Ответ вот здесь, на дне моего бокала!

Почти дословно это же сказала Изабель Форэ, первый человек в моем «винном списке», с которой я встретился в самом начале наших съемок в двадцатых числах мая. В этот вечер мадам Форэ пригласила нас в качестве наблюдателей винного торжества, которому она дала название La Vie en Rose – «Жизнь в розовом цвете». Нет, речь не шла о песне, которую прославила Эдит Пиаф, речь шла о розэ (ударение на последнем слоге. – *В. П.*). Это вино и не белое, и не красное, а как раз розового цвета, которое пьется, как правило, охлажденным и только летом. Оно не относится к «большим» винам, году его урожая не придается большого значения. Но в этот вечер мадам Форэ, которая является большим знатоком вин, настоящим дегустатором, решила устроить для нескольких женщин вечер проб розэ.

И в самом деле, все было в розовом цвете – скатерть, салфетки, бокалы, тарелки, стоявшие в вазах розы, сами дамы. И мадам Форэ, представляя то или иное розэ, давала ему характеристику и приглашала своих гостей дегустировать и высказываться. Вечер делался ***вокруг вина***, не с целью просто выпить, посидеть, поболтать, цель была установить некие отношения с данными видами розэ, если угодно, познакомиться. Вы когда-нибудь слышали, чтобы делали нечто подобное в других странах? Нет, не слышали, потому что в других странах вино просто пьют, нигде больше его не считают живым существом. В отличие от Франции.

о—о

Пятнадцатого ноября во Франции – и далеко не только там – раздается клич: **Le Beaujolais Nouveau Est Arrivé!** («Прибыло новое "Божоле"!») Я об этом был наслышан, но, попав в районе Божоле к виноделу Доминику Пирону, узнал много нового.

– Видите ли, – сказал он, – было когда-то так, что все вина, получившие знак АОС (государственный знак качества. – *В. П.*), не могли продаваться раньше пятнадцатого декабря года урожая. Вино «Божоле» получило этот знак в 1937 году, но мы добились исключения для себя в 195 – нам было позволено продавать это вино с пятнадцатого ноября. Таким образом, мы стали первым и единственным вином нового урожая. А в 1985 году было решено, что продажа начинается с третьего четверга ноября.

– Но, согласитесь, это не великое, не большое вино, – говорю я.

– Пожалуй, – улыбается в ответ месье Пирон, – но оно вкусное, я бы даже сказал, прелестное. Мы с женой выпиваем две бутылки в день – одну за обедом, вторую за ужином. И посмотрите на меня – правда хорош?

Ну, сказать, что красавец, – не могу. Но прекрасно выглядит в свои... впрочем, не знаю, сколько лет. Глаз горит, улыбчив, от него веет энергией.

– Все-таки, месье Пирон, порой попадается совсем невкусное «Божоле».

Улыбка исчезает.

– Да, месье, это так. Есть такие горе-виноделы и негоцианты, которым плевать на свою родину, на репутацию, это предатели вина. Им бы лишь побыстрее выбросить на рынок этот жалкий товар, им важны только деньги. Но таких у нас в Божоле мало. Вообще, я сомневаюсь, что эти люди французы...

Обер де Виллен, хозяин владений Романэ-Конти

Мы заехали в Божоле на пути в Бургундию, о винах которой написаны фолианты. Я же ограничусь лишь тем, что говорят виноделы этого благословенного края: «Лучшие вина в мире – бордоские, лучшие вина Франции – бургундские».

Высокий, худощавый, элегантный – пожалуй, даже аристократичный, Обер де Виллен повел нас к винограднику Романэ-Конти со словами:

– Вы – первое телевидение, которому позволено здесь снимать.

– А как же французское телевидение? – удивился я.

Де Виллен чуть улыбнулся и сказал:

– Они будут последними.

Почему-то вспомнил довольно дурацкий, хотя и смешной анекдот. Советский скрипач поехал на международный конкурс имени Жака Тибо, победителю которого, помимо денег, дают возможность сыграть концерт на скрипке Страдивари. Скрипача сопровождает кагэбэшник – чтобы не вздумал бежать. И вот скрипач побеждает. Ему предстоит сыграть на Страдивари, он чуть ли не сходит с ума от восторга. Гэбэшник спрашивает:

– А чего ты так волнуешься? Ну чем эта скрипка так уж хороша?

– Как объяснить тебе? – отвечает скрипач. – Ну, попробуй представить себе, что тебе дали пострелять из нагана Дзержинского.

«Наган Дзержинского», а точнее, Страдивари среди вин Бургундии – если не среди всех вин вообще – это и есть Романэ-Конти. Совершенно бессмысленна попытка описать виноградник, лозы которого возделываются не менее десяти веков. Все красное бургундское вино делается целиком из одного сорта винограда – «пино нуар», но его вкус, его качества зависят от множества факторов: от состава почвы, от места расположения самого участка, от угла падения солнечных лучей, словом, всего не перечислить. Винодел Николя Россиньоль, человек лет тридцати пяти, влюбленный в свое дело, дотрагивающийся до виноградных листьев с непередаваемой нежностью, подвел меня к винограднику, присел на корточки и сказал:

Направляемся к виноградникам Романэ-Конти

Винодел Николя Россиньоль:
«Этому искусству надо учиться
с самого детства»

Николя Россиньоль с сыном

– Смотрите, слева от этой межи растет «пино нуар», справа – тоже. Но присмотритесь к почве. Слева она чуть сероватa, в ней много совсем мелких камешков. Справа – она потемнее, камни здесь крупнее. Что это значит? А то, что из-за природных явлений, которые произошли бог знает когда, в этих двух почвах разные элементы, разный химический состав. Лоза, растущая слева, легко пускает свои корни вглубь, она встречает на своем пути только мелкие камешки. Лоза справа должна пробиваться, ей надо преодолевать настоящие камни, она «работает». В результате получается два разных «пино нуар». Сорт один, вкусовые качества разные. Два разных вина.

Россиньоль был с нами в винограднике Романэ-Конти, и видно было, как он взволнован тем, что он здесь – это было первый раз в жизни. Но надо было увидеть его лицо, когда Обер де Виллен сказал:

– Что ж, пойдемте в наши подвалы, пора бы выпить.

Было видно, что Россиньоль совершенно поражен. Шепотом он сообщил мне, что в подвалы Романэ-Конти не пускают никого, что это святая святых. А когда де Виллен предложил ему продегустировать бутылку, кажется, 1985 года, он даже побледнел. Потом де Виллен сказал, налив нам в бокалы драгоценную влагу:

– Дайте ему прийти в себя. Его загнали в бутылку, ему там было тесно, он долго привыкал, немного обиделся. Дайте ему почувствовать свободу, подышать. Он (во французском языке нет среднего рода. – *В. П.*) этого достоин.

Для де Виллена, как, впрочем, и для любого французского энолога, вино – существо живое.

Я очень люблю вино, кое-что понимаю в нем и могу сказать, что никогда такого вина не пил. И скорее всего, больше не выпью. Отчетливо помню, что после первого глотка у меня закружилась голова. Попробую объяснить.

Я люблю также виски, особенно односолодовое. Давно открыл для себя виски «Лафройг», обожаю его за «дымный» вкус. Как-то был у одного своего шотландского друга, рассказал ему о своем любимом «Лафройге», на что он спросил:

– Никогда не пробовал «Лагавулин»?

– Нет, а что?

– А то, что когда выпьешь, покажется, что это ангел писает тебе на босые ноги.

Съемочная группа. Стоят слева направо: Олег Браун, Владимир Кононыхин, Ирина Тихонова, Артем Шейнин, Юрий Однопозов, Анна Колесникова. Первый ряд: Влад Черняев, Стас Толстиков, Евгений Переславцев

Несомненные лидеры «Тур де Франс»

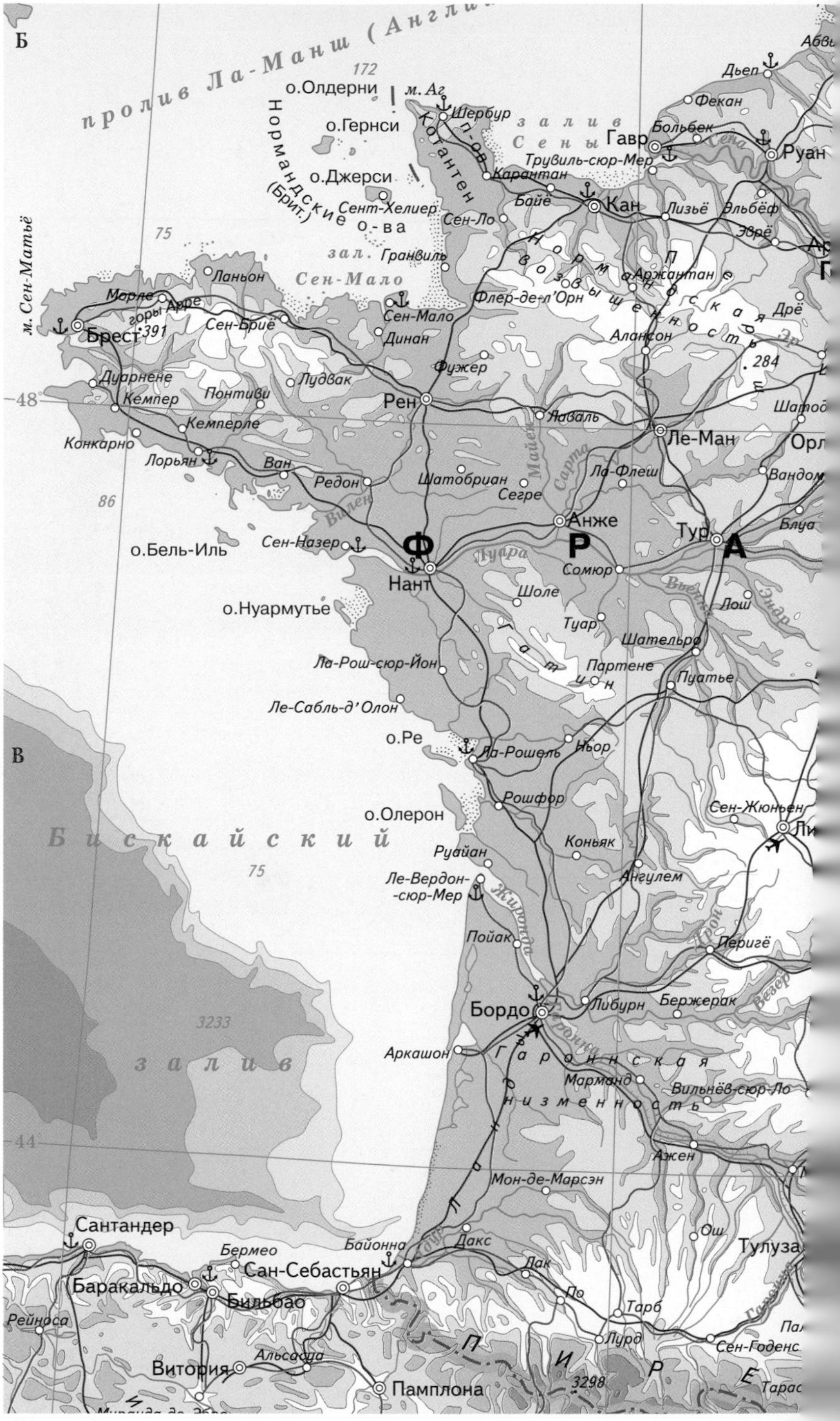

Флажками отмечены пункты нашего тура

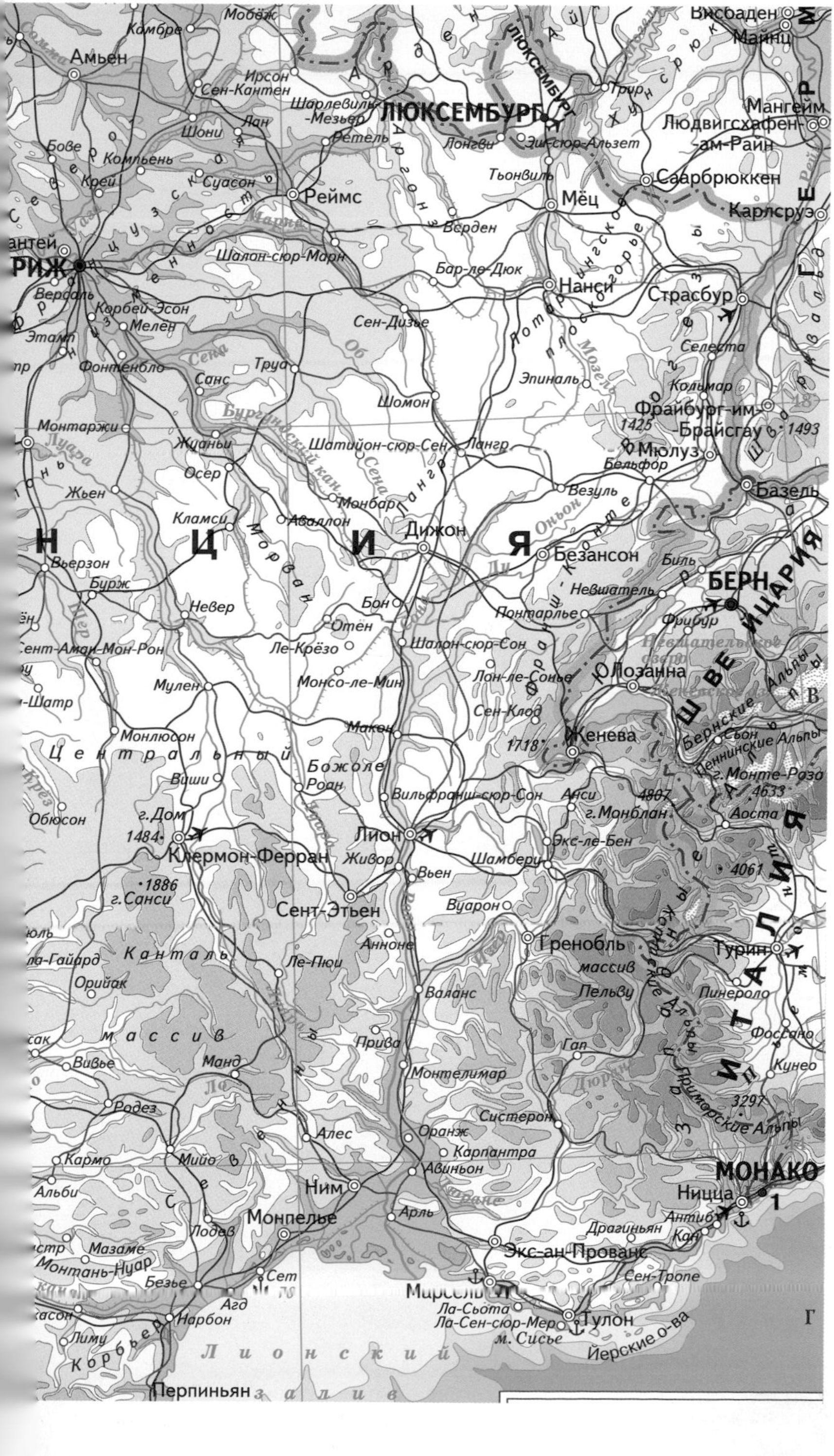

Мобёж
Комбре
Амьен
Ирсон
Сен-Кантен
Шарлевиль-Мезьер
ЛЮКСЕМБУРГ
Люксембург
Лан
Шони
Ретель
Лонгви
Эш-сюр-Альзет
Бове
Компьень
Крей
Суасон
Реймс
Марна
Тьонвиль
Мёц
Саарбрюккен
Висбаден
Майнц
Трир
Мангейм
Людвигсхафен-ам-Райн
Карлсруэ
Верден
Шалон-сюр-Марн
Бар-ле-Дюк
Нанси
Страсбур
Версаль
Корбей-Эсон
Мелён
Этамп
Фонтенбло
Сена
Труа
Санс
Об
Сен-Дизье
Шомон
Эпиналь
Мозель
Селеста
Кольмар
Фрайбург-им-Брайсгау
1425
1493
Мюлуз
Бельфор
Базель
Монтаржи
Луара
Жуаньи
Бургундский кан.
Шатийон-сюр-Сен
Лангр
Осер
Жьен
Монбар
Везуль
Оньон
Кламси
Авалон
Морван
Дижон
Безансон
Вьерзон
Бурж
Бон
Невшатель
Биль
БЕРН
ШВЕЙЦАРИЯ
Невер
Отён
Понтарлье
Фрибур
Невшательское озеро
Сент-Аман-Мон-Рон
Ле-Крёзо
Шалон-сюр-Сон
Лон-ле-Сонье
Лозанна
Женевское оз.
Бернские Альпы
Монсо-ле-Мин
Мулен
Сен-Клод
1718
Макон
Женева
Сьон
Пеннинские Альпы
г. Монте-Роза
4633
Монлюсон
Центральный
Божоле
Роан
Виши
Вильфранш-сюр-Сон
Анси
4807
г. Монблан
Аоста
Обюсон
г. Дом
1484
Лион
Экс-ле-Бен
Клермон-Ферран
Живор
Шамбери
Вьен
4061
1886
г. Санси
Сент-Этьен
Вуарон
Рона
Анноне
Гренобль
Турин
Канталь
Ле-Пюи
массив
Пельву
Орийак
Пинероло
Валанс
Изер
Приве
Фоссано
Гап
массив
Манд
Вивье
Монтелимар
Дюранс
Кунео
Родез
3297
Систерон
Приморские Альпы
Алес
Оранж
Карпантра
Кармо
Мийо
Авиньон
МОНАКО
Альби
Ним
Ницца
Монпелье
Арль
Драгиньян
Антиб
Канн
Лодев
Мазаме
Экс-ан-Прованс
Монтань-Нуар
Сет
Безье
Сен-Тропе
Марсель
Агд
Ла-Сьота
Тулон
Нарбон
Ла-Сен-сюр-Мер
м. Сисье
Йерские о-ва
Корбьер
Лионский залив
Перпиньян
ФРАНЦИЯ
ИТАЛИЯ
Западные Альпы
Вогезы
Юра
Арденны
Аргонн
Лотарингское плоскогорье
Хунсрюк
Шварцвальд
Парижский бассейн
Севенны
Париж
1

Виноградник Романэ-Конти

Звонок в домен Романэ-Конти

Явно обеспокоенный Познер с Обером де Вилленом, хозяином Романэ-Конти

Так выглядит Бургундия...

Винодел Николя Россиньоль

Пьем за здоровье месье Россиньоля

Подвалы в Божоле

Снова пьем. На этот раз шампанское «Вдова Клико»

В этих медных чанах зреет коньяк «Эмси»

Таких бочек мы увидели столько, что потеряли им счет

Во многих французских городах стены домов так расписаны. Ване не понравилось. Мне – очень

Где-то в Нормандии...

В Лионе. Стены-«обманки»:все нарисовано, но понимаешь не сразу

Главный продюсер Надежда Соловьева

Счастливый Ургант...

...и не менее счастливая его жена Наташа

Сад – поместье компании «Вдова Клико»

Разделывание убитого на охоте кабана

Все как в давние времена: музыканты играют «начало» и «конец» охоты

Выжлятник со своими выжлецами: после успешной охоты он хвалит их перед тем, как угостить мясом убитого кабана

Монгольфьеры над Аннонейем

Жители Аннонейя в костюмах последней четверти XVIII века. Праздник памяти братьев Монгольфье

Отец Фредерик из аббатства Сито

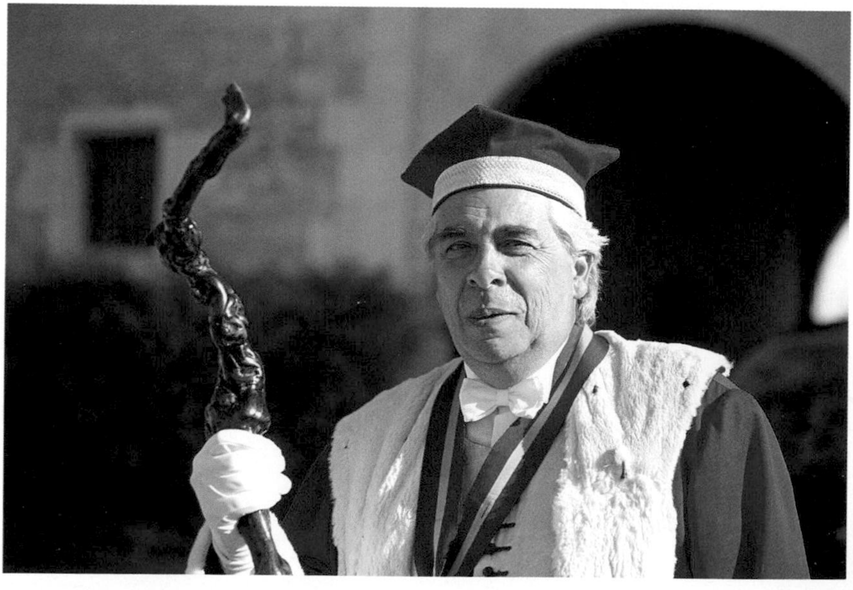

Вансан Барбье, магистр братства «Тастеван» в Бургундии

Витражи французских соборов. Что тут скажешь?

Салон Ле Бурже

Самый большой в мире пассажирский авиалайнер Аэробус А380

Процесс приготовления настоящего камамбера

Здесь, в водах Аркашонского залива, разводят устриц

Поль Бокюз –
еще одна
«обманка»

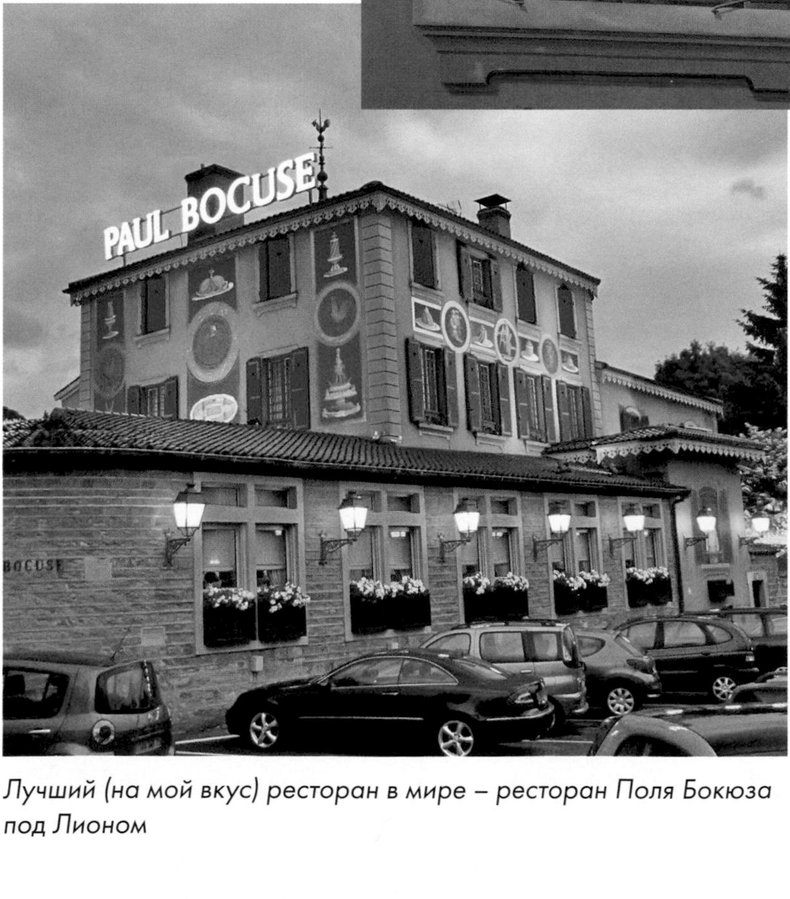

Лучший (на мой вкус) ресторан в мире – ресторан Поля Бокюза под Лионом

Один из прилавков рынка «Поль Бокюз» в Лионе. «Вы любите ли сыр?...»

Еще одна витрина там же: птица

В «модном магазине шляп»

Это я готовлю суп «гарбюр» в городке Олорон-Сент-Мари

Олорон-Сент-Мари

В Олороне-Сент-Мари. Старинная игра «Кий», напоминающая русские городки

Город Лурд, бесконечные магазины с «религиозным» товаром

Собор в Лурде

Попалась нам цыганская свадьба: жених и невеста

Кортеж цыганской свадьбы

Остатки стены монастыря X века

Абсолютно типичный вид

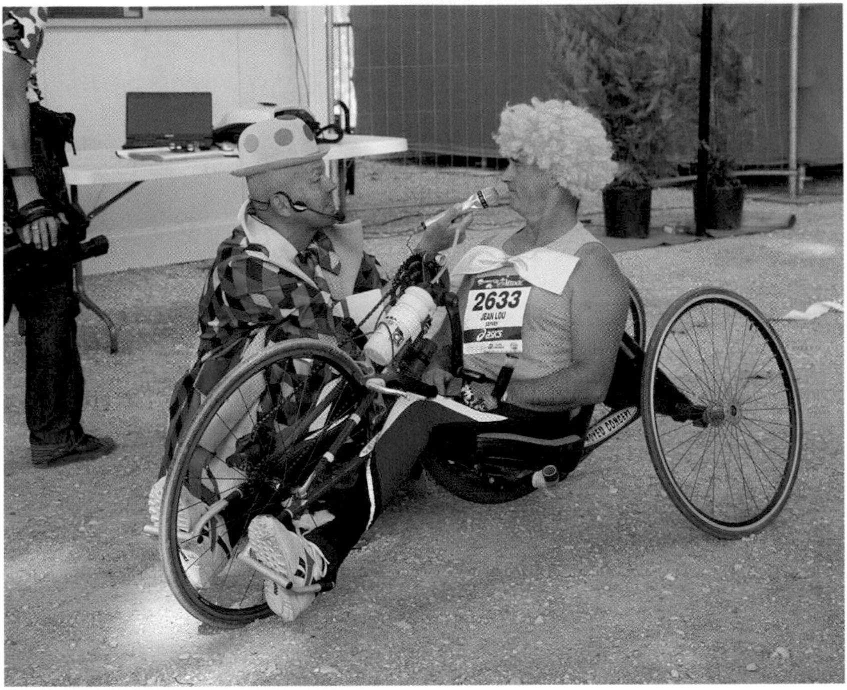

Участник винного марафона в Пойяке

Парижский клошар

Гостиница «Плаза Атенэ» в Париже. Красиво, правда?

Такая вот декоративная штука посреди Парижа

Картина белой лошади висит в особняке хозяев вина «Белая лошадь» под Бордо. На самом деле вино появилось гораздо раньше картины

В Бургундии все напоминает о вине. Даже стены домов

Бретонский
город Динан

Стою у подножья
памятнику
моему кумиру

Винсент Ван Гог видел эти маки из окна своей больничной палаты

Всемирно известный и красивейший монастырь Сан-Мишель

Неплохое место для отдыха, правда?

Знаменитый виноград, из которого делается кагор

Праздник начала сбора винограда в Лагрезетт у Алена Доминика Перрена

Праздник продолжается...

Мы на вершине. Альпы

Без комментариев...

Когда пьешь вино Романэ-Конти, кажется, что боги Олимпа даруют тебе нектар и вместе с ним бессмертие.

o—o

«Шато Латур», «Шато Лафит Ротшильд», «Шато Мутон Ротшильд», «Шато О Брион», «Шато Марго», «Шато Икем», «Петрюс»... самые великие ноты в симфонии вин Бордо. Это винное королевство, у каждого винодела здесь свой «замок» – по-французски château. Это вовсе не обязательно древние каменные сооружения, но по традиции всем – или почти всем – винам Бордо присваивается имя «замков», в которых они родились (их здесь более восьми тысяч). Всего под лозой здесь более ста тысяч гектаров, что примерно в три раза больше виноградников Бургундии.

Это не винный гид, к тому же я недостаточно компетентен, чтобы сколько-нибудь авторитетно рассуждать на винные темы. Скажу только, что если все вина Бургундии делаются из одного сорта винограда («пино нуар» для красного и «каберне» для белого), то в Бордо вино купажное, составленное из разных сортов винограда.

Было много встреч в окрестностях Бордо, мы посетили множество «шато», продегустировали десятки вин. Лично я ходил, как мне потом говорили, с улыбкой абсолютного счастья на лице. Для меня стало совершенно ясно, что нации делятся не по месту жительства, а по тому, что они пьют. Есть нации «винные», есть «пивные», есть «висковые» и «водочные». И у каждой свои особенные черты. Представителя нации «винной» не спутаешь с представителем «пивной», тем более «водочной» или «висковой». Я – человек широких вкусов, люблю и вино, и пиво, и виски, и водку, да еще много чего. Но если бы мне сказали, что я приговорен до конца моих дней пить только один-единственный напиток, я выбрал бы без сомнений и раздумий вино. И если только одной лозы, это было бы – о счастье! – Романэ-Конти.

o—o

Две встречи я все-таки запомнил, причем обе они были с энологами.

В гостях у Николя Россиньоля

Эти ворота можно увидеть на этикетке вина «Шато Марго» – одного из самых славных (и дорогих) в мире

Мадам Сильва Каз, президент союза Grands Crus de Bordeaux

Подвал вина «Шато Марго»

Первый – Пьер Люртон, в ведении которого находится одно из самых выдающихся бордоских вин, «Шато Шеваль Блан» («Белая лошадь»). Мы разговаривали с ним на пленэре. Он сидел в кресле, словно король – изящный, одетый по последней, но не острой моде, расслабленный и совершенно уверенный в том, что нет доли лучше его: управлять винодельней и погребами этого удивительного вина. Он говорил обо всем со снисходительной улыбкой человека, который сострадает вам, да и не только вам, потому что вы лишены его удовольствия. В самом конце разговора он наклонился ко мне и сказал доверительно:

– Месье, поверьте мне, самым счастливым днем в моей жизни был тот, когда я, несмотря на желания моих родителей, отказался от карьеры врача или юриста. Ничто не сравнится с тем, что мне подарила судьба.

Второй – Стефан Деренонкур, личность во всех отношениях замечательная. Встретились мы с ним в подвальном помещении винного бистро. Я спросил его (была не была!):

– Что главное в виноделии?

– Трудный вопрос, месье, трудный. Я приехал сюда с севера Франции, когда мне было пятнадцать лет, у меня не было специального образования, я начинал в качестве сборщика урожая. А теперь я сопровождаю вино от лозы до бокала, я изучаю его на каждом этапе, но до сих пор не знаю, что главное.

– Как же так? Вас вся Франция знает, да не только Франция. Знаменитый американский режиссер Фрэнсис Форд Коппола пригласил вас в Калифорнию работать в его винограднике, вас приглашают в Турцию, Индию, Китай, Ливан. А вы говорите, что не знаете...

– Да, это правда. Но если говорить в целом, то главное – это позволить энергиям природы максимально проявить себя. А для этого в первую очередь надо работать с виноградом, достигать совершенства на винограднике. Если у вас идеальный виноград, все остальное просто. Надо получать от природы самое лучшее. Нужно, с одной стороны, добиваться низкой урожайности – да-да, именно так, – и начинать собирать виноград в момент, когда ягоды достигли наилучшего созревания.

– Так вы все-таки энолог?

Стефан улыбается, оглядывается – не слышит ли кто, и доверительно говорит:

«Белая лошадь»...

...картина

Пьер Люртон, президент «Шато Шеваль Блан»

...и подвал

– Нет, я революционер-экспериментатор.

Тем временем чуть поодаль сидят за столиком пятеро японцев (трое мужчин, две дамы) и довольно громко разговаривают. Артем Шейнин подходит к ним и начинает издавать «японоподобные» звуки, а я думаю: «Он что, сошел с ума – передразнивать японцев? Сейчас будет дикий скандал».

А японцы не только не скандалят, а радостно улыбаются и начинают разговаривать с Артемом. Оказывается, он знает японский! Вот какие чудеса происходят на винном пространстве. Опять думаете, что я выпил лишнего, что это мне показалось? Ошибаетесь. Вино обостряет восприятие, но не обманывает.

Я не стану докучать вам рассказами о миллезимах, то есть годах урожая, блестящих, отличных и не очень, о том, какое вино лучше пить с той или иной едой, – скажу лишь, что это целая культура. Понятно, вино пьют, но это не только питье, это образ жизни, это философия. Этому надо долго учиться.

Конечно же, во Франции есть и другие сугубо французские напитки. Например, кальвадос – яблочная водка, которая производится исключительно в Нормандии. Напиток крепчайший, которым пользуются, чтобы «пробить» аппетит. Когда к середине обильного обеда или ужина вам кажется, что вы совершенно наелись, попробуйте выпить залпом стопарик кальвадоса. Это называется делать «нормандскую дыру». Не пройдет и пяти минут, как вам покажется, что вы только приступаете к еде.

К сожалению, я не смог поехать с Ваней в милейший городок Онфлер, что расположился на атлантическом побережье Нормандии. Но я там бывал и могу засвидетельствовать, что Онфлер подкупает изящным духом. Может быть, это потому, что он издавна привлекает к себе внимание художников, которые круглый год живописуют его; возможно, все объясняется его строгой и соразмерной человеку архитектурой. А может быть, на приезжего действуют пары кальвадоса, лучшего кальвадоса Франции – а значит, и мира, – которые доносятся до его обоняния из десятков лавок, где продают этот славный напиток.

Как ни искал я высказывания каких-нибудь знаменитостей о кальвадосе, не нашел. Только вспомнил, что герои Эриха-

Марии Ремарка, незаслуженно забытого немецкого писателя первой половины прошлого века, попивали кальвадос с неизменным удовольствием.

o—o

Мой любимый литературный герой с самого детства и по сей день – д'Артаньян. Какое это имеет отношение к вину, спросите вы? Строго говоря, никакого. А если не строго...

Есть такой напиток: арманьяк. Его первая продажа во Франции датируется 1411 годом. Производится он на юге Франции, на исторической территории провинции... Гасконь. Улавливаете?

Арманьяком может называться только тот напиток, который делается в Арманьяке (ровно точно так же коньяком можно называть только тот напиток, который делается в Коньяке, а шампанским – который делается в Шампани) из местного вина, полученного из традиционных сортов винограда. Он должен пройти двойную перегонку либо непрерывную перегонку (в зависимости от типа перегонного аппарата), и его приготовление должно быть закончено до тридцатого апреля года, следующего за годом урожая. Наконец, напиток должен пройти проверку на соответствие нормам качества.

Все это – и многое другое – рассказал мне Арно Легург, хозяин замка Лобад и производитель арманьяка «Шато де Лобад». Он водил меня по территории и с явной гордостью говорил:

– Мы сами выращиваем свой виноград, сами его собираем, сами доводим до кондиции, сами делаем дубовые бочки для хранения арманьяка, сами делаем этикетки. Разве что бутылки только заказываем. Но разливаем сами.

А потом он беседовал со мной в «парадизе», как прозвали тайную келью подвала, в котором хранятся арманьяки давно прошедших лет. Позади него, в больших округленных сосудах, напоминавших лабораторию волшебника, хранились жидкости разных цветов – от золотистого до рубинового. Когда я спросил Легурга, что там хранится, он ответил:

– Это чистые арманьячные спирты разных лет. Есть столетние и даже старше. Например, 1830 года. Благодаря этому мы можем сделать арманьяк урожая любого года.

– Почему вы это помещение называется «парадизом»?

– Потому что здесь эти спирты чуть-чуть испаряются, мы называем это la part d'ange («доля ангела»), а там, где ангел, там и рай.

– Арманьяк имеет категории, как, например, коньяк?

Арно чуть презрительно щурится, и вдруг я понимаю, что он – абсолютный д'Артаньян: черные волосы, темные, но очень живые глаза, высокие скулы, довольно крупный, с горбинкой нос, замечательная белозубая улыбка, средний рост при явно крепком телосложении. Ну просто д'Артаньян, правда, лет сорока, но это ничего не меняет. И еще понимаю, что если бы время было иным, он выхватил бы свою рапиру.

– Коньяк, месье, – это напиток для иностранцев, девяносто пять процентов производимого во Франции коньяка идет на экспорт. Французы пьют арманьяк. Что касается «Шато де Лобад», то у него несколько брендов: V.S.O.P. – из арманьяков, которым не меньше шести лет, «Вне возраста» – в нем смешаны арманьяки, средний возраст которых двенадцать лет, и X.O. – он сделан из арманьяков, которым не менее пятнадцати лет.

Тут «д'Артаньян» внимательно посмотрел на меня и спросил:

– Месье, вас не клонит в сон?

– Нет. А почему вы спрашиваете?

– Знаете, когда я был маленьким, у нас была очень хорошая собака. Она повсюду ходила за мной. Мне и моим братьям и сестрам было строго запрещено заходить в ту комнату, в которой мы сейчас сидим. Ну и мы, конечно, нарушали запрет. В общем, в одно субботнее утро мы все забрались сюда, забыв, что вся семья едет на море. Стали звать нас, мы выскочили отсюда, закрыли дверь и побежали наверх. И забыли нашу собачку. Вернулись через два дня, собака нас не встречает, где она, что с ней случилось, тут я вспомнил, что мы оставили ее здесь, побежал сюда, открыл дверь – и она вышла шатаясь: от паров арманьяка она совершенно опьянела. Вот я и подумал: может быть, они и вас усыпляют с непривычки?

Потом мы все собрались в гостиной и столовой замка, где нас угощали изумительным обедом, угощали нас местным напитком флок, который пьется легко, но при этом, как предупреждал нас Арно, не без коварства. А со стен на нас смотрели фотографии всего клана Легург, и как-то необыкновенно остро

Пробуем шампанское «Вдова Клико»

я почувствовал дух вековой любви и традиции этой очень французской семьи. И конечно, мы выпили за ее здоровье арманьяк.

о—о

Помню, много лет назад я услышал, как писатель Константин Симонов, разглядывая бутылку коньяка, на этикетке которой виднелись буквы V.S.O.P., расшифровал их так: «Выпил и усоп». Я не думаю, что Константин Михайлович был в курсе того, что в самом деле означают эти буквы – **Very Special Old Pale** (буквально «Очень специальный старый бледный»). Это говорит о том, что в данном коньяке было использовано до семидесяти видов спиртов возраста от четырех с половиной до двадцати пяти лет. Как не знал и я, что значат буквы X.O. (Extra Old – «Экстра Старый») на бутылке коньяка фирмы Hennessy, которую прислала мне на Рождество моя тетя Кристиан. А речь идет о напитке, составленном из ста пятидесяти видов спиртов возраста от десяти до семидесяти лет. Это, как вы понимаете, очень дорогой коньяк, а моя тетя никогда не смогла бы себе позволить купить мне такой подарок. Да она и не покупала его. Дело в том, что она была личным секретарем владельца и главы фирмы господина Энси, в связи с чем ей на Рождество полагалась бутылка этого самого X.O. А поскольку моя тетя вообще не дотрагивалась до алкогольных напитков...

Мы посетили коньячное предприятие «Энси», и тому было две причины. Моя тетя и то, что «Энси» – лидер коньячного производства. Его основал не француз, а ирландский офицер Ричард Хеннесси (что на французский лад произносится как «Энси»), служивший в войсках Людовика XV. После ранения он вышел в отставку и переехал жить в городок Коньяк. В 1765 году он основал свою фирму, которая переходила от отца к сыну. Нынешний глава фирмы Морис Ришар Энси – представитель восьмого поколения. Ему на вид несколько за шестьдесят, он высоченного роста, крупные черты лица, громко смеется и говорит громко, на лоб то и дело падает непослушная прядь седых волос. Тетю мою он отлично помнил, сказал, что это была **une grande dame**, «великая женщина», которая знала толк в жизни.

Не надо было долго общаться с месье Энси, чтобы понять, что он – бонвиван, любитель прекрасного, знаток люкса.

Патрик Лавиль, шансонье

Алис Дона, певица

Самое любопытное произошло, когда он, принюхавшись ко мне, спросил:

– Каким вы пользуетесь одеколоном?

Чуть подрастерявшись, я ответил:

– Боюсь, не помню.

– И совершенно напрасно. Могу поделиться с вами десятью предметами люкса, которые отличают настоящего джентльмена и знатока. Хотите?

– Конечно.

– Итак: одеколон «Аби Руж» Герлена; красное вино «Сен-Эмильон», «Помероль» или «Медок»; смокинг от Кристиана Диора; место в Байрейтском «Фестшпильхаузе» Вагнера; кубики льда, сделанные из нехлорированной воды; туфли ручной работы фирмы «Берлутти»; курица с местного рынка в Коньяке; молодая стручковая фасоль, приготовленная по-французски; шампанское Руинар «Блан де Блан» и воскресное издание газеты «Нью-Йорк таймс». Запомнили?

И, не дожидаясь моего ответа, развернулся и зашагал прочь.

Мне остается добавить, что мне было позволено «сочинить» собственный коньяк из множества спиртов. Бутылочка стоит у меня дома. На этикетке сверху виднеется эмблема Ричарда Хеннесси – рука, вооруженная секирой, под которой крупными золотыми буквами написано Hennessy, а еще ниже:

Exceptional Assemblage
of
Hennessy Eaux-de-Vie
Created by
Vladimir Dimitri Gerald
Pozner
2009, September the 15th

Вы помните, что в самом начале этой несколько затянувшейся главы я обратил ваше внимание на то, что для француза вино – это не просто напиток. Это предмет любви, гордости, радости. И это – гарант здоровья. Так говорят французы. И они это демонстрируют разными способами, среди которых нет более

Винный марафон в г. Пойяке

яркого, чем «Винный марафон "Медока"», который с 1985 года проводится в сентябре и стартует в городе Пойяке.

Это, с одной стороны, самый настоящий марафон: сорок два километра и сто девяносто пять метров. У него есть свои рекорды: два часа девятнадцать минут для мужчин и два часа тридцать восемь минут и тридцать четыре секунды для женщин. С другой стороны, это нечто, выходящее за рамки вообразимого. Представьте себе восемь с половиной тысяч человек (столько их участвовало в марафоне, который мы увидели), одетых в самые невероятные костюмы, в том числе и в совершенно неприличные. Представьте себе, что вдоль трассы расставлены столики с едой и питьем для бегущих, но питье в основном – вино. Представьте, что призом для победителя являются не деньги, не кубок, не медаль, а такое количество бутылок вина, которое равно его весу. А вино-то здесь превосходное: «Шато Лафит Ротшильд», «Шато Лэнч-Баж», «Шато Пишон-Лонгвилль».

Накануне марафона на гигантской площади все участники садятся за ужин, который официально называется Soirée Mille-Pâtes («Вечер тысячи паст»), где бегунам положено насытиться углеводами. Но французы относятся сдержанно к этой «итальянской ерунде», то есть к пасте, поэтому наедаются вкуснейшим мясным рагу, запивая его стаканами доброго красного.

Во время самого марафона бегунов на пути ожидают бананы, изюм и апельсины и маленькие пиццы – это в начале пути. Ближе к его концу их ждут только что раскрытые устрицы и свеженарезанные лимоны. Мне сказали, что для данного марафона сорок добровольцев вскрыли двадцать две тысячи устриц – то и дело пробуя дело своих рук и запивая его холодным белым вином. Да не из пластиковых стаканчиков, а из стекляных бокалов. Километров за пять до финиша бегунам предлагают говядину на гриле, а за полтора километра – сырное блюдо.

Всем, кто дошел до финиша, дарят... вы угадали: бутылку «Медок».

Мы с Ваней все это видели, в этом участвовали (хотя марафон не бежали), были потрясены атмосферой всеобщего веселья и доброжелательности.

Глава 7

À propos

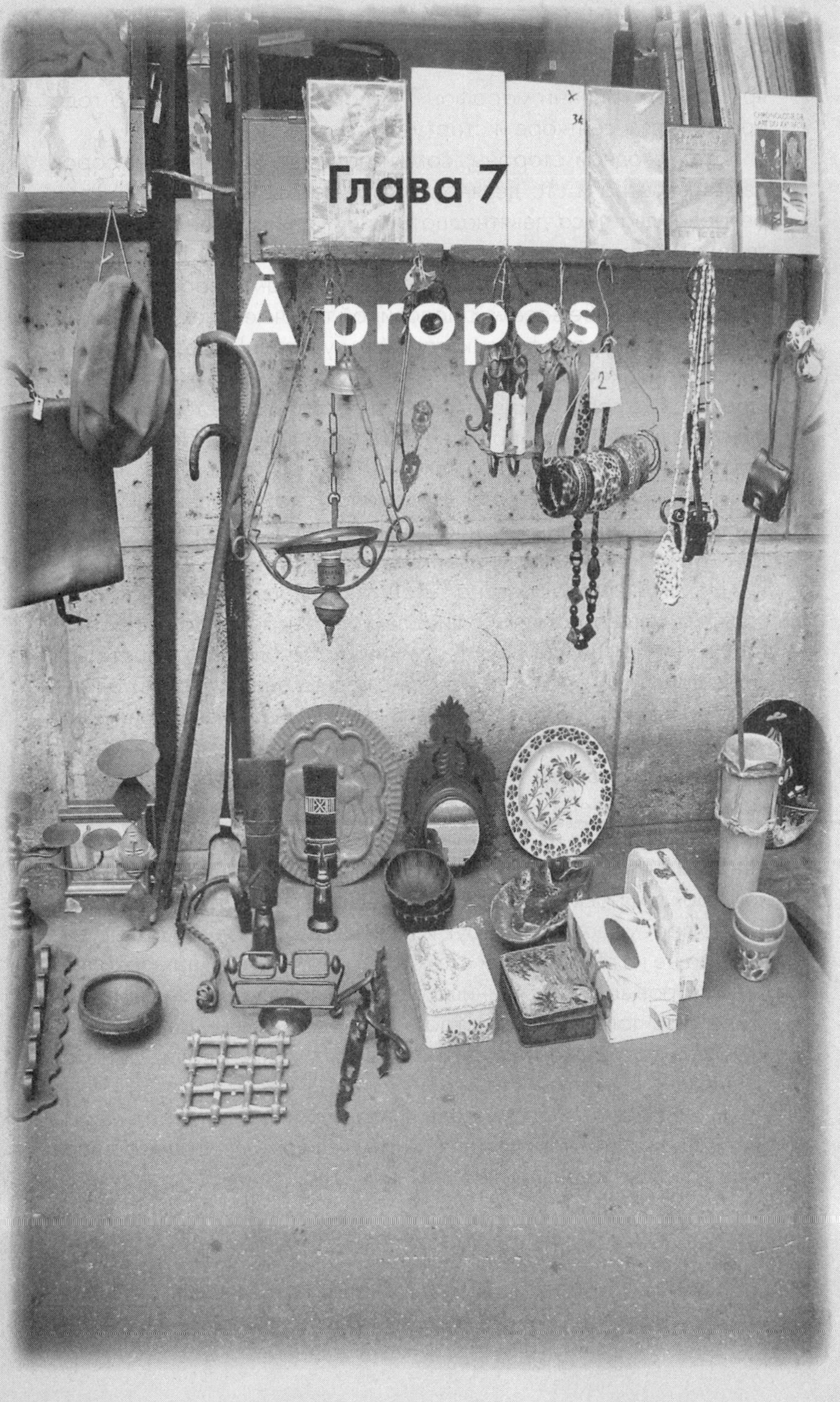

В этой последней главе попробую передать некоторые впечатления, ощущения и постараюсь поделиться с вами, дорогие читатели, размышлениями, возникшими по ходу «Тура». Теми, которые не вошли ни в фильм, ни в предыдущие главы книги. Не ждите ни логики, ни предпочтений. Это такие «мысли вслух», или как говорят французы, à propos.

Вот мы едем. Я заранее предупреждаю каждого, кто садится за руль той или иной из наших трех машин:

– Очень прошу вас, соблюдайте скорость. Здесь с этим очень строго, повсюду стоят радары, скорость фиксируется, будут штрафы. Поняли?

Все кивают: мол, поняли. А на самом деле не поняли ничего. Про себя подумали, что все обойдется. В результате в один прекрасный день я получил письмо от господина Николая Шибаеффа, Генерального комиссара Года Франции в России и России во Франции. В письме он сообщил мне, что возглавляемый им Комиссариат «с удовольствием» откликнулся на нашу просьбу оказать содействие в съемках фильма и, в частности, добился поддержки со стороны компании «Рено», которая согласилась «выделить три машины на время съемок».

«Увы, – пишет далее г-н Шибаефф, – я вынужден сегодня сообщить вам о целом ряде проблем, которые генеральная дирекция «Рено» довела до нашего сведения...»

Далее следует перечень «проблем», среди которых тринадцать (!) штрафов за превышение скорости. К письму приложены соответствующие документы – весьма подробные и абсолютно исчерпывающие. Ну, например, что такого-то числа в такое-то время на таком-то участке такой-то дороги с ограничением скорости 70 км/ч машина такой-то марки, номер такой-то, ехала со скоростью 92 км/ч, что наказывается штрафом в 68 евро. Далее сообщается, что если вы заплатите этот штраф в течение 15 дней после указанного в верхнем правом углу даты, то штраф составит не 68, а 45 евро. Если же вы не заплатите в течение 45 дней после указанной даты, штраф составит 180 евро.

Итак, тринадцать нарушений. Если даже взять по минимуму – по 45 евро, то получится кругленькая сумма в 585 евро. А если учесть, что мы лишь в половине случаев (точнее, в семи) сумели заплатить в течение пятнадцати дней, то мы заплатили 983 евро.

Во Франции с законом не шутят. Никаких «гаишников» вы не встретите на дорогах, и в отличие от Америки, за вами не погонится полицейская машина, водитель которой заметил ваше превышение скорости. Но вас обязательно засекут, вы обязательно получите штраф, вы будете занесены в национальный полицейский компьютер, и поверьте мне – не пытайтесь не заплатить: вас неминуемо – рано или поздно – поймают, а последствия будут серьезными – от лишения прав и очень большого штрафа до тюремного заключения.

За все время наших съемок нам не пришлось иметь дело с полицией. В городе Динь-ле-Бэн я встретился с начальником местной полиции Алленом Миллером, милейшем человеком, который сказал мне, что поскольку очень мало иммигрантов в этом городе, то нет особых проблем с преступностью, «хотя, конечно, бывают разные случаи, месье, но жизнь есть жизнь». На следующий день я встретил его на местном рынке: он был одет в гражданское платье, с ним многие здоровались за руку: было видно, что к нему хорошо относятся.

Мы договаривались о встрече с префектом полиции в Марселе, в котором не менее 15 процентов населения составляют выходцы из Магреба и где преступность является проблемой, однако в последнюю минуту встречу отменили. Как я сказал для камеры, видимо, все проблемы с преступностью были разрешены до нашего приезда, поэтому необходимость встречи отпала.

Наконец, в Париже, меня принял один из самых высокопоставленных чинов Национальной полиции Франции г-н Эмиль Перез, который, как и всякий чиновник, говорил много и ни о чем. Правда, когда я спросил его, боятся ли французы полиции, он чуть улыбнулся и ответил:

– Месье, подумайте, что это за полиция, если ее не боятся?

И в самом деле, она производит устрашающее впечатление, особенно CRS, эквивалент российского ОМОНа: они выходят на дело в броне, напоминающей нечто среднее между скафандром и рыцарскими доспехами. С ними лучше не связываться. И последнее: только безумец станет предлагать французскому полицейскому взятку.

о—о

Штрафы за превышение скорости я получил перед тем, как поехать в Биарриц. Меня расстроили не столько штрафы, сколько соображения о том, сколько потребуется времени, чтобы оформить их оплату. Но тут меня выручил старший консьерж гостиницы «Отель дю Пале» Кристиан Лапеби. Вот уже несколько лет как я провожу часть летнего отдыха в этой гостинице, так что месье Лапеби мне хорошо знаком. Этим я решил воспользоваться:

– Месье Лапеби, вы не поможете мне разобраться в том, как оплатить эти штрафы?

– С удовольствием, месье Познер. Вам и не нужно в этом разбираться. Дайте мне эти бумаги, и я решу этот вопрос.

Что он и сделал.

Вам, возможно, будет интересно узнать, что слово «консьерж» берет свое начало от французского (опять французы первые!) **Comte des Cierges**, буквально «хранитель свечей» – человек, который в Средние века обслуживал приезжавших в замок рыцарей. Это мне рассказал Кристиан. Он, как и всякий уважающий себя консьерж, тем более работающий в пятизвездочном отеле, носит особую и, надо сказать, весьма элегантную форму. Но в отличие от большинства, на лацканах его пиджака красуются два перекрещенных золотых ключа. Когда я спросил его об этом, он ответил:

– Это знак принадлежности к Международной организации консьержей.

– А как стать членом этой организации?

– Необходимы рекомендации не менее трех ее членов.

– Вы давно состоите в ней?

– Я? – и Кристиан улыбнулся. – Я не только давно состою, но и являюсь вице-президентом французского отделения.

– Что нужно, чтобы стать консьержем высокого уровня?

– Во-первых, нужно получать удовольствие от обслуживания клиентов. Надо быть готовым помогать им во всем. Например, если входит человек с чемоданом, а носильщика нет, консьерж должен немедленно сам это сделать. Во-вторых, надо быть психологом, надо уметь чувствовать клиента, как именно с данным человеком разговаривать. В-третьих, надо досконально знать все, о чем может спросить клиент – о ресторанах, о прокате всего что угодно, о театрах, об интересных местах. В-четвертых, надо выстроить отношения с директорами всех тех мест, которые может захотеть посетить ваш клиент. В-пятых, надо забыть слова «нет», «невозможно», «не знаю». В-шестых, надо быть готовым выполнить любые просьбы клиентов – вплоть до самых эксцентричных. И наконец, надо запомнить клиента, с тем чтобы, когда он вернется через год, два или пять, встретить его улыбкой и сказать: «Здравствуйте, месье или мадам такой-то или такая-то, я очень рад видеть вас вновь в нашем отеле».

– Этому учатся?

– Разумеется. Вместе со старшим консьержем отеля «Жорж V» в Париже я основал школу консьержей.

Впоследствии я школу эту посетил, побывал на трех уроках и убедился в том, что те двадцать с чем-то человек, которые там учатся, проходят очень строгую систему отбора. За свою жизнь я побывал во множестве гостиниц и могу со всей определенностью сказать, что французские консьержи не знают себе равных, сочетая в себе поразительное умение доставлять вам удовольствие от обслуживания, при этом абсолютно сохраняя чувство собственного достоинства.

Вы можете себе представить одного человека в инвалидной коляске? Можете. А десять? Тоже можете. А сто? Ну, в общем, можете. А десять тысяч? Не исключено, что у вас необыкновенно богатое воображение, и следовательно, вы и такое можете себе представить. Я тоже могу – но только после поездки и съемок в Лурде.

Если вы, не дай бог (настаиваю на строчном «б»), подумали, что мы прибыли в Лурд, чтобы снимать всемирные параолимпийские игры, которые включают в себе гонки на инвалидных коля-

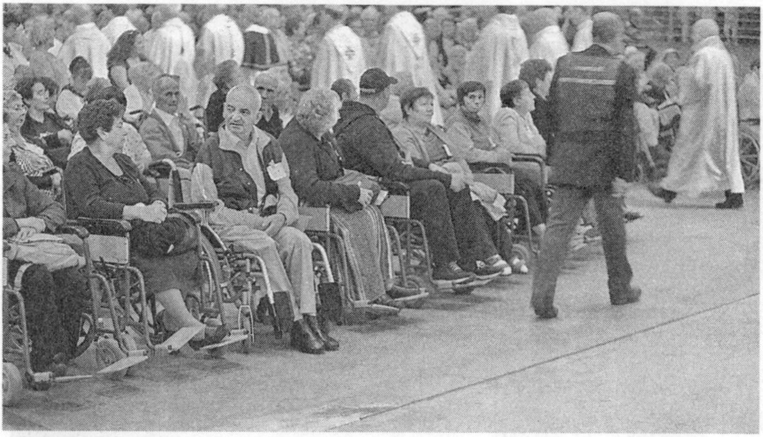

Инвалиды в Лурде. В ожидании чуда

ских, вы ошибаетесь. Мы приехали в Лурд, чтобы... нет, придется зайти с другой стороны.

Когда-то в тихой долине реки Гав-де-По родилась деревня Лурд. И осталась бы она вполне заурядной деревней, если бы в 1858 году четырнадцатилетней дочери местного мельника Бернадетт Сибирус не было видения Девы Марии.

С тех пор в Лурд стали стекаться паломники, надеющиеся на исцеление от тяжелых болезней. Сегодня в Лурд со всего света ежегодно приезжают семь миллионов паломников, а деревня давно превратилась в довольно большой город.

Как рассказывает легенда, святая Бернадетта (она была канонизирована в 1933 году) видела Деву Марию восемнадцать (!) раз. Это было в пещере Гроте-де-Масабель, на месте которой возвышается храм Нотр-Дам-де-Лурд с базиликами Розер и Имакюле-Консепсьон, что значит «непорочное зачатие». За ними прячутся пещеры, в одной из которых есть источник «чудотворной» воды, приносящей исцеление от всех болезней. Вода эта продается миллионами бутылок, не хуже воды «Эвиан». К источнику выстраиваются бесконечные очереди, и я, глядя на все это, почему-то вспоминал старый советский фильм режиссера Протазанова «Праздник святого Йоргена» с Игорем Ильинским в главной роли жулика Коркиса.

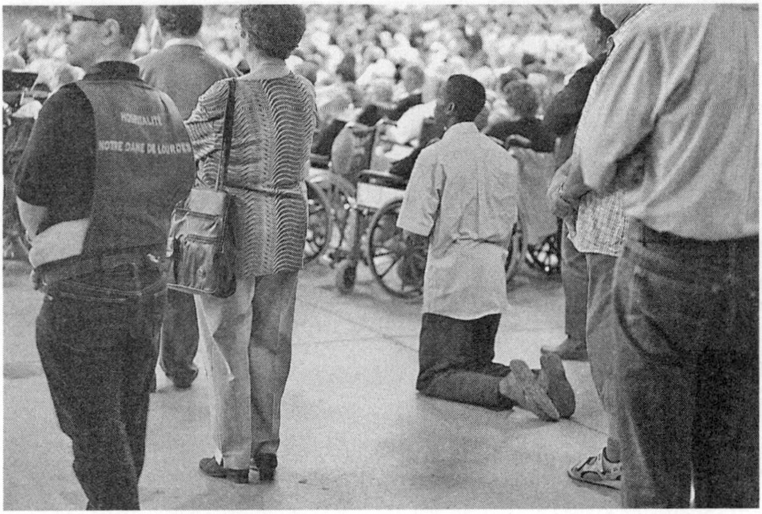

Все в том же Лурде...

Мои антиклерикальные и атеистические взгляды хорошо известны, но не мешают мне придерживаться постулата «Платон мне друг, но истина дороже» – в связи с чем я привожу опубликованные данные о св. Бернадетт:

«Она умерла 16 апреля 1879 года в женском монастыре в Невере. С субботу 19 апреля тело Бернадетт было положено в позже оцинкованный и опечатанный дубовый гроб, который поместили в гробнице в монастырском саду. По строгим церковным правилам, осенью 1909 года необходимо было осуществить так называемое каноническое обследование тела усопшей, которое состоялось 22 сентября. Подробный официальный отчет о первой эксгумации находится в архиве монастыря Сан-Жильдар. Там значится, что в 8:30 утра гроб был открыт в присутствии монсеньора Готье, епископа Неверского, а также членов епархиального трибунала. По снятии крышки гроба было найдено идеально сохранившееся тело Бернадетты. Ее лицо лучилось девичьей красотой, очи были сомкнуты, словно она была погружена в спокойный сон, а уста приоткрыты. Голова слегка склонилась влево, руки были сложены на груди и обвиты сильно заржавевшими четками; ее кожа, с просвечивающими прожилками, была свежей и упругой; равно как и ногти на руках и ногах находились в превосходном состоянии.

Подробный осмотр тела производили двое врачей. По снятии облачений все тело Бернадетты выглядело как живое, было эластичным и неповрежденным в каждой своей части... После исследования был составлен протокол, подписанный врачами и свидетелями. Сестры-монахини обмыли и одели тело в новые облачения, а затем положили его в новый, двойной гроб, который был закрыт, опечатан и вновь помещен в прежнюю гробницу.

Второе обследование тела Бернадетты состоялось 3 апреля 1919 года в присутствии епископа Неверского, комиссара полиции, представителей местного совета и членов епархиального трибунала. Обследование производилось с той же тщательностью, что и десятью годами ранее, с той только разницей, что каждый из двоих врачей составлял свой рапорт, каждый в отдельности и без взаимных консультаций. Оба их отчета полностью согласуются между собой, а также с предыдущим медицинским заключением.

Третье и последнее обследование тела было произведено 18 апреля 1925 года, то есть через сорок шесть лет и два дня после смерти Бернадетты. При этом присутствовали епископ Невера, комиссар полиции, мэр города и врачебная комиссия. К изумлению всех присутствовавших, тело Бернадетты сохранилось в идеальном состоянии. Приведем здесь фрагмент заключительного отчета, составленного главой медицинской комиссии, доктором Контом: «...Тело Бернадетты было нетленным (неповрежденным), совершенно не подверглось процессам гниения и разложения, вполне естественным после столь долгого нахождения в гробу, извлеченном из земли...» В дальнейшем доктор Конт опубликовал статью в научном журнале, в которой, в частности, писал: «При обследовании тела меня удивили превосходно сохранившиеся скелет, все связки, кожа, а также эластичность и упругость мышечных тканей... Но более всего мое изумление вызвало состояние печени через сорок шесть лет после смерти. Этот орган, столь хрупкий и нежный, должен был очень скоро подвергнуться разложению либо кальцинироваться и затвердеть. Между тем, извлекши ее с целью получения реликвий, я обнаружил, что она имеет эластичную, нормальную консистенцию. Я тут же показал ее своим ассистентам, сказав им, что этот факт выходит за пределы естественного порядка вещей». 18 июля 1925 года тело св. Бернадетты было помещено в прозрачный саркофаг, который установили в монастырской часовне, справа от главного алтаря. Канонизация блаженной Бернадетты состоялась в 1933 году в Ватикане».

Я в монастыре не был, саркофага с телом не видел. Но подвергать сомнению все, что описано выше, – невозможно. Чудо? Для многих – несомненно. Необъяснимо с научной точки зрения? Да... пока.

Кстати, о чудесах. Как сказал мне доктор Алессандро де Франчисшис, в чьи обязанности входит тщательное рассмотрение каждого случая необъяснимого исцеления в Лурде, «мы, врачи, не говорим о чудесах, мы лишь констатируем после длительных и исчерпывающих исследований, что данное исцеление не имеет медицинского объяснения. Причем мы не только констатируем факт выздоровления, но ждем определенное количество лет, чтобы убедиться в том, что нет рецидива. И только после этого мы направляем материал в церковь, которая сама выносит окончательное определение – чудо это или нет».

На момент нашего пребывания в Лурде церковь официально признала «чудесными» 67 случаев исцеления.

Надо иметь в виду, что Франция – страна сугубо светская. Церковь жестко отделена от государства и школа от церкви. Правда, 80% французов говорят, что они католики, но из этого числа только 14% регулярно ходят в церковь. Французский картезианский ум не склонен верить в чудеса, и в этом смысле Лурд представляет собой некую аномалию. Я был совершенно потрясен, когда присутствовал на молебне в подземной базилике Сутерен-Сен-Пи X: двадцать пять тысяч человек – кто в инвалидных колясках, кто на передвижных носилках, кто на костылях – молились хором и пели. Я не могу не признать, что ощущение веры витало в воздухе, что лица этих людей выражали восторг и благоговение. Но я не мог отделаться от ощущения того, что я нахожусь на каком-то гигантском, до мелочей отрепетированном спектакле, что присутствую при какой-то гигантской мистификации.

Лурд поразил еще одним: неслыханной коммерцией. В Лурде главный товар – религия: количество лавок и магазинов, в кото-

«Религиозный» товар в Лурде

рых продают сотни тысяч амулетов, крестиков и крестов, статуй и статуэток, икон и образов, ошеломляет.

Любопытная деталь: главная торговая улица Лурда является односторонней, что дает преимущество тем торговым точкам, которые расположены в ее начале. Хозяева магазинов добились того, что еженедельно меняется направление движения: улица остается односторонней, но само направление движения меняется, с тем чтобы у торговцев были равные условия.

После двух дней, проведенных в Лурде, я только и думал о том, как скорее уехать оттуда: фанатизм вперемешку с торговлей совершенно несъедобное блюдо.

o—o

Говорят, что Франция отличается толерантностью в отношении различных вероисповеданий. И говорят правильно, только так было не всегда.

Помню, когда мы были в Тулузе и я стоял на главной площади города и смотрел на прекрасный фасад университета, сопровождавший меня знаток города сказал:

Оказывается, религия прекрасно уживается с торговлей

– Тулузский университет основан в 1229 году, и основан он был в качестве центра для борьбы с еретиками.

– ?

– А что вас так удивляет? Об ордене доминиканцев слышали?

– Слышал.

– Ну вот, орден был создан аж в 1215 году святым Домиником именно здесь, в Тулузе. Вы побывали в церкви Якобинцев?

– Да, конечно. Потрясающее здание совершенно уникальной красоты. Там ведь похоронены мощи святого Фомы Аквината?

- Да. Хороший был малый. Хотел примирить вас, православных, с нами, католиками. За этим отправился в Лион в 1274 году, куда Папа позвал его на собор. Да вот по пути ударился головой о дерево и помер. А представляете, каким был бы мир, если бы состоялось примирение? А знаете, как звали орден доминиканцев?

– Нет.

– «Псы господни». Им-то римский папа поручил ведать Инквизицией, и уж они постарались. О катарах слышали?

Я хотел сказать, что если речь идет о катаре верхних дыхательных путей, то слышал, а так нет. Но сдержался и только покачал головой.

Да что это, мосье, о чем ни спрошу, не знаете! Катары были еретиками. В Бога-то верили, но отрицали страдания Христа, не почитали крест, были против икон и статуй, отрицали учение о Страшном суде, существование ада и рая, не признавали Ветхий Завет, да и вообще в гробу видали Рим и римского папу. И вот здесь, в Тулузе, был их центр – их здесь называли альбигойцами. Вот их-то должны были уничтожить доминиканцы, а университет был местом трибунала. Альбигойцев уничтожили до последнего человека, но как мы, французы, говорим, аппетит приходит во время еды. Взялись за ведьм и колдунов. Первое сожжение состоялось на этой площади в 1275 году, ну а дальше – больше. Например, в 1577 году на этой площади на общем костре сожгли 400 ведьм разом. Представляете картинку?

Признаться, нет, не мог себе представить.

Стоя на этой прекрасной площади, я задумался над тем, почему религиозные войны были столь жестокими? Почему не щадили ни стариков, ни женщин, ни детей? Почему вера часто возбуждает в человеке слепую ненависть? А то, что это так, не подлежит сомнению – достаточно вспомнить Варфоломеевскую ночь, что началась в Париже 24 августа 1572 года и потом распространилась по всей Франции и привела к убийству около сорока тысяч протестантов.

Может ли быть так, что, для того, чтобы стать толерантным, надо пройти через море крови и ужасов нетерпимости?

Я не пишу ничего в этой книжке о французском образовании, хотя оно того стоит. По моему убеждению, оно лучшее в мире. Оно основано только на одном: на меритократии. Оно абсолютно доступно и совершенно бесплатно, поэтому все зависит от личных качеств учащегося. Требования чрезвычайно высоки, от школьников, равно как и от студентов, требуют умения рассуждать, проявлять самостоятельность при решении тех или иных задач, излагать, как письменно, так и устно, свои соображения по тому или иному вопросу: никакого тебе ЕГЭ!

Об одном все же скажу.

Мы посетили одну из самых знаменитых и престижных «больших школ» Франции – Политехническую школу, где я имел возможность говорить с ее директором, генералом армии Ксавье Мишелем. Школа была создана в 1794 году, потом Наполеон ввел в ней военный режим, и хотя она с тех пор сильно видоизменилась, по традиции ее всегда возглавляет генерал, а ее студенты по торжественным случаям носят парадную военную форму со шпагой на боку. Наполеону она обязана своим девизом: «За Родину, науку и славу». По числу своих представителей в пятистах крупнейших фирмах мира Политекник стоит на первом месте в Европе и на четвертом в мире, уступая лишь Гарварду, Токийскому университету и Стамфордскому университету.

В день очередного выпуска там выступил президент Франции Николя Саркози. Передо мной лежит его речь – десять машинописных страниц, и я хотел бы ознакомить вас с последними ее десятью строчками:

«Дамы и господа!

Я каждому из вас желаю водрузить свое знамя над теми территориями, которые вы выберете для своей победы.

Я желаю вам быть дерзкими, потому что, в конце концов, нет славы без отваги и готовности рисковать.

И что бы вы ни делали впоследствии, помните о месяцах, проведенных вами на военной или государственной службе, и задавайтесь вопросом, что вы можете сделать для своей страны, ибо ее величие зависит от преданности каждого из нас».

Согласитесь, не часто обращаются так к выпускникам высшего учебного заведения.

o—o

В этой книге ничего – или почти ничего – не сказано о политике. В нескольких городах я встречался с мэрами, а в Париже брал интервью у двух весьма известных деятелей, членов сената: бывшего премьер-министра Франции Жан-Пьера Рафарена и Жан-Пьера Шевенмана, занимавшего пост министра обороны и министра внутренних дел. Должен признаться, что ни тот, ни другой особого впечатления на меня не произвели и лишь укрепили меня во мнении, что все политические лидеры (за редчайшими исключениями) удивительно похожи друг на друга.

Из мэров на меня произвел впечатление мэр города Виши Клод Малюре, основатель организации «Врачи без границ». Был он и Государственным секретарем по правам человека (с 1986 по 1988 год). Мэром Виши был избран в 1989 году, коим остается по сей день, то есть двадцать лет. Собственно, мы поехали в Виши по моему настоянию и вовсе не для того, чтобы ознакомиться со знаменитыми термальными водами всемирно известного спа. Мне хотелось выяснить, насколько местные жители помнят позорное прошлое Виши, то время, когда в этом городе заседало «независимое правительство» «свободной Франции» во главе с героем Первой мировой войны, маршалом Анри-Филиппом Петеном.

Оказалось, помнят не сильно.

А я помню. Помню, потому что я был в Париже, когда 10 мая 1940 года напали немцы. Помню, потому что летом этого же года с благословения Гитлера была создана «свободная зона» Франции со столицей Виши. Помню, потому что осенью этого года наша семья бежала в эту зону, в Марсель, потому что оставаться на оккупированной немцами территории было для моего отца – еврея, сторонника СССР – смерти подобно. Помню, потому что осенью этого года мы бежали из пока еще не оккупированной зоны через Испанию и Португалию в Америку. Помню, потому что никогда не забывал о том позоре и пытался объяснить себе, как же это могло произойти.

И в самом деле, история странная, почти необъяснимая. Потому что повинен в ней герой Первой мировой войны, герой обороны Вердена, человек-легенда и всеобщий любимец Франции маршал Анри-Филипп Петен.

Когда пал Париж в июне 1940 года, перед французским руководством встал вопрос: как быть дальше? Были сторонники того, чтобы вывести войска в Северную Африку и там, вместе с Англией, продолжать войну. Но они были в меньшинстве. Верх взяли сторонники сепаратного перемирия во главе с Петеном, которому тогда уже было 84 года. 16 июня он занял пост премьер-министра и на следующий день по радио объявил о прекращении сопротивления. Ну и как встретили эту весть французы? Вот что пишет в своих мемуарах русский писатель-эмигрант Роман Гуль: «Все: крестьяне, виноградари, ремесленники, бакалейщики, рестораторы, гарсоны кафе, парикмахеры и бегущие, как сброд, солдаты – все хотели одного – что угодно, только чтоб кончилось это падение в бездонную бездну... У всех на уме было одно слово – «армистис» (перемирие), что означало, что немцы не пойдут на юг Франции, не придут сюда, не

Видимо, собираюсь выступить с этим номером в «Минуте славы»

Главная героиня Франции:
Жанна д'Арк в Реймсе...

... и в Париже.

Реймсский собор,
место коронации
французских монархов

расквартируют здесь свои войска, не будут забирать скот, хлеб, виноград, вино... Бежавший из Франции в Лондон де Голль, хотевший сопротивления во что бы то ни стало, в тот момент, увы, не с Францией, не с народом. С народом был Петен».

И это правда.

Я видел хронику выступления Петена перед десятками, если не сотнями тысяч парижан, восторженно приветствующих его, человека, который на самом деле предал Францию. Я видел хронику выступления де Голля четырьмя годами позже перед теми же десятками, если не сотнями парижан, столь же восторженно приветствующих его, человека, сумевшего спасти честь Франции. Что это говорит о народе?

Как мог народ, родивший бессмертный лозунг «Свобода, Равенство, Братство», восторженно приветствовать человека, который заменил его на «Труд, Семья, Отечество»? Который заменил национальную эмблему республиканской Франции секирой древних галлов? Который рьяно выдавал евреев и коммунистов немцам и создал «милицию», воевавшую с французским Сопротивлением и расстреливавшую заложников? Который, в общем, спокойно воспринял весть об уничтожении поселка Орадур карателями отрядов СС и поддержал идею создания совместной франко-германской дивизии СС – «Шарлемань»?

Вопрос ответа не имеет. Что подтвердил мне г-н Малюре:

– Как могли немцы, народ великих философов и ученых, привести к власти и восторженно поддержать нацистов во главе с Гитлером? Как могли русские, народ великой литературы, почти три четверти века восторженно и самоотверженно поддерживать одного из самых кровавых тиранов в истории человечества? Все дело, дорогой месье, в страхе: появляется фигура, которая говорит: «Со мной вы забудете страх, со мной вы воспрянете, со мной вы обретете счастье, со мной все ваши мечты станут явью». И народ – напуганный, уставший, потерявший всякую надежду, придавленный и подавленный, народ попадается на эту приманку. И с этим можно бороться только одним способом: постоянно – через школу, через СМИ – напоминать народу о его прошлом позоре, о его преступлении, о его ответственности.

– Месье мэр, насколько я знаю, это делают в Германии. Точно могу сказать вам, что этого не делают в России. А во Франции?

– О чем вы, месье? – ответил он и пожал плечами.

Помню, еще давно, во время съемок фильма «Одноэтажная Америка», я заспорил со своим американским другом Брайаном по поводу охоты. Брайан – заядлый охотник, но надо признать, что для него охота это и спорт, и способ добывания пищи: его не устраивает просто убийство дичи, он ее потом «потребляет». Более того, он, как правило, охотится с помощью лука и стрел.

– Все-таки огнестрельное оружие не дает животному никаких шансов, а лук и стрелы – другое дело.

– Ну да, – отвечаю я, – это будет особенно верно, когда медведя научат тоже пользоваться луком и стрелами. Тогда действительно будет интересно.

Вспомнил я этот разговор, когда стал свидетелем специально для нашей съемочной группы организованной охоты chasse a courre. Дело в том, что этот вид охоты – очень старый, практиковавшийся сначала только королем Франции и его свитой, а потом ставший доступным и для некоторых вельмож, запрещает использование огнестрельного оружия. Более того, загнанного собаками зверя охотник обязан убить кинжалом – что, как вы понимаете, небезопасно, если перед вами разъяренный кабан весом сто килограмм.

Анри де Монспей потомственный граф, когда он бывает дома, что бывает нечасто, он живет в потомственном замке XI века в деревне Жалиньи. Как призналась мне его мать, никто не знает, сколько в этом замке комнат, требуются большие деньги, чтобы привести все в надлежащий порядок, а с деньгами, увы...

Стены жилой части замка украшены, в частности, громадными портретами знаменитых охотничьих псов прошлых веков, писанными маслом. Уж не помню их кличек, но уверяю вас, что эти портреты написаны с пиететом не меньшим, чем портреты святых времен Возрождения.

Месье де Монспей, с которым я познакомился в Лиможе на фарфоровой фабрике «Рейно» (он является родственником владельца фабрики, графа Бертрана Рейно, и представителем этой компании в Москве), организовал для нас эту самую охоту, в которой участвуют три или четыре всадника-охотника, порядка 250 гончих псов и около десяти выжлятников.

Как можно делать такое из камня?!

Все собираются рано утром у условленного места охоты. Все, кроме выжлецов, – в очень красивой и совершенно обязательной охотничьей форме, в том числе и группа из десяти–пятнадцати музыкантов, которым надлежит перед охотой играть мелодию начала, во время охоты сигнализировать об обнаружении зверя, сообщать музыкой о том, что зверь загнан и убит, и после этого исполнить пьесу «Завершение охоты».

Впечатление сильное. Все начинается с того, что выжлятники – немолодые, опытные мужики, – сняв головной убор, по очереди докладывают хозяину – главному охотнику, где каждый из них видел зверя, каков он и где сейчас находится. На основании этих докладов хозяин принимает решение о том, на какого зверя будут охотиться. После этого выпускают собачью свору: из специально приспособленного грузовика вываливаются 150–200 собак. Все они – гончие, все одной породы, все примерно одинакового размера. Ими занимается псарь. Он знает каждого пса по имени, разговаривает с ними, как будто они люди. Потом трубят в рог, запускают собак, охотники вскакивают на коней и... понеслось!

Охота была на кабана. Я узнал много любопытного. Например, что из кабаньего стада выделяется один, который уводит собак от стада, – он бежит, бежит, бежит, пока не устанет, после чего возвращается в стадо, откуда выделяют следующего «бегуна» – и так раз за разом, стремясь добиться того, что

Псовая охота, устроенная специально для нас

Охотничьи псы, точнее – выжлецы

собаки настолько устанут, что прекратят преследование. При обнаружении зверя охотник трубит в рог особенным образом, призывая всех остальных присоединиться к нему. На этот раз кабан уйти не смог, его окружили собаки, ожидая графа Монспея, который, легко спрыгнув с коня, приблизился к кабану и заколол его специальным кинжалом.

Затем вся процессия – охотники на своих конях, выжлятники и выжлецы, музыканты – вернулась на лужок перед замком, где с убитого кабана была снята шкура. А далее... Вся собачья свора собралась полумесяцем перед лежащей на земле тушей кабана. Перед ними встал псарь и завел примерно такую речь:

– Мои красавцы, вы славно поработали, славно. Вы услужили своему хозяину, вы достойны похвалы, вы заслужили почет и уважение. Вы показали всем, что отвага, скорость и чутье вам свойственны, что граф может вами гордиться. Горжусь вами и я. И желаю вам приятного аппетита.

И при этих словах вся свора, которая, казалось, внимала его речи, кинулась жрать кабана, от которого через две-три минуты не осталось и следа.

– Обычно, - сказал мне граф, – мы какие-то куски берем себе на кухню. В старину полагалось отдавать кое-что крестьянам, которые позволили нам скакать на конях по их землям, преследуя зверя.Собственно, мы продолжаем эту традицию. Но сегодня кабан был небольшой, так что целиком отдали его псам.

Вечером был устроен ужин – как выяснилось, в мою честь. Происходило это в столовой замка, за столом, за которым когда-то сиживали французские вельможи. Я должен был отвечать на вопросы о России – такова моя участь во всех встречах с иностранцами, хотя мне было гораздо интереснее слушать то, о чем говорят они.

Например: «Нельзя платить людям за то, что они ничего не делают». Это по поводу пособия для безработных.

И еще: «Всеобщее доступное для всех образование отучило людей служить».

Я не написал ничего о французском фарфоре и стекле, хотя мы побывали на заводах «Рейно» и «Дом», видели вещи неслыханной красоты, лишний раз убедились в непревзойденности французских мастеров. Но увидел я нечто такое, что только французы могли придумать: две фарфоровые чаши–слепки груди Марии-Антуанетты, из которых она каждое утро пила молоко.

Vive la France!

Когда будете в Париже, на улице Фобур-Сент-Оноре, на которой, кстати говоря, находится Елисейский дворец, зайдите в головной магазин фирмы «Эрмес». Купите вы или не купите что-либо – зависит от состояния вашего кошелька. Не может быть, что вам не понравится ничего из изделий компании, фамильное кредо которой «Все, что полезно, должно быть прекрасно», но пока вы рассматриваете то, что вас окружает, подумайте вот над чем:

– «Эрмесу» более 170 лет.

– «Эрмес» родился как шорная мастерская для знати, и даже коронации монархов иногда откладывались на время, необходимое для того, чтобы «Эрмес» смог создать оригинальную сбрую.

Клошар

– Седла и поныне производятся только вручную, на их производство затрачивается от двадцати до сорока часов.

– Когда автомобиль стал вытеснять гужевой транспорт, «Эрмес» стал использовать – первым в мире – кожу для производства чемоданов, кошельков и сумок.

– Дамские сумки «Эрмес» – единственные в мире, имеющие свои имена: «Келли» в честь принцессы Монако Грейс Келли, «Биркен» в честь актрисы и певицы Джейн Биркен.

– «Эрмес» привез во Францию канадское изобретение – застежку-молнию и превратил его в фирменный предмет одежды. Принц Уэльский заказал у «Эрмес» кожаный жилет для гольфа на молнии, и с этого момента «Эрмес» начал выпускать кожаную одежду.

– С 1937 года «Эрмес» начал выпускать шелковые шарфы, которые и по сей день не знают себе равных. Пример: природные краски шарфов наносятся индивидуально на каждый шарф методом трафаретной печати, после нанесения одного цвета проходит месяц, прежде чем на изделие наносится следующий. Палитра цветов состоит из 200 000 оттенков, у конкурентов она не превышает 400.

– Все материалы, из которых делаются изделия «Эрмес», – только высшего качества, все делается только вручную. Отсюда и цены: галстук – не менее $180,00, шарф – от $355,00, сумочка – от $2000,00. Желаете чего-нибудь необычного? Пожалуйста: чехол для жевательной резинки из кожи страуса – 175. Воздушный змей из шелка – 1000. Сумка для гольфа из кожи аллигатора – 20 000. Тренировочный костюм из норки – 12500. Все цены в долларах. Может, купите что-нибудь?

И последнее: когда я брал интервью у одного крупного французского бизнесмена, я спросил его:

– Во время этой поездки я часто слышал от людей самых различных профессий одно и то же: работа для меня – это страсть. Как это надо понимать?

– Месье, – ответил он совершенно серьезно, – это надо понимать очень просто: без страсти ничего нельзя сделать хорошо – ни работать, ни любить.

Во время моего пребывания во Франции, но уже после съемок первой части нашей поездки, читая номер еженедельника «Экспресс», вышедшего в День Бастилии 14 июля, я наткнулся на блог Жака Аттали, известнейшего во Франции – да и не только – политического деятеля, писателя и философа. Блог озаглавлен «Деморализованное общество» и, как мне кажется, помогает понять, почему французское общество (да и не только французское) испытывает ощущение крайнего недовольства. Привожу блог полностью в собственном переводе:

«Согласно своим отцам-основателям, капитализм и демократия не могли функционировать без уважения к правилам, базирующимся на законе и транспарентности. И то и другое превратились в понятия, лишенные ценности, лишенные содержания. Одержимость личной свободой на самом деле привела к тирании каприза и к абсолютному праву ежеминутно менять свое мнение относительно любого дела, в том числе относи-

В Боне (Бургундия)

тельно уважения к договоренностям – и в конце концов к апологетике невечности.

Мы видим это сегодня в каждом проявлении нашего общества: ни одна договоренность больше не обязательна. Ни договоренность по работе. Ни договоренность душевная. Ни социальная договоренность. Наступило торжество каждого для себя. Никто более не видит причин соблюдать верность другому. Никто не видит причин участвовать в общественной жизни. Никто более не рассматривает налоги как способ помогать своими деньгами другим, а напротив, как способ получать помощь от денег других. И поскольку мораль направлена на уважение одними прав других, постольку аморальность создает лишенные морали общества. И в этом случае общество делится на две категории: на тех, у которых нет больше возможностей платить налоги, и на тех, у кого есть возможность налоги не платить.

Но моральность есть условие морали: аморальное общество является обществом деморализованным. Никто в самом деле не может гореть желанием продвигаться и создавать, если не уважаются элементарные правила верности между гражданами.

Это, в частности, касается положения во Франции: там работают все больше и больше, но более не ощущают себя моральным обществом; там больше не считают, что богатые свое богатство заслужили. Им завидуют, но более не уважают. Там не нищета является скандальной, а богатство. И там приходят к выводу, что правила поведения в обществе можно растоптать.

Ныне происходящее – перипетии этой тяжелой эволюции. Оно показывает, что богатые зарабатывают совершенно непонятные, с точки зрения других французов, суммы. И что они, богатые, находят способы не платить налоги, которые другие французы считают справедливым платить.

Эта аморальность общества приводит к его деморализации: зачем делать усилия, чтобы работать и создавать, когда судьба улыбается только богатым, только самым красивым, самым сильным, только их друзьям или их должникам? Зачем учиться, когда лучшие учебные заведения открыты только для детей их бывших студентов и выпускников? Зачем думать о будущем, если оно принадлежит другим?

Эта деморализованность Франции в немалой степени объясняет ее потери в конкурентной способности, потому что она объясняет суть всеобщего безразличия, своего рода забастовки, этого подпольного диссидентства, характерного для упадка любого общества. Но поистине сейчас для Франции не время терять мораль. Это бы только ускорило нынешний кризис. Это только осложнило бы поиски выхода. Следовательно, важно срочно восстановить мораль страны. Восстановить верность одних другим и транспарентность одних перед другими. Из этого последует все остальное».

Дневник

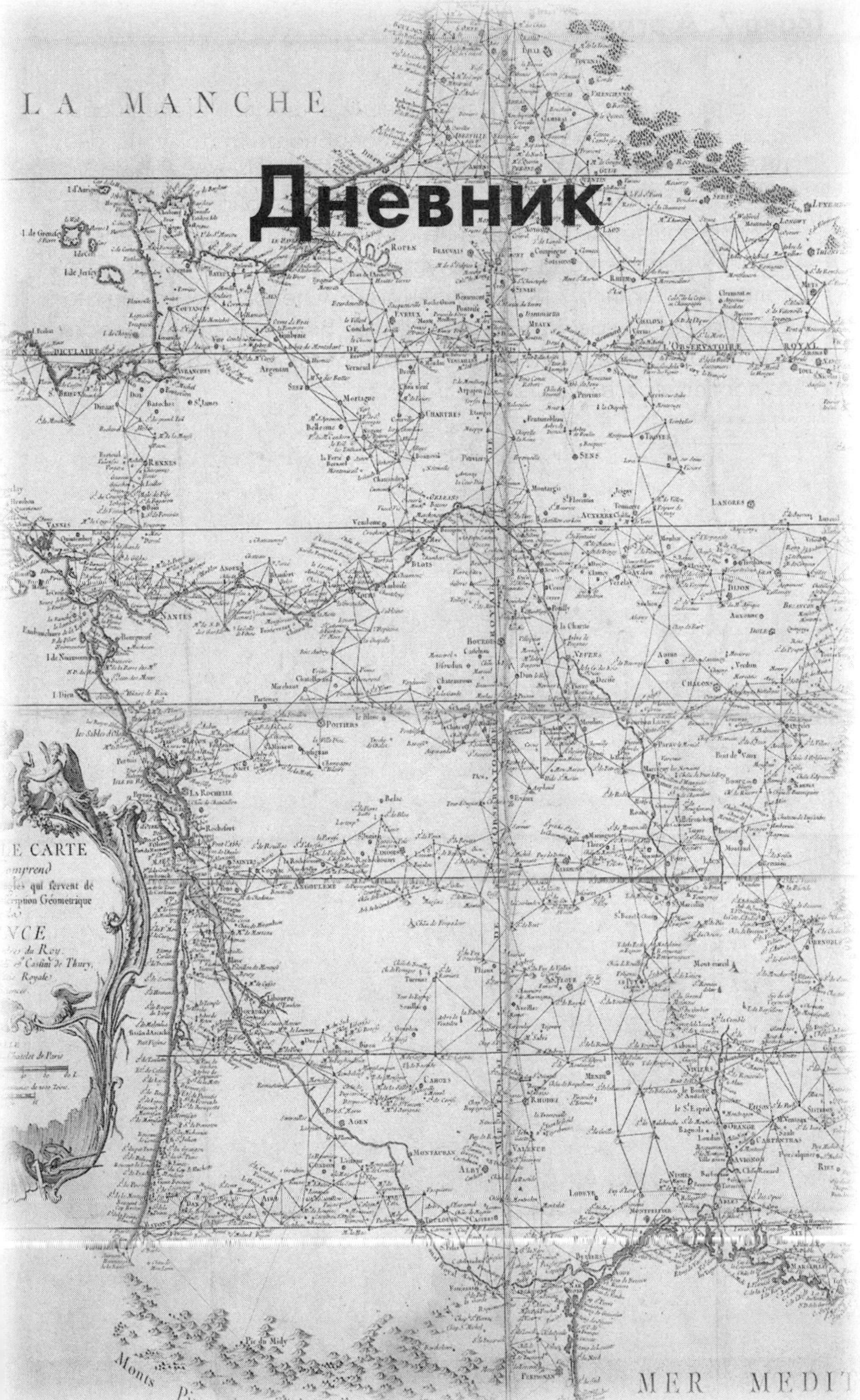

май
22
день первый

До Шереметьево-2 доехали спокойно, в штатном режиме. Но в аэропорту без приключений все-таки не обошлось. Нас ждали операторы Влад Черняев и Евгений Переславцев и «грип»* Владимир Кононыхин. Они не с пустыми руками, а со всем багажом, это около ста восьмидесяти килограммов. То есть был лишний вес, порядка ста тридцати килограммов, который надо было оплатить. Но к этому мы были готовы. Зато совершенно не были готовы к тому, что письма в таможню от Первого канала не оказалось. Как сказал Черняев, без этого письма технику не выпустят.

Ладно. Можно было, конечно, долго ворчать, почему Маша Нестеренко, ответственный продюсер, не позаботилась заранее об этом письме, да что толку? Пошли на операцию «ОО» – «Операция Обаяние». Подошли к окошку, где оформляются грузы для вывоза за рубеж. Там стояли две женщины – одна молоденькая, с погонами младшего лейтенанта, другая уже давно распрощалась с молодостью. У меня есть правило: без нужды не конфронтировать, особенно с людьми в форме. Тем более когда виноват ты. А мы были виноваты. Когда таможенница, что была постарше, сказала, что может снять нас с рейса, я согласился, признал, что мы виноваты, что сделаем выговор нашему сотруднику.

– Ехать без аппаратуры смысла нет? – хохотнула она.

– Да уж, какой смысл, – согласился я.

Словом, бумагу она сделала, и мы, уплатив восемьдесят семь тысяч рублей за перевес, улетели в Ниццу.

Прилетели. Встречают: Маша Нестеренко, Аня Колесникова и водитель Салман Муртазалиев. Выясняется, что головная машина, которую дала нам компания «Рено», неисправна. Их представитель говорит, что ее надо починить. Н.Ю., наш генеральный продюсер, говорит, что ничего мы чинить не будем, а возьмем исправ-

---

* То есть мастер по технике.

ное «Рено» этой же модели напрокат. На том и договорились. Едем в Канны. До съезда с автострады доезжаем за полчаса. Потом столько же ползком добираемся до отеля «Мартине». Всюду полиция, а что поделаешь – Каннский кинофестиваль. Толпы зевак, масса перекрытых проездов. Все ждут знаменитостей. Канны – спокойная рыбацкая деревушка – приобрела известность благодаря английским и русским аристократам. Проложили набережную, построили отели – и «принцы, принцы, повсюду принцы!», по словам де Мопассана. По отдельности все это производит мало впечатления, Дворец кинофестивалей плоский, похож на блиндаж. Население в основном пожилое. Хотя на кинофестиваль, конечно, съезжается много народа.

Располагаемся. Довольно жарко, хоть и пасмурно. Хозяйка квартиры, в которой живут наши продюсеры, русская. Зовут Людмила Александрова. Замужем за внуком кинорежиссера Григория Александрова. Живет во Франции уже тридцать лет. Довольно красивая, малость переспелая блондинка с формами, о чем сама прекрасно знает. Договорились взять интервью у нее в 15:00 для темы «Русская Франция». Удалось получить несколько интересных слов о французах и о Франции, а в основном бурный поток о космогонии, реинкарнации, карме. На прощание крепко, «на французский лад», обняла и прижала к пышной и, по ощущению, все еще упругой груди.

Едем в Монте-Карло брать интервью у знаменитого французского шефа Алена Дюкасса. Монте-Карло набит любителями автогонок «Формула-1», которые состоятся послезавтра. Подъезжаем к зданию, в котором Дюкасс будет готовить ужин. Временный лифт, прикрепленный к внешней стене здания, дрожит и вздрагивает, поднимаемся на нем на шестнадцатый этаж. Крыша. Изумительный вид на бухту, где пришвартованы десятки, сотни яхточек, яхт и яхтищ. На крыше выясняется: г-на Дюкасса не будет. Почему? А хрен его знает, не будет, да и все тут. Что-то мне этот Дюкасс не понравился изначально.

Возвращаемся в Канны. В 21:00 – вечер ювелирной фирмы «Шопар». С 1998 года она изготавливает «Золотую пальмовую ветвь», главный приз фестиваля. Первый набросок для нее сделал Жан Кокто, в тридцатых. Можно взять интервью у Каролин Шефель, сопрезидента «Шопар». Маленькая, худенькая веселая женщина средних лет. Умна, остроумна, на первый взгляд кажется порхающей бабочкой. Вспоминаю Мохаммеда Али, который говорил о себе: «Float like a butterfly, sting like a bee»*.

Ужин. Огромное количество обнаженного тела. Главным образом ноги, все в мини-юбках, вне зависимости от возраста. Потом грудь, спина. Поначалу теряешься, потом перестаешь обращать внимание. Стиль единый: длинные прямые светлые волосы, высокие каблуки, все обнажено до предела. Отличить одну женщину от другой сложно.

Мужчины тоже на одно лицо. Странно. Скука смертельная, которую не может развеять даже Алена Долецкая, редактор русского издания Vogue, сидящая за нашим столом.

День на редкость бестолковый.

В 10:00 предстоит интервьюировать бессменного директора Каннского фестиваля Жиля Жакоба. С организацией встреч и интервью помогать нам взялся американский документалист Эд Флаэрти. У входа во Дворец фестивалей встречаемся с Аней и помощницей Эда Сарой, поднимаемся в комнату, выходим на террасу. Ждем. И... ждем. И еще немного ждем. Наконец за нами приходит Флаэрти: интервью состоится в другом месте. Перебираемся в другое место. И опять ждем. Это огромный зал с потрясающей библиотекой книг о кино. Наконец, оказывается, что Жакоба не будет. Позже удается выяснить, что с ним случился удар.

Небольшой stand-up**.

Идем брать интервью у Марка Сандберга, историка кино и внука создателя киностудии La Victorine.

Интервью отличное. Одно удовольствие.

Потом интервью с Жоэлем Шапроном. Он долгое время отбирал фильмы из стран бывшего Союза и Восточной Европы для фестиваля. Тоже отличное, и – по-русски.

В ответ на вопрос «Что означает для вас быть французом?». Сандберг сказал, что хоть он литовский еврей, но француз до

---

* «Порхаю, как бабочка, жалю, как пчела» (*англ.*).

** Монолог ведущего перед камерой.

кончиков ногтей, обожает Францию, а Шапрон заговорил о древней, прекрасной культуре.

Больше интервью не было.

Вечером за ужином – случайная встреча с Владимиром Пирожковым, человеком, которому известна тайна изготовления самурайского меча.

май 24 *день третий*

Утра – пробежка по набережной Круазетт со съемками. День, в общем, пустой. Видно, как постепенно все сворачивается, упаковывается. Отдых. Бассейн. Сон.

Вечером – закрытие фестиваля.

Около Дворца толпа. Ждут звезд. Странно, что за магия? Что за удовольствие издали увидеть Квентина Тарантино? Мы сидим почти под потолком. Церемония совершенно деловая. Вообще все организовано так, что позавидовали бы немцы. Минута в минуту.

Потом фильм Яна Кунена: «Коко Шанель и Игорь Стравинский». По фильму выходит, что она была его любовницей и создала в это время Chanel № 5. По Интернету выходит, что она была любовницей Дмитрия Романова, племянника Николая II, и создавала духи при его участии. Где правда? Фильм между тем отличный.

май 25 *день четвертый*

Приехал Ваня Ургант. Поехали в Ниццу. Студия «Ла Викторин». Интервью со старым киномехаником.

Потом в Дом престарелых при Русском Красном Кресте. Интервью с Ниной Владимировной Гейтс. Обзывала меня «американцем» за поверхностные (читай: глупые) вопросы. Напомнила мне мою тетю Тото.

Потом интервью с Изабель Форе и La Vie en Rose – праздник дегустации розового вина. «Жизнь в розовом цвете» – название, конечно, из Пиаф. Дегустация и разговор о вине. Очень красиво и стильно. Едем в ресторан «Фло». В нас въезжают двое на мопедах. «Фло», интервью с шеф-поваром. Ужин. Удивительно невкусно.

131 FNA

EOS 5D

май
26
день пятый

Едем в Сент-Мари-де-ла-Мер. Праздник памяти маркиза Фолько Барончелли, страстного поклонника бега быков из древней флорентийской фамилии. Невзирая на протесты семьи, стал пастухом, установил правила бегов и жаловал дворянство, **guardiens**, пастухам, за что его и любили. Кроме того, защитник национальных меньшинств, цыган. Их на празднике много.

Городок маленький, весь белый в рыжей черепице.

Все ждут бега быков. Когда быки бегут, их почти не видно: плотно окружены конными **guardiens**, все как на подбор ковбои. Быки пересекают арену.

После бегов все идут на могилу маркиза. Арлезианки в народных одеяниях. Красиво. Торжественная церемония. На французском и местном языках. Цыгане. К ним затесался и один масаи, из африканского племени. Разговоры. Подчеркивают свою региональную принадлежность. Да, конечно, французы, но... Беспокойство из-за глобализации, ЕС. Хотят сохранить все свое.

май
27
день шестой

Грасс. Утро начинается с опоздания. Организация вновь никакая. Приходится довольно жестко говорить с Однопозовым, Машей и Аней. Розовое поле, экскурсия по парфюмерной фабрике **Galimard**. Жасмин для «Шанель № 5» должен быть только из Грасса. Интервью с Жозефом Мюлль, его семья уже несколько поколений возделывает жасминовые поля и розы. Настоящий француз. Прелесть! Прямо Коля Бруньон!

Затем экскурсия. Фабрика старая, основана в 1747 году. Жан де Галимар, лорд Лиранонский, друг Гёте, снабжал королевский двор оливковым маслом, помадами и изобретал первые формулы духов. Как и тогда, сейчас используют только местные цветы – жасмин, розу, лаванду, цикламен, туберозу, цветки апельсина. Потом посещение школы «нюхачей». Разговор с преподавателем, учениками, директором, президентом. Потом, в другом месте, составление духов. Составителя духов называют «нос». Объясняет принципы создания гармоничной формулы. Бутылочку с собственными духами под собственным именем можно забрать с собой.

Починка GPS.

Утром 8:30. Выезжаем в Бьот – место, известное своими стеклодувами. Встречает нас хозяйка – Анн Лечашински. Прелестная блондинка. Ей за пятьдесят, и она не то чтобы красива, она – лучше. Высокая, стройная, одета просто, но с французским шиком. Интервью. Умна. Много говорит о ремеслах и ремесленниках. Со стороны матери ее предки живут здесь с XV века. Веком раньше городок выкосила чума, а до этого правили рыцари-тамплиеры. Говорят, где-то здесь спрятаны их сокровища.

Я – ученик-стеклодув. Необыкновенно интересно.

Выезжаем из Бьот в Сен-Поль де Вэнс. Очень красивый городок, церковь и донжон XII века. Огромное количество магазинчиков и галерей: живопись, скульптура и так далее. Туристов пруд пруди. Страшно подумать, что происходит здесь в июле–августе. Старый город в совершенной сохранности. Поразительно. Съемки жанра. Проходы по улочкам. Выезд в Сен-Тропе. Встреча в «Клубе 55». Изумительное интервью с хозяином – еще один «настоящий француз». Потом пляж «Таити». Сильно опоздали. Хозяйка недовольна. Маленький ребенок, говорит, мол, некогда. Вместо нее – ее брат. Типичный фазан. Холост. Бабник. Упивается собой. Обеспокоен тем, что будут видны его морщинки. Интервью никакое. В корзину.

Едем в Динь-ле-Бэн. Я за рулем, а права – в другой машине. К тому же выпил рюмку арманьяка. Наш навигатор GPS показывает одну дорогу, а навигатор в машине Черняева и Ко. – другую. Теряем друг друга. Встречаемся только в Сен-Максим. Дальше два с половиной часа едем вместе. Играем в «двадцать вопросов». Я загадал Сирано де Бержерака. Не угадали. Добираемся до Динь в половине первого ночи. Все живут в отдельных, довольно спартанских комнатах. Мне досталась прелестная гостиница. Закусываем, выпиваем две бутылки вина.

На выезде из Сен-Тропе – первый разговор с Робеном. Говорит он по-русски так себе, очень тихо и нетемпераментно. Неужели я прокололся с ним?!

Забыл: ехали в Сен-Поль, чтобы снимать ресторан La Colombe d'Or, знаменитый тем, что там нищие импрессионисты расплачивались за еду своими картинами. Оригиналы висят на стенах. Ничего не сняли: хозяин, господин Ру, не разрешил снимать, когда там народ, отказался дать интервью. Сделал стэнд-ап на фоне ресторана. Мало не покажется.

С утра завтрак, затем интервью с комиссаром полиции. Симпатичный, ушастый, худощавый человек. Интересно.

Потом Nicolosi, маленькая семейная фирма по производству лавандового масла. Прелестное интервью.

Одна ферма, три дома. В одном живут тесть и теща нашего героя. Дом начали строить в конце шестидесятых, выстроили сами. Очень уютный, очень французский, построен надолго. Другой достался по наследству (le droit du sang – «по праву крови») брату и сестре жены Марка, каждому по этажу, а третий принадлежит самому Марку, и оба стоят уже по двести лет. Не без современных доделок, но стоят.

Вся семья занимается биолавандой – собирают ее, дистиллируют, производят «базисное» лавандовое масло. Затем на его основе делают свечи, ароматические палочки, мыло, туалетную воду. Сажают лаванду ранней весной, собирают в конце июня и до конца июля, дистилляция в августе. В январе – отпуск. Горнолыжный. Ферма совершенно сама по себе. Марк свою работу обожает. Красота. Ради этой жизни бросил свою прежнюю специальность «сразу и без секунды сомнения». Вся семья – шесть человек – производит впечатление абсолютной гармонии и счастья. Papi* – худощавый крепыш, беззубый, но вполне. Mami** – еще со следами былой

* Дедуля (*фр.*).

** Бабуля *фр.*).

Мы ночевали вот в таких домах...

...и ужинали за такими столами

красоты. Мать – приятная женщина, не сказать красивая, а Марк просто симпатяга. Пригласили нас поужинать. Просто и вкусно. Открытие: никто не пьет никакого алкоголя, никто никогда не курил.

Особенно вкусно: левантийский салат из овощей, вишневый торт, абрикосовый пай, домашний паштет на травах и настоянная на груше aux de vie*.

О школе: в одном классе дети трех возрастов (девять, десять, одиннадцать лет) занимаются одновременно. На семьдесят учеников всего три учителя. Находится прямо в деревне. Коллеж (с шестого по четвертый классы) и лицей (с третьего по первый) – находятся в Динь**. Автобус забирает и привозит ВСЕХ детей.

Вечер чудесный. Кажется, мог бы прожить здесь всю жизнь. Но это только кажется...

Да, в этот день прилетел Ваня. Вылетел из Москвы в четыре утра. Через Амстердам в Ниццу, где его встретил Салман. Еле добрался. Дорога-серпантин его доконала. Поехал на ферму с нами, вид – краше в гроб кладут. Но оклемался.

Ланч в гостинице незабываемый. Кстати: у входа – бронзовая табличка. Написано: «Жан-Жак Рико, Мастер-кулинар». И чуть ниже: «Рауль Рико».

С утра – рынок. Встретили там комиссара полиции в гражданском и семью Марка. Рынок замечательный.

Затем едем в городок Мезель, чтобы постричься. Изумительная булочная. Съел целый багет, еще теплый. Интервью с парикмахершей, тридцать пять лет в профессии, четырнадцать лет здесь.

Затем поехали в Мустье-Сент-Мари, чтобы полетать на вертолете над каньоном реки Вердан. Ущелья – глубочайшие, каньон – второй по величине в мире после Гранд Каньона. Сверху видны искусственное озеро Сент-Круа, на котором стоит гидроэлектростанция, и лавандовые поля.

---

* «Вода жизни» – так называются все крепкие напитки-настойки, которые пьются, чтобы «осадить» еду.

** Во Франции самый младший класс – 10-й, самый старший – 1-й.

*Салман и Влад.
Заметьте, водитель
пьет кока-колу...*

*Наша «Жанна»,
готовая к бою*

В Альпах. Крайний
слева Переславцев,
за ним Черняев,
пилот вертолета и мы

Предстоит интервью с мэром и ужин с ним.

Приходится ругаться: Однопозов решил перенести интервью с мэром прямо на ужин. Пришлось потребовать, чтобы переиграли. Катя Однопозова, которая сегодня уехала, разговаривала со мной: мол, надо конструктивно говорить, не надо резко и т.д. Кто ее спрашивал? И вообще, почему она приехала?

Интервью с мэром. Шестьдесят шесть лет. Социалист-диссидент. В кабинете нет ни флага, ни портрета Саркози. Довольно симпатичный, довольно скучный. Живет здесь сорок лет; когда приехал в двадцать шесть – вылечился от астмы. Поужинали. Так себе.

Собрание. Рассмотрели завтрашний день, определились. Пожалуй, это стоит делать каждый день.

май
31
день десятый

Воскресная месса в городском соборе X или XI века поразительной красоты. Гармоничное сочетание романского и готического стилей. Внутри битком набито. Два крещения (девочки лет тринадцати) и сорок человек на конфирмацию*. Производит впечатление, хотя все делается с микрофоном. Что делали, когда не было микрофонов? Длится все часа два. Интервью у двух священников. Довольно приятные и явно умные.

Днем – перерыв. В 17:30 поезд. Вечером – шеф-повар.

Надо будет в машине поговорить о роли религии во Франции.

В 17:30 поезд. Не особенно интересно.

В 20:00 интервью с шеф-поваром Жан-Жаком Рико. Это было хорошо.

Завтра в 9:00 – в Кейрас, а потом в Марсель.

---

* В католической церкви таинство миропомазания. Как правило, совершается епископом. Если человек был окрещен ребенком, конфирмация совершается в отрочестве или юности, то есть в сознательном возрасте.

ИЮНЬ 01 день одиннадцатый

Сделал стэнд-ап у гостиницы «Ле Гран Пари», и поехали в замок Кейрас (Château Queyras). Виды потрясающие. Удержаться от остановок, чтобы поснимать, невозможно.

Ехали часа два с половиной. Замок стоит на головокружительной высоте. Идеальная позиция для защиты долины от вторжения. Построен еще в тринадцатом веке и долгое время использовался как тюрьма для преступников и женщин, обвиненных в колдовстве. Тут их держали до вынесения приговора. Затем в 1672 году он был укреплен военным инженером и маршалом де Вобэн. Водила нас милейшая Жанин – невысокого роста брюнетка, которая была счастлива, что хоть кто-то интересуется ее заброшенным краем. Она пришла в совершеннейший восторг, когда выяснилось, что хотим посмотреть «шкаф о восьми замках». Пообедали вполне вкусно и поехали в Марсель. Walky-talky работали плохо, каждый ехал сам по себе. Гостиница «Ибис» у железнодорожного вокзала Сен-Шарль. Вид отвратительный, номера похуже, чем американские мотели.

С Марселем пока дела обстоят блестяще: с утра будет ресторан с буйабесом, но пока нет ни полиции, ни Иностранного легиона, ни арабской семьи.

ИЮНЬ 02 день двенадцатый

Все начинается плохо. Должны быть в ресторане «У Фон-Фона» (Chez Fon-Fon) в 9:00. Никак не можем найти. Приезжаем с опозданием в два часа. К счастью, рыбаки опоздали. Смогли снять их приезд. Интервью с хозяином Алесандром Пинна. Очень симпатичный. Интервью получилось. Потом ели буйабес. Вкусно очень. Потом без меня сняли готовку. Вечером в 19:00 – арабская семья.

Семья: мать, отец, четверо детей, все мальчики. Родители – социальные работники, старшему мальчику двенадцать, младшему – восемь месяцев. У всех чуть модифицированные арабские лица. Живут, в общем, прилично. Только что купили квартиру. Отвечают честно. Особенно интересно отвечают на вопрос, считают ли они себя французами. Он хоть и родился во Франции, но французом считает себя лишь с натяжкой. Она: **Le cul entre deux chaises** – «жопа меж двух стульев». Дети учатся в католической школе, при этом все они мусульмане: соблюдают рамадан, хотя и не молятся. В мусульманскую школу не хотят идти ни в коем случае, там пришлось бы носить традиционную одежду, платки на голове. Они против этого. Отец, Мохаммад, пьет вино, дети тоже хотят. Старший сын хочет быть пожарником, следующий – адвокатом. Не наступят ли такие времена, когда магребцев* станет больше, чем французов? Нет ответа. Вообще с удовольствием уехали бы в Германию. Там проще. «Если бы играли сборные Франции и Алжира по футболу, за кого бы вы болели?» – вопрос Вани. Улыбаются чуть смущенно, но второй по старшинству быстро говорит: «За Алжир!»

Встреча удалась и очень показательна.

ИЮНЬ
03
день тринадцатый

Поехали на рыбный рынок в Старый Порт. Как всегда, поехали неправильно, на сей раз под руководством Робена. Парень, как бы сказала Н.Ю., «безысходный». Симпатичный, но безысходный. В конце концов добрались. Рынок разочаровал. Тянется вдоль основания порта.

Говорят, рыбаки сначала отвозят лучшую часть улова в разные рестораны, остатки продают на рынке. Довольно дорого: от пяти до одиннадцати евро за килограмм, но, конечно, первой свежести. Поснимал лица, пошел искать кружку, зашел в табачную лавку. Мужчина за прилавком – высокий симпатяга лет шестидесяти, много морщин. Спрашиваю, сколько стоит кружка «ОМ»**?

– Вообще одиннадцать евро, – говорит он, – но с утра – десять.

Марсель – французская Одесса. Мне очень нравится, люди просто чудо!

Пошли сделать stand-up перед **Hôtel de Police*****. Все сказал, что хотел. Когда шли обратно через квартал Ле Панье (Le Panier, то

---

* Выходцы из Магреба. Арабское слово, означающее «место захода солнца», или «запад», и включающее Алжир, Марокко, Тунис, Ливию, Мавританию и Северную Сахару.

** Сокращенное название футбольной команды «Олимпик Марсель».

*** Буквально «Гостиница полиции», на самом деле Центральное управление полиции города Марсель.

Марсель. Старый порт

есть «корзина»), натолкнулись на местную жительницу невероятной худобы и говорливости. Несла мэра города по всем кочкам!

Поехали в Ла Сиота. Здесь братья Люмьер сняли «Прибытие поезда на вокзал Ла Сиота», один из самых первых фильмов. Всего пятьдесят секунд. Город начала синематографа. Мы тоже сняли прибытие поезда на вокзал. Потом поехали в кинотеатр «Эден» – первый кинотеатр в мире. Тут братья Люмьер свой фильм и показали. История с нашим штрафом и «венгерским» шефом полиции. Разговор с Франсуа. При отъезде Черняев и Ко. снесли заградительный столбик и потеряли подкрыльник.

Поехали и приехали в Тулон. Завтра в 8:00 – база ВМС Франции.

июнь
04
день четырнадцатый

С утра у ворот базы ВМС суматоха. Толпы моряков выбегают на утренний бег трусцой, толпы людей приезжают на работу: кто на машине, кто на мопеде, кто на велике. Самая большая база во Франции.

Встречает нас весьма любезно офицер-женщина, везет на встречу с начальником базы. Ему на вид лет сорок пять, худощав, в очках, на вид его вполне можно принять за бухгалтера, если бы не форма. И явно военная выправка. Служит на флоте тридцать лет. К интервью не привык, поэтому нервничает, но отвечает откровенно и толково. Хотя обобщений никаких делать не хочет. После интервью две женщины – та, что нас встречала, и другая, в совершенно штатском цветастом сарафане и игривых сандалиях, – активно поздравляют его с «прекрасными ответами».

Дальше – архивы. Прекрасно сохранившиеся планы XVII века, но более всего поражают книги-регистры приговоренных к галерам. В XVII веке почти все приговорены пожизненно. Записано все четко: фамилия, имя, дата и место рождения, когда, кем и за что судим, на какой срок осужден, цвет волос, глаз, особые приметы. Если умер – когда.

В книгах XVIII века еще подробнее – фотографий ведь не было. Рост, наличие и цвет волос, цвет глаз, форма носа, лица, подбородка, рта, особенно подробно форма лба. Плюс имена родителей. Меньше пожизненно приговоренных. Но: за ограбление или воровство на «общественной дороге» – приговаривают пожизненно. Дорога – королевская, значит, грабил короля. Воров клеймили, отрезали уши, нос. Носы потом перестали отрезать – человек плохо дышал, что мешало ему работать в полную силу. Руки также перестали – непрактично, человек без руки не работник (!).

Посещение Музея морской формы – пустое дело. Потом посещение корабля. Корабль современный, спущен на воду в 2000 году. Принимает вертолет, для этого есть ангар. Есть ракеты (вода–воздух, вода–вода, вода–земля), есть стомиллиметровая пушка. Капитан – красавец и обаяшка. Провел по всему кораблю, отвечал на все вопросы. Без проблем.

Все. Выпили по бокалу красного, поехали в Арль, Авиньон, Сен-Реми.

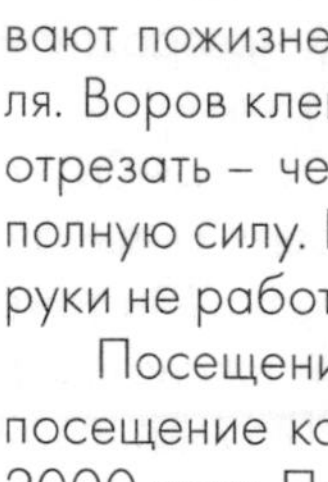

Живем в деревне, где разводят лошадей. Ночевка плюс завтрак обходятся в двадцать пять евро. Скромно, но вполне прилично. Утром едем в Авиньон, город пленения пап. Салман снова поехал не туда. Вместо того чтобы приехать в 9:30, приехали в 11:00. Праздный

С главным врачом госпиталя Сан Поль, Жаном-Марком Булоном. Здесь лечился великий Ван Гог

городок с грозной историей. Экскурсия по папскому дворцу. Восхитительно. Построено в 1332–1352 годах. На это и ушла большая часть доходов папства. А что в это время построили в России? Фрески – сумасшедшие. Первая в истории живопись с перспективой. Писали итальянцы. До 1906 года были замазаны, теперь подновленные. Не знаю, как покажем, но интересно необыкновенно. Кроме того, каждый год во дворце театральный фестиваль, зрительный зал – прямо во дворе.

После этого психиатрическая лечебница, в которой содержался Ван Гог в течение одного года (с 1889 по 1890 г.).

Встреча с главврачом. Произвел странное впечатление со своей «арт-терапией».

Потом chocolatier, или шоколадных дел мастер. Милый человек. Поговорили «за сладости». Завтра – жанр, **le pont d'Avignon**, Авиньонский мост.

Авиньон.
Папский дворец –
уастоящее чудо!

Утром были съемки на велосипедах. Покатались. Потом поехали снимать жанр в Арль. Город не произвел никакого впечатления. Не стали снимать новодел «Ночное кафе» – они хотели пятьсот евро за десять минут. Поехали в Авиньон, сделали съемки на мосту. Пели и танцевали. Потом решили поужинать в «Ле Гран Кафе». Было вкусно, но из-за ужина приехали в Аннонэй в полвторого ночи. На воздушном шаре будут летать Ваня и Робен: я вытащил короткую спичку.

Утром интервью с мэром. Самый молодой депутат Национального собрания Франции. Член Социалистической партии. Когда я спросил его, почему в его кабинете нет ни французского флага, ни портрета Саркози, он объяснил, что флаг обязательно должен быть на здании, а портрет президента в зале бракосочетаний. Но не больше. Потом, не на камеру, сказал, что первое, что он сделал, когда его избрали, так это снял портрет Саркози.

На стене висит орден **Croix de Guerre**, или «военный крест». История: Сопротивление освободило город в июне 1944 года, в день высадки союзнических войск в Нормандии. Написали письмо Петену, командир партизанских отрядов стал мэром.

На площади Сапожников разыгрывают запуск первого монгольфьера четвертого июня 1783 года. Детишки и взрослые в отличных костюмах того времени. Вот так привязывают к своей истории, так учат любить свою страну и ее прошлое!

Потом поехали с Робеном и Иваном в Лион.

Пытаемся разговорить Робена – это невозможно. Надо отказаться от него. Он хороший парень, но...

Сегодня день отдыха. Прилетит Дуся*.

Федерер победил на «Ролан Гарросе»!

---

* Она же Н.Ю. Соловьева.

ИЮНЬ 08 *день восемнадцатый*

Живем в гостинице «Вилла Флорентин». Зашли вместе с Робеном, женщина в регистрации сразу поняла, что он «рангом пониже». Разговаривала пренебрежительно. Он спросил, не знает ли она, где расположена его гостиница, дал название и адрес. Нет, не знает. Робко: «Не дадите ли карту города?» Дала – через губу. Пришлось вмешаться: «Найдите в Интернете». Сама любезность – нашла, дала место, где находится.

День отдыха. Вечером пошли втроем в ресторан. Очень вкусно.

ИЮНЬ 09 *день девятнадцатый*

С утра поехали в поселок Бринда в музей-театр «Гиньоль». Замечательно интересно. Нынешний театр появился из ярмарочных сатирических сценок, которые кукловод импровизировал на злобу дня. Гиньоль – рабочий шелковой мануфактуры, перчаточная кукла. Хозяин – месье Мургэ – праправнук того самого Лорана Мургэ, хозяина зубодерни, который придумал Гиньоля, чтобы привлечь публику к своему заведению. И заглушить стоны пациентов.

Потом поехали в Школу моды (l'Université de la Mode). Разговор со студентами из разных стран и с профессором. После этого поехали в Институт Люмьер (Institut Lumiére). Вечером поехали в ресторан «Поль Бокюз». Никак не рассчитывали на интервью с ним, так как его дочь, Мартин, сказала, что он себя неважно чувствует. Приехали: он стоит у входа и встречает нас, как маршал во главе своего войска. Потрясающий мужик! Еще один «настоящий француз». Интервью на кухне, проход по ресторану и уличные фрески – и все это с его комментариями.

Потом ужин. Нет слов! Ни одна кухня в мире ничего подобного не может предложить.

ИЮНЬ 10 *день двадцатый*

С утра – поход на рынок имени Поля Бокюза с шеф-поваром и ресторатором «Виллы Флорентин» Дави Тиссо. Замечательные разговоры с продавцами. Колбасный отдел: «Сколько

я вам должен?» – «Ничего, кроме спасибо и поцелуйчика». Мясной ряд. Лучший мясник Франции объясняет, что к чему. Целое образование.

Пока я не забыл: профессор Школы моды об особых чертах французской моды: 1) женственность, 2) учет пропорций тела, 3) равновесие между строгостью и экстравагантностью, 4) элемент юмора.

Обед: продукты с рынка и интервью с шеф-поваром. Воротник-триколор.

Вспомнить: **Silence en Cuisine. Pourquoi? Je n'aime pas le bruit***.

Театр «Гиньоль». Выпускники школы и метание яиц. Робен получил яйцом по ноге и убежал. Потом всем показывал синяк. Интервью с директрисой театра. Потом Дом ткачей, La Maison des Canuts. Потрясающе интересно. Станки: можно выткать один квадратный метр за два дня. Цена за него: от двух до двадцати двух тысяч евро.

В конце дня – антикварные ряды, настоящий город антикваров, **La Cité des Antiquaires**. Много предметов XVIII века, даже начала. Очень красиво. И в общем, не так уж дорого.

Поехали в Эвиан. Приехали довольно поздно в гостиницу «Эвиан Ройал Резорт». Прямо над озером Леман. Красота!

ИЮНЬ
11
день двадцать первый

С утра – вертолет и Мон-Блан. Впечатление незабываемое.

Потом источник Каша (Cachat). Представительница завода и пожилой еврей. Смех!

* «Тишина на кухне! Почему? Я не люблю шум» *(фр)*.

У источника воды «Эвиан»

Затем гольф. Попытка послать шарик подальше ударом клюшки. Пролетел сто шестьдесят метров! По словам инструктора, хорошо. Очень гордился.

Потом спа: массаж, лицо. Интервью с шефом (хорошее!).

ИЮНЬ 12 *день двадцать второй*

Едем в Бургундию. Первая остановка все-таки в Божоле, где нас ждет Доминик Пирон. Симпатичный человек, уже не в первом поколении возделывает лозу. Рассказывает о «Божоле» с восторгом и нежностью, говорит о том, что это вино для питья, а не для размышлений и раздумий. Рассказывает о появлении «Божоле Нуво» – по закону можно продавать вино последнего урожая только с пятнадцатого декабря, но существуют вина, которые созревают рано. Виноделы обратились с просьбой, чтобы разрешили эти вина продавать с пятнадцатого ноября. Разрешение получили. Среди этих вин было и **Beaujolais**, при продаже которого придумали слоган **Le Beaujolais Nouveau Est Arrivè**, что значит: «Прибыло новое «Божоле». Он оказался очень успешным. Ныне многие производители неуважительно относятся к лозе, и поэтому «Божоле Нуво» не всегда качественное. О них Пирон говорил с осуждением. Сам он обожает вино. Вместе с супругой выпивает в день две бутылки – одну за обедом, одну за ужином.

Едем в Бон, столицу вин Бургундии.

До этого обедали в маленьком ресторанчике рядом с винодельней Пирона. Официантка смешная, симпатичная, еда простая и очень вкусная.

В вертолете,
в Альпах

Учимся играть в гольф

Считается, что игра в гольф зародилась в Шотландии и была изобретена пастухами, которые с помощью посохов (будущих клюшек) загоняли камни в кроличьи норы. Для игры в гольф игрок может использовать не менее двух, но не более 14 видов клюшек. На площадке для игры могут присутствовать различные препятствия — водные преграды, бункеры с песком, кусты, деревья, высокая трава. В идеале гольфист, как правило, должен первым ударом попасть на основную площадку, провести мяч по нему несколькими ударами (в зависимости от вида площадки) и попасть на грин — площадку с идеальной травой, по которой мяч катится без помех. Для того чтобы забить мяч в лунку с грина, используется специальный вид клюшки — паттер.

Бон. Городок средневековый. Беру интервью у мэра, он же депутат Национального собрания Франции. Он уже четырнадцать лет мэр (два срока, приступил к третьему) и шестнадцать лет депутат от UMP, Союза за народное движение. Кроме того, президент общества «Отель Дье», а в Национальном собрании отвечает за все винодельческие поля. Умный, бойкий. Проблем в Боне нет. Иммигрантов, по сути дела, нет. Сторонник ЕС, но при этом горячо отстаивает защиту национальных особенностей, традиций. Горячий патриот Франции. В кабинете три флага: Франции, ЕС и Бургундии. Нет портрета Саркози. Есть портрет «Республики» (Марианны). Кроме того, имеется нечто вроде большого сундука на ножках. Относится к XII веку (!). Имеет три замка. Ключи были у мэра (первый мэр города назначен в 1203 году) и у двух его секретарей. В «сундуке» хранились все важные документы. Открыть можно было только в присутствии всех троих.

Дижонская горчица. Посещаем горчичную фабрику «Фало» (La Moutarderie Fallo). Существует с 1840 года. Нынешний хозяин дико скучный человек – хочет повести нас на экскурсию. Все сделано так же скучно, как в музее, отдельно от производственной части.

Интересно: дижонская горчица, moutarde de Dijon, не является торговой маркой, кто угодно может этим пользоваться. Moutarde de Bourgogne – другое дело, все ингредиенты должны быть из Бургундии.

Важно: связь француза с историей, она для него жива, часть его настоящего, и это ощущается буквально во всем.

Едем в деревеньку неподалеку, Блиньи-ле-Бон. Типичный B&B. Дом XVII века. Хозяин, Бруно, радушно встречает вместе с братом Патриком и приятелем. Ужин: все очень вкусно. Патрик – актер театра и кино и хозяин бистро в Париже. Приглашает посетить его, когда будем в Париже.

ИЮНЬ 13
день двадцать третий

Первая встреча с домом Bouchard Père et Fils. Огромный погреб в замке XV века. Три миллиона бутылок, четыре километра протяженности. Самая крупная и дорогая коллекция вин XIX века в мире. Генеральный управляющий (фамилия!) рассказывает, что бургундское вино

Мэр г. Бон Ален Сюгено и сундук о трех замках, памятник давней демократии

Доминик Пирон, винодел в Божоле

Пробуем новое «Божоле» у Доминика Пирона

отличается от всех прочих тем, что оно делается на основе только двух сортов винограда – «шардоне» для белого вина и «пино нуар» для красного. Сами вина получают названия от участков, на которых растет лоза, – например, **Nuit St. George, Côte de Beaune.** Указывается также фамилия производителя. С башни замка показывают виноградники знаменитейших вин, которые им принадлежат. Подчеркивает (уже на дегустации в подвале), что Бушаров много, крайне важно добавить **père et fils,** то есть «отец и сын». Показывает нам бутылку **Vigne de l'enfant Jésus** 1864 года. Говорит, что, например, бутылка **Montrachet** может легко стоить десять-одиннадцать тысяч евро, но они старые вина не продают, а лишь иногда выставляют на аукционах или открывают при особых случаях.

Не забыть: Буше замуровал вход в подвал коллекционных вин, поставил стеллажи с бутылками, чтобы немцы не смогли ничего вывезти.

Быстрый – и очень вкусный – обед: нельзя опаздывать к **Romanèe Conti**. Там нас принимает совладелец и главный управляющий. Высокий, стройный, элегантный, чрезвычайно симпатичный человек семидесяти лет. Говорит, что мы – первая телевизионная группа, которую пустили сюда. «А французскую?» – спрашиваю я. «Их пустим последними», – отвечает он. Проводит в поле. Рассказывает. Сам участок Романэ-Конти – 1,8 га. Производят всего пять тысяч бутылок в год. Он говорит о бургундском влюбленно, об этой земле, на которой уже в IV веке монахи возделывали лозу, о том, как лоза, растущая в двух метрах от другой, дает совсем иной вкус. Играют роль расщелины в камне, образование Альп, глубина почвы, количество в ней камней – от этого зависит, проникают корни лозы тяжело или легко. Замечательно. Идем в подвал. Там всего не более трехсот тысяч бутылок. Дегустация. Романэ-Конти 1991 года. Изумительно. Потом заходим в отдельную комнату, в которую почти никогда никого не пускают. Пробуем красное 1967 года. Изумительно. Закружилась голова.

Он говорит: вино – живое, оно страдает, когда его заключают в бутылку, когда же его выпускают, оно сначала сдержанное, «сердится», требуется полчаса, чтобы оно открылось.

Смена пробок.

Почему хозяин Романэ-Конти был так любезен с нами? Он на прощание говорит мне: «Это не для ТВ, но моя мама была русской, так что русский наполовину».

Дальше едем к Николя Россиньоль – он сам делает все: выращивает лозу, делает вино, продает его. Считается очень быстрорастущим виноделом с большим будущим. Чудный малый. Рассказывает об особенностях бургундских вин. Дегустация: четыре бутылки **Volnay Premier Cru** одного и того же миллизима, то есть года сбора, но с разных участков. Это разные вина. Потом: бутылка **Volnay Premier Cru** и **Pommard Premier Cru** – растут буквально в двух метрах друг от друга. Совершенно разные вина.

Едем домой. Въезжая в ворота, поцарапал весь правый бок машины. Настроение испортилось совершенно.

Ужин в ресторане с тремя звездами «Мишлен». НЕВКУСНО!

o—o

Вылетел в Москву 14-го, прилетел в Париж поздно вечером 15-го и поехал с Салманом в Реймс.

Посещение подземелий шампанского дома «Вдова Клико». Гид Катя оказалась полячкой. Водит нас по влажным коридорам (общая протяженность двадцать четыре километра!), рассказывает историю и способ приготовления. Особенно интересно: стол, который изобрела сама вдова Клико в 1816 году для изменения наклона бутылок и избавления от осадка. Когда осадок накапливался, бутылку открывали, и он как бы выстреливался. Впоследствии стали замораживать верхушку горлышка, потом открывали бутылку, и ледяная пробка выскакивала сама.

Затем – дегустация. Розовое шампанское делается из белого вина с красным (!). Оказалось, что открывать шампанское следует держа пробку и вращая дно бутылки. Век живи, век учись...

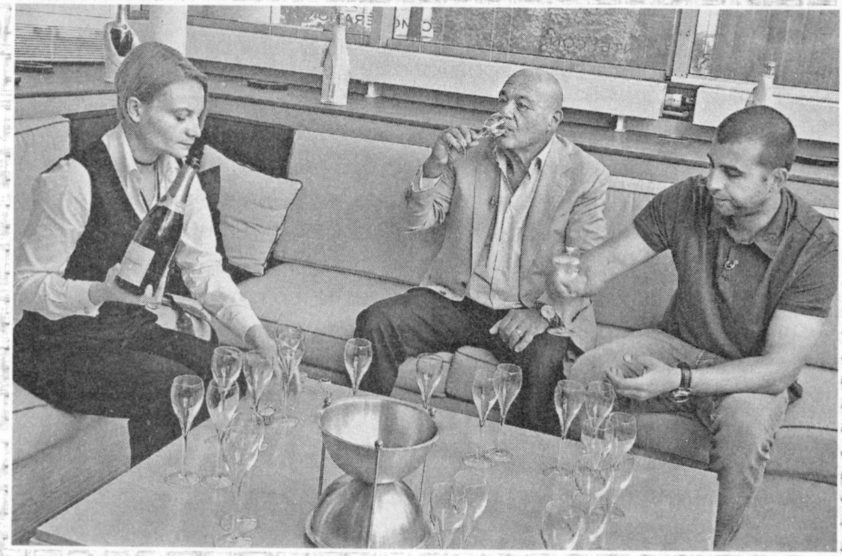

В гостях у «Вдовы Клико»

Затем обед в саду особняка с женщиной-специалистом.

Реймсский собор, свет, фрески Шагала – впечатление ошеломляющее. Нынешний собор заложили в XIII веке, после того как прежний сгорел в пожаре. Здесь святым Реми был крещен первый пятнадцатилетний христианский король французской монархии Хлодвиг I. И затем крестились все короли Франции, за исключением Генриха VI. В XVI веке, с приездом Анны Ярославны, сюда попало славянское Реймсское евангелие, на котором, как на таинственной рукописи, присягают короли. Жанна д'Арк провела дофина Карла VII к Реймсу, где его короновали. Важно: мать дофина подписала соглашение, при котором король Англии Генрих VI становился и королем Франции, но он не был коронован в Реймсе. Коронование в Реймсе Карла делало его «легитимным» королем, помазанником Божьим.

Поехали в Париж.

Салон «Ле Бурже».

Маша опять все напутала. От нее надо избавляться. Она плохой организатор и к тому же врет. Отношения у нее с Аней отвратительные.

Посещение очень интересное. Аэробус А380, встреча со старшим летчиком-испытателем. Сплошное вдохновение.

Затем случайная встреча с российским «Суперджет-100». Сто лет выставке Ле Бурже, сорок лет аэробусу. Потом встреча с представителями французского космического агентства и договоренность о встрече в сентябре.

Поехали в **Cuisine Alain Ducasse**, кулинарную школу Алена Дюкасса. В очередной раз Маша и компания опоздали, съемка сорвалась.

Поехали на репетицию оркестра балалаечников. Необыкновенно трогательно. Все они родились во Франции, у большинства родители тоже родились во Франции, их дедушки-бабушки приехали совсем маленькими – но как же они говорят по-русски! Да и лица совершенно иные, напоминают дореволюционные фото.

Женя и Влад за работой

Влад снимает, а мы наблюдаем

ИЮНЬ 18
день двадцать восьмой

Вероник Риже-Леруж. Интервью. Борец за «органические сыры». В общем, интересно, хотя дама производит странное впечатление. Многие называют ее «Ольгой» из-за славянских черт лица. Дедушка был из России.

Мишель Гютен. Институт маркетинга люкса. Потрясающий мужик. «Без страсти ничего не сделаешь хорошо – от любви до работы». Большое удовольствие.

Мишель Гютен, директор школы люкса в Париже

Софи Лаббэ. «Нос». Создатель духов «Органза». Отличный разговор, прелестная женщина.

Месье Полж, главный «нос» «Шанель». Охраняют, как президента или царя. Сам очень хорош – умен, обаятелен, но его пресс-персона сущий зверь.

Утром – посещение дома «Шанель». Потрясающе интересно. Дом, мастерские, разговор о тканях, которые нужно «укрощать», «одомашнивать».

Потом «Комеди Франсэз». Кресло Мольера. Тоже очень интересно.

Вечером «Русские сезоны», Les Saisons Russes. Музыка Стравинского, костюмы Бакста, русские танцовщики. Большой успех.

Здесь наступил большой перерыв в ведении дневника. Не могу вспомнить почему, может, просто надоело, устал, но так случилось. Мы снимали до самого конца июня, потом уехали, поскольку в июле–августе (особенно в августе) вся Франция уходит в отпуск. Ушли и мы. Таким образом, ничего не написано о днях с тридцатого по тридцать восьмой.

Знаменитый театр «Комеди Франсез» и его директор Мюриэль Майетт

«Русские сезоны» в «Театр де Шанз Элизе» в Париже

сетябрь 02
день тридцать девятый

Тулуза. День очень удачный. Началось со CNES. То есть Centre National d'Exploitation Spacial, или Национальный центр космических исследований. Подготовились отменно. Интервью с президентом CNES – умница, остряк, все понимает; затем с человеком, отвечающим за все международные проекты: говорит по-русски, обожает русских, тоже умница. Шикарная столовая, обед за три евро. Затем слежение за спутниками. Зал подготовки нового спутника – это совершенно закрытый объект, но нас пустили. Макет «Марса» – дешево и сердито. Русский робот плюс французская логика – потрясающе.

ENAC, École National de l'Aviation. Национальная школа гражданской авиации – вот это да! Практически одна из Grandes écoles, «Больших школ». При поступлении надо выдержать ряд экзаменов. Уют на высшем уровне, учеба бесплатная, в ряде случаев платят зарплату в две тысячи евро в месяц. Учиться надо три года, потом семь лет отрабатывать на государство. К вступительным конкурсным экзаменам готовятся два года.

Посещение класса авиадиспетчеров. Интервью с президентом студенческого совета (довольно серая личность) и с президентом ENAC (наполовину алжирец, наполовину немец, выпускник Политекник). Говорит, что общий уровень образования заметно снизился, что сегодня главное для молодых – немедленно заработать миллионы. Явление, как он считает, не только французское.

Вечером прогулка по Тулузе. Очень много молодежи, очень много накурившихся, очень много нищих, очень много нагловатых арабов. Пока – все.

сетябрь 03
день сороковой

Продолжение Тулузы. С утра – завод «Аэробус». Зал сборки А380. Сильное впечатление: чисто, тихо, громадно. Сопровождает нас PR-персона – дама средних лет в белом, хорошенькая, кокетливая. Получает для нас разрешение снимать процесс сборки в непосредственной близости от процесса. Нам дают каски. Очень все интересно. В какой-то момент исчезает Женя – это у него всегда, он пролезет куда хочешь. Вдруг его отсутствие замечает служба безопасности. Начинаются поиски. Наконец его находят и приводят. Целой группой отсматривают снятый им материал: восемь позиций надо убрать. Поверили нам на слово, что мы сотрем то, о чем они просят.

Ходят наши черт знает в чем. Толстиков явился в шортах и кедах на босу ногу. Делаю ему замечание, он отвечает: «Очень жарко».

Интересно: красят самолет в Германии (кроме хвостового оперения, чтобы сразу можно было узнать, какая компания заказала данный самолет). Уже заказано двести штук, каждый в среднем триста двадцать пять миллионов долларов. Больше всего Саудовская Аравия (пятьдесят восемь штук), затем Австралия (двадцать штук) и Сингапур (девятнадцать штук).

Посещение «Старых крыльев». Чудесные старики, которые собирают и восстанавливают старые самолеты для будущего музея.

Посещение «Конкорда». От самолета отказались по нескольким причинам: во-первых, расход керосина на пассажира на сто километров. У него восемнадцать литров, то есть в шесть раз больше, чем у А380 (три литра на десять километров). Во-вторых, экология: загрязнение среды. В-третьих, боязнь террористов после одиннадцатого сентября и нежелание людей летать. Отсюда и отказ компаний покупать его.

Школа консьержей, Кристиан Лапеби. Потом поехали в замок де Лобад (Château de Laubade).

Заночевали в деревне Ногаро в Гаскони, утром поехали в замок де Лобад, где нас принимал Арно Лесгург. Абсолютный д'Артаньян в свои тридцать девять: среднего роста, худощавый, волосы совершенно черные. Не сказать, чтобы красивый, но необыкновенно обаятельный. Замечательное шато. Разговор об арманьяке – чудо! История о собаке, забытой в «парадизе». Вообще ощущение родового дома, наследства, права крови очень сильно. У американцев этого, конечно, нет. Превосходный обед – напиток флок, собственные вина. Потом поездка в Ош к статуе д'Артаньяна. Стенд-ап, знакомство с потомком д'Артаньяна графом Монтегю. Прелюбопытный тип. До мозга костей политик. Считает, что Россия и Франция должны быть вместе. Интересно говорит об Ираке, Иране, Афганистане, бывших советских республиках, Средней Азии, много раз бывал там. Совершеннейший аристократ, владелец изумительного замка де Марсан (Château de Marsan), там салоны невообразимой красоты. Там задали ужин накануне посвящения в мушкетеры. Публика аристократическая и весьма богатая. Такое ощущение, что ты участвуешь в съемках кинофильма. Среди гостей был посол России, которого завтра примут в мушкетеры.

Поздно вечером уехали в Олорон-Сент-Мари.

сетябрь
05
день сорок второй

Утром: первенство мира по приготовлению супа **garbure** – крестьянский густой суп с непременным кусочком соленой свинины. В это время местный парк целиком отдан под народные промыслы. Посреди парка – ротонда, где выступают с песнями народные ансамбли, чуть дальше – карусель, где катают детишек.

Народные танцы в городке Олорон-Сент-Мари

Готовлю суп «гарбюр» на всемирном конкурсе

Основная площадь отдана командам. Они получают необходимые овощи и прочее для приготовления прямо с грузовика – все обеспечивает мэрия. Участвует и команда Garburorusse Необыкновенно симпатично.

Я стал членом этой команды, мыл, резал овощи. Заняли второе место.

В 16:00 поехали в Кондом.

Торжественный ужин на шестьсот человек, все в честь приема новых членов в орден мушкетеров. Главный из новичков – посол РФ во Франции А.К. Орлов. Произнес блистательную речь на великолепном французском языке. Милая игра с капитанами

Олорон-Сент-Мари.
Праздник «гарбюра»

Даже на рельефах церквей во Франции люди едят...

Праздник братства мушкетеров

Посол РФ Александр Орлов торжественно зачислен в мушкетеры

мушкетеров из разных стран, но организовано без особой выдумки.

Это район Аквитании, где говорят на очень любопытном языке. Похоже, вариант лангедокского наречия. Пожилое население говорит, более молодые – понимают. Французским владеют без исключения.

Пожалуй, все. Выехали в десять вечера, приехали в Лурд в три часа ночи.

Лурд производит тяжелейшее впечатление.

Во-первых, магазины. Сотни магазинов и магазинчиков, в которых торгуют религиозной символикой любых видов и кучей всякого другого хлама в придачу. Настоящий Лас-Вегас религиозно-китчевой торговли.

Инвалиды в инвалидных креслах. Какое-то дефиле. Инвалиды всех видов и сортов. Тысячи.

Паломники. В среднем сюда прибывает двадцать тысяч паломников ежедневно. Всё предельно организовано и расписано на два года вперед. Договариваются с SNCF (Национальная компания французских железных дорог) о бронировании целых составов, а также с **Air France** и так далее. Сама территория собора битком набита народом из множества стран от Африки до Японии.

Подземная церковь. Может вместить двадцать пять тысяч паломников. Месса производит впечатление какого-то Средневековья. Так и ждешь появления главного инквизитора.

Факельное шествие со статуей Девы Марии. Просто кино. Лица людей...

Добровольцы: приезжают на семь дней за свой счет.

Врач: семь тысяч историй «выздоровлений», которые не имеют медицинского объяснения. Церковь признала шестьдесят семь из них чудесами.

Грот, где Бернадетт восемнадцать раз видела Деву Марию.

Бред. Но мощно. Это католическая церковь умеет как никто.

Вечером уехали в Биарриц.

Степень раздетости Колесниковой не поддается описанию!

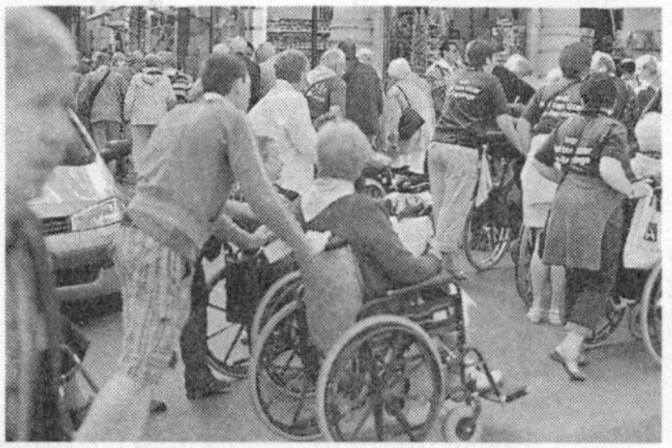

*В Лурде.
Всюду паломники
и священники*

сетябрь
07
день сорок четвертый

Биарриц. Интервью с Александром Николаевичем де ла Серда. Милый человек, чуть-чуть из театра. Симпатичный домик в деревне.

Байон. Встреча в Музее баскской культуры с вице-мэром города.

Как же одеты Однопозов и Толстиков! Не поддается описанию.

Небольшой разговор с владельцем «Бар дю Марше» (**Bar du Marchais**) и его супругой. Симпатяги. Пробовали баскские напитки. Французские баски совершенно не желают независимости.

сетябрь
08
день сорок пятый

Стенд-ап у балюстрады над океаном, урок игры в баскскую пелоту, **pelote basque**. Пелотой называется мячик, который нужно бросать. Он обтянут каучуком, обшит кожей, тяжелый. Один бросает, другой отбивает ракеткой. Играть можно как в теннис, вдвоем, вчетвером, вшестером. Потом поехали на мыс Феррэ.

сетябрь
09
деньсорок шестой

На самом краю Аркаонского бассейна – мыс Феррэ. Устричное царство. Гостиница милая, но цены запредельные: мой малюсенький номер, вполне спартанский, стоил за ночь сто шестьдесят пять евро.

Утром поехали к Катрин Ру, она занимается разведением и продажей устриц. Опоздала ровно на один час. Таких хозяйств, как у нее, – сотни. Люди заходят и заказывают устрицы. Либо чтобы тут же съесть их, запивая белым вином, либо чтобы взять с собой. Либо, наконец, это оптовики и рестораны. Цены очень привлекательные: дюжина сорта «Special № 2» стоит четыре с половиной евро. Заказал и съел. Замечательно!

Приключение: пошли смотреть на ферму. Сперва поехали на тракторе, а затем шли обратно по обнаженному дну залива.

Был полный отлив. Всем выдали высоченные сапоги. Меня чуть не засосало – одной ногой я ушел по колено в ил, а Аня упала и испачкала всю мини-юбку. Липкая черная жижа.

Потом поехали открывать для себя бордоские вина, а именно в замок Шеваль Блан (**Château Cheval Blanc**). Рядом с ним замок д'Икем. Красота неимоверная. Интервью с президентом **Cheval Blanc** и **Château d'Yquem** – умница с замечательным чувством юмора.

После этого ужин со Стефаном, знаменитым энологом, прелестнейшим человеком, настоящим французом. Наелись как свиньи, попили не слабо. Артем потряс всех, заговорив по-японски с тремя японскими туристами.

С утра посетили подземные каменоломни замка Кло де Вужо (**Château du Clos de Vougeut**), потом погуляли по Сен-Эмильону – прелесть. Конечно, вино. Виноградник в Кло де Вужо начали возделывать цистерцианские монахи. Устроен на склоне. Разные почвы, разная высота, отсюда совершенно разные вкусы. С верхнего и среднего участка – нежнее, сложнее. Монахи брали ягоды отсюда. Нижняя часть виноградника менее влажная, вкус проще, маркировка качества – ниже. Отличным вином здесь никого не удивишь, но и посредственное – не редкость.

Когда едем, количество замков вокруг не поддается описанию.

Поехали в замок Смит-О-Лафитт (**Château Smith Haut Lafitte**).

Замок XV века, битком набитый архисовременным искусством. По обе стороны лестницы – обыкновенные ренессансные львы, то и дело амуры с флейтами, а в середине виноградника над лозами – скульптура бегущего зайца, двадцатый век. Владелец – симпатичный и блестящий бизнесмен. Имеет спа в Нью-Йорке, ресторан в Париже, здесь, в замке, производятся кремы и прочее для **Source de Caudalie**. Чудо на основе виноградных косточек. Великолепная гостиница. Еда и вино – уснуть и умереть.

Старинное во Франции встречается на каждом шагу.
Город Сен-Эмильон

Искусство: огромный заяц, растянувшийся в прыжке над виноградником, – символ поместья. Приглядывает за лозой. Венера Бордоская (еще больше!) вся покрыта патиной, растрескалась. Рассказывают, скульптор ее переделал после одиннадцатого сентября. Теперь весь облик говорит о жестокости. Также встретился человек, усеянный птицами, от итальянского мистика, и бездонный колодец с освещением.

Современная технология: бабочки очень опасны для виноградной лозы, потому что самцы находят самок, оплодотворяют их, а те откладывают яйца в виноградных ягодах. Придумали пластмассовые «обманки», которые размещают на лозе. Они издают запах женских особей – таким образом мужская особь не находит живых самок, и те не откладывают яйца.

Здорово, но это же приводит к исчезновению бабочек. Каковы последствия?

Посещение замка Линч-Баж (**Château Lynch-Bages**). Восстановление деревни Баж, музей производства вина. Нынешнее оборудование установили в середине XIX века, и строения последний раз обновляли тогда же. Почва – гароннский гравий, из всех культур только лоза выживает. Здесь говорят: **La pauvreté de son sol fait sa richesse même**. «Наша земля бедна и поэтому богата». Вокруг множество виноделен поменьше.

Посещение замка Марго (**Château Margaux**). Замечательной красоты винохранилище. Замок существует с XII века, винодельня появилась позже. До сих пор здесь свой бондарь. Хотя он изготавливает только треть бочек, остальные закупают от мастеров в Бордо и в Коньяке. При изготовлении одной бочки используются разные деревья. Главное – гармоничное сочетание, которое обогащает вкус вина.

Отъезд в Пойак. Участники «заряжаются» предварительно пастой.

Даниэль Катиар, владелец «Шато Смит-О-Лафитт»

Шато «Смит-О-Лафитт»

сетябрь 12
день сорок девятый

Винный марафон. Старт в Пойаке. Невероятные костюмы, невероятная обстановка, какой-то сумасшедший дом, но все торжественно, незабываемая картина.

Вечером отъезд в Перигё.

сетябрь 13
день пятидесятый

Не путать: район называется Перигор (**Perigor**), а город Перигё (**Perigueux**), как раз в него мы приехали.

Утром посетили фермы, где разводят черный трюфель. Очень симпатичный фермер Эрик и его жена. Очень интересный и подробный рассказ о посадке тех или иных деревьев. Многие плантации трюфелей погибли из-за того, что перестали обрезать деревья.

О наличии трюфеля можно судить по «сожженной» земле. Есть летний трюфель (семь евро за тридцать грамм) и зимний, черный перигорский трюфель (один евро за один грамм). Кроме того, есть белый пьемонтский трюфель, он намного дороже. Охотники за трюфелем – свинья (находит и съедает, дрессировке не поддается) и собака, в данном случае симпатичнейшая Прюн. Для собаки профессия почетная. В Италии такой охотник получает еще и лицензию от государства.

Приготовили нам чудный обед. Как же они сервируют стол! Франция, ничего не скажешь...

Потом поехали на ферму, где производят гусиное фуа-гра. Два человека, муж с женой, пятьдесят гектаров земли, на которой выращивают корм для гусей. Сами гуси – много сотен. Тоже подробный осмотр и описание дела. Хозяин утверждает (разумеется!), что гуси не страдают от насильственного кормления. Если бы гусю было больно, не получался бы хороший фуа-гра.

Фактически работают круглый год без отпуска. Дальше Бордо нигде никогда не бывали.

Вечером переехали в Кадиллак и в замок де Лагрезетт (**Château la Grèsette**).

Встреча с Аленом Домиником Перреном.

сетябрь
14
день пятьдесят первый

Весь день в замке, общение с Перреном. Договоренность о возвращении в начале октября, когда начнется сбор винограда.

Вечером выезд в Лимож.

сетябрь
15
день пятьдесят второй

Посещение фарфоровой фабрики **Raynaud** – сильное впечатление от президента и владельца Бертрана Рэйно. Помимо производства, интересный разговор о **savoir fair** (интуитивная способность сделать нужное и правильное в любой ситуации, которая возникает), о постепенном вытеснении подлинного мастерства ширпотребом, о роли глобализации, о том, что некоторые предметы лиможского фарфора делаются в Китае.

Обед в замке 1640 года, потрясающая коллекция фарфора. Лестница, ведущая на второй этаж, целиком фарфоровая. Посещение мастерской «индивидуального пошива». Как делаются сервизы стоимостью до ста пятидесяти тысяч.

Проводил Ваню на вокзал и поехал в Жалиньи.

Владелец фабрики фарфора «Рейно» маркиз Бертран Рэйно

сетябрь
16
день пятьдесят третий

Под деревушкой Жалиньи замок XI века. Специально для нас организовали chasse à courre – традиционную охоту французских королей и знати на кабана и оленя. Это нечто. Надо запомнить ритуал: все в специальных охотничьих костюмах; гонщики зверя, снимая шляпу, докладывают «хозяину», где они видели свежие следы кабана. Затем фанфары, все они разные, каждый имеет свое значение. Охота: загнанного кабана охотник должен лично заколоть специальным ножом. Никакого огнестрельного оружия, никаких машин, мобильников и прочего. Особое дело собаки – штук сто пятьдесят, главный псарь знает каждого пса по имени.

Маркиз Анри де Монспей организовывает настоящую псовую охоту

Ужин. Взгляды аристократов на всеобщее полное среднее образование, на пособия для безработных. Как будто не было 1789 года: «Нельзя платить людям за то, что они ничего не делают». «Всеобщее доступное образование отучило людей служить».

Утром уехали в Виши.

Охота обязательно сопровождается фанфарами

Разделка туши убитого кабана

Выжлецы

сетябрь
17
день пятьдесят четвертый

Смысл приезда: поднять вопрос о правительстве Виши во время Второй мировой войны.

Встреча с мэром: исключительно умный, образованный и разумный человек. Важное интервью.

Выезд в Коньяк.

Клод Малюре, мэр города Виши

сетябрь
18
день пятьдесят пятый

Встреча с Морисом Энси. Высокий, седой, импозантный, голос громкий, имеет свое мнение по любому вопросу. Изъездил весь мир. Есть в нем что-то от плейбоя. Прямой потомок создателя фирмы Ричарда Хеннесси в восьмом поколении.

Интересен его PR-человек. Так полил Францию, как никто. Говорил о городе Коньяке, где все спрятано за высокими заборами, где никто своих денег не показывает, а уезжает в Монте-

Морис Энси, владелец коньяка «Энси» в восьмом поколении

Карло или в Париж или еще куда-нибудь и гуляет напропалую. Ругался по поводу уродливого современного строительства, плохого французского языка. В общем, пессимист в отношении Франции. Утверждает, что она более не ценит своего прошлого и поэтому не имеет будущего.

Далее – Ангулем.

Ангулем. Столица la bande dessinée Так французы называют комиксы – рисованная лента. Очень старый и красивый город. Много разрисованных фасадов. Мне нравится, Ване – нет. В Доме художника можно получить стипендию на один, два или три года. Предназначена как для французских художников, так и для иностранных.

Комиксы во Франции – отдельная история. На создание одной книги уходит примерно год. Не журнальчик, а настоящий художественный альбом: хорошая полиграфия, твердая обложка, высокая цена. По жанрам делится как кино: фантастика, вестерн, боевик, хоррор, мелодрама. Рисованная ленточка –

Гид и вид города Динан

Виды «столицы» комиксов – города Ангулем

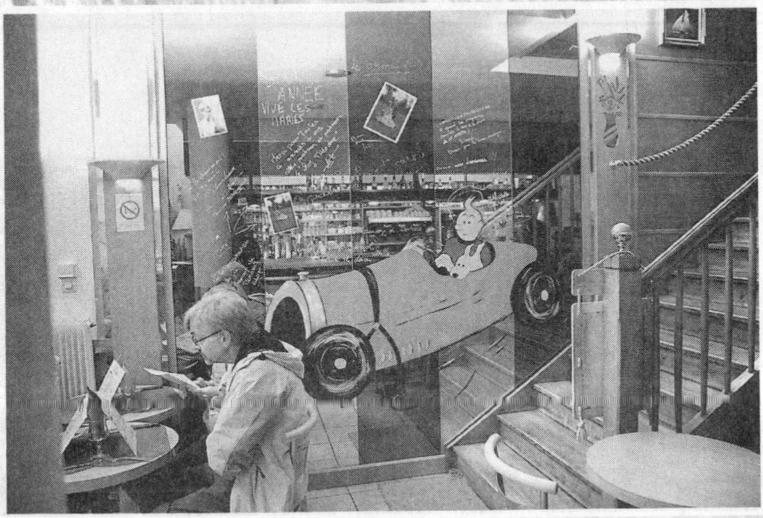

кино в картинках. Безусловно, считается интеллектуальным развлечением. Помимо Музея комиксов, в Ангулеме проводится еще и фестиваль комиксов, очень авторитетный. В музее очень интересно. В магазине не удержался, накупил всякого. Магазин замечательный.

Во второй половине дня я уезжаю в Бордо, на следующее утро в Москву, чтобы выдать в эфир «Познер».

20 и 21 сентября: Кобзон в прямом эфире, Гордон в записи.

сетябрь
22
день пятьдесят девятый

Вылет в Париж (вместе с Артемом), где выясняется, что у нас нет билета в город Рэн. Отметить: толковость и любезность персонала «Эр Франс». После лихорадочных звонков Колесниковой и Гонител покупаю билет. Ура!

В Рэне нас встречает Олег, везет в Динан, старинный город в провинции Бретань.

Вот где красота! Средневековый город во всей своей сохранившейся красоте – это изумительно. При этом на реке Ранс с 1960 года стоит приливная электростанция.

Ваня изменился со времен нашей американской поездки. В нем появилась некоторая звездность, капризность – целый монолог по поводу рекламы «Билайна».

Интервью на Часовой башне с гидом.

Ужин в ресторане Mr. Roberts.

сетябрь
23
день шестидесятый

Утром отъезд в Ла Аг – завод по переработке отходов АЭС. Все предельно серьезно: запрещено фотографировать и снимать все, что имеет отношение к безопасности, будь то персонал, камеры наблюдения или что-то еще.

Полностью переодеваемся. Наш гид – директор всего этого хозяйства.

Очень интересно. Перерабатываются стержни, при этом восстанавливается 96% использованных отходов (1% плутония, 99% урана), только 4% невозможно вновь использовать. Эти 4%

С Юрием Однопозовым на колокольне церкви в Динане

С Ваней в парижском бистро

«остекленевают». Утверждают, что нет никакой угрозы радиации или облучения.

Услугами завода пользуются EDF*, Голландия, Германия, Бельгия, Италия, Япония. Платят за это большие деньги. Сколько, не сказали – коммерческая тайна.

Из La Hague (не путать с Гаагой!) поехали ночевать в местечко Валонь.

С утра интервью с противником ядерной энергетики. Страстный семидесятилетний человек. Утверждает, что:

Во-первых, только Италия продолжает пользоваться услугами завода в Ла Аг.

Во-вторых, по крайней мере, два человека на заводе были облучены.

В-третьих, все дело вообще в личных экономических интересах компании, владелец которой является министром в правительстве Саркози.

Далее, во Франции больше нет урана, поэтому грабят Нигерию и другие страны.

Лгут о том, что АЭС будто бы дают Франции независимость. Поскольку, если нет своего урана, его надо покупать у других.

Вопрос: кто врет?

Поехали в Фламанвиль, где строится суперсовременная АЭС. Разрешили снимать три точки – и все. Строительство, конечно, грандиозное, но это все же реактор третьего, а не четвертого поколения. Стоимость возросла с четырех до шести биллионов евро. Дата запуска неизвестна.

Ладно. Поехали в Камамбер.

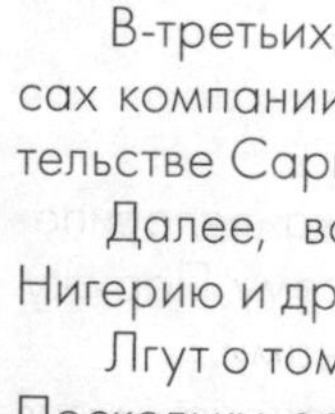

Камамбер – небольшая деревушка. Посетили ферму «Ла Эроннье», где делают настоящий камамбер. Вкус – обалдеть! Месье и мадам Дюран. Работают как звери. Она за при-

* Electricité De France – «Электричество Франции», группа компаний.

лавком, он делает сыр, ее брат ухаживает за коровами, коров пятьдесят. Сильное впечатление. Еще более сильное – памятник Мари Арель, которая изобрела камамбер. По легенде, во время французской революции укрыла у себя монаха, который поделился с ней секретом приготовления сыра.

сетябрь
26
день шестьдесят третий

Город Онфлер. Я не поехал – уже бывал там. Городок прелестный: старинный порт, деревянные церкви, художники онфлерской школы (Курбе, Моне). После того как Грымов снял там «Му-Му», поставили памятник. Бронзовая собака сидит на камне, почти русалка: вместо задних лап небольшой хвост. Ваня отправился туда делать материал о кальвадосе и сидре.

сетябрь
27-03
октябрь
дни с 64-го по 70-й

Париж. Запомнить темы:

Velib' – замечательная придумка, велосипеды напрокат со «станциями» по всему Парижу. Идея сделать то же самое с машинами.

Концерн «Рено». Посещение салона, музея и дирекции во главе с господином Швейцером. Вспомнить о неприятностях и о штрафах.

Спонсорство и product placement – особенно отвратительно «Билайн».

Посещение моего родильного дома.

Игра в петанк.

Разговор с Бернаром Биго о ядерной энергетике.

Встреча в сенате: Жан-Пьер Раффарен.

Жан Рено, Софи Марсо.

Берелович – образование.

Жан-Поль Герлен.

Элен Каррер д'Анкосс.

Политекник.

Марокканская семья.

Скачки «Триумфальная арка».

октябрь
18
день семьдесят первый

Праздник дня сбора винограда в замке де Лагрезетт.

На кухне в шато Лагрезетт у Алена Доминика Перрена

октябрь
19-21
дни с 72-го по 74-й

Вновь Париж.

В сенате встреча с Жан-Пьер Шевеман (!).

Встреча в Политекник с Ксавье Мишель.

Hermes. Аксель Дюма. Мастерская по изготовлению седел.

Конец дневника

Запись о первом сборе винограда здесь быласделана 500 лет назад. И тогда этот день праздновался: музыканты, цыганки, шуты

ИХ ИТАЛИЯ

Путешествие-размышление «по сапогу»

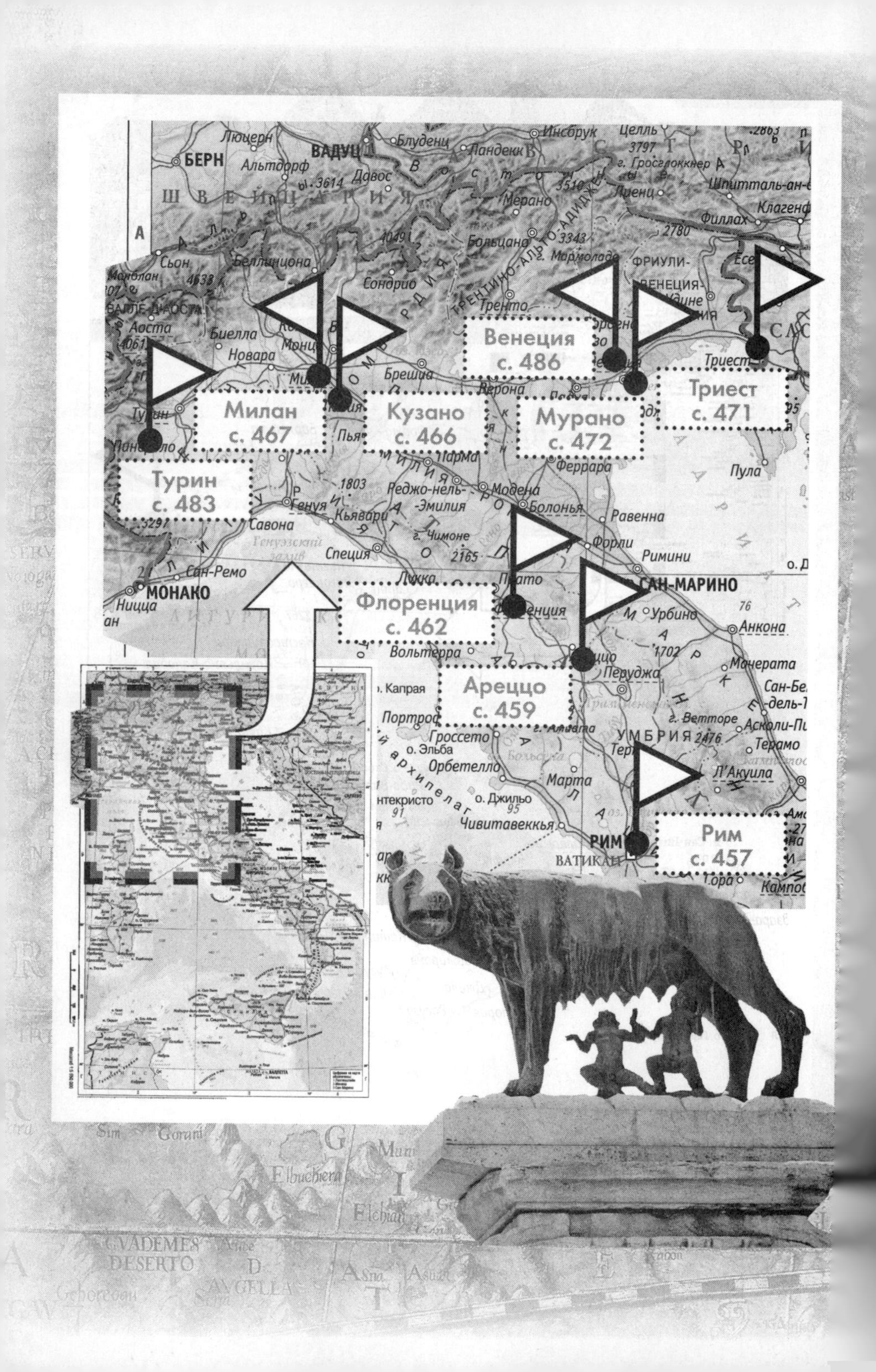

Венеция с. 486
Милан с. 467
Кузано с. 466
Мурано с. 472
Триест с. 471
Турин с. 483
Флоренция с. 462
Ареццо с. 459
Рим с. 457

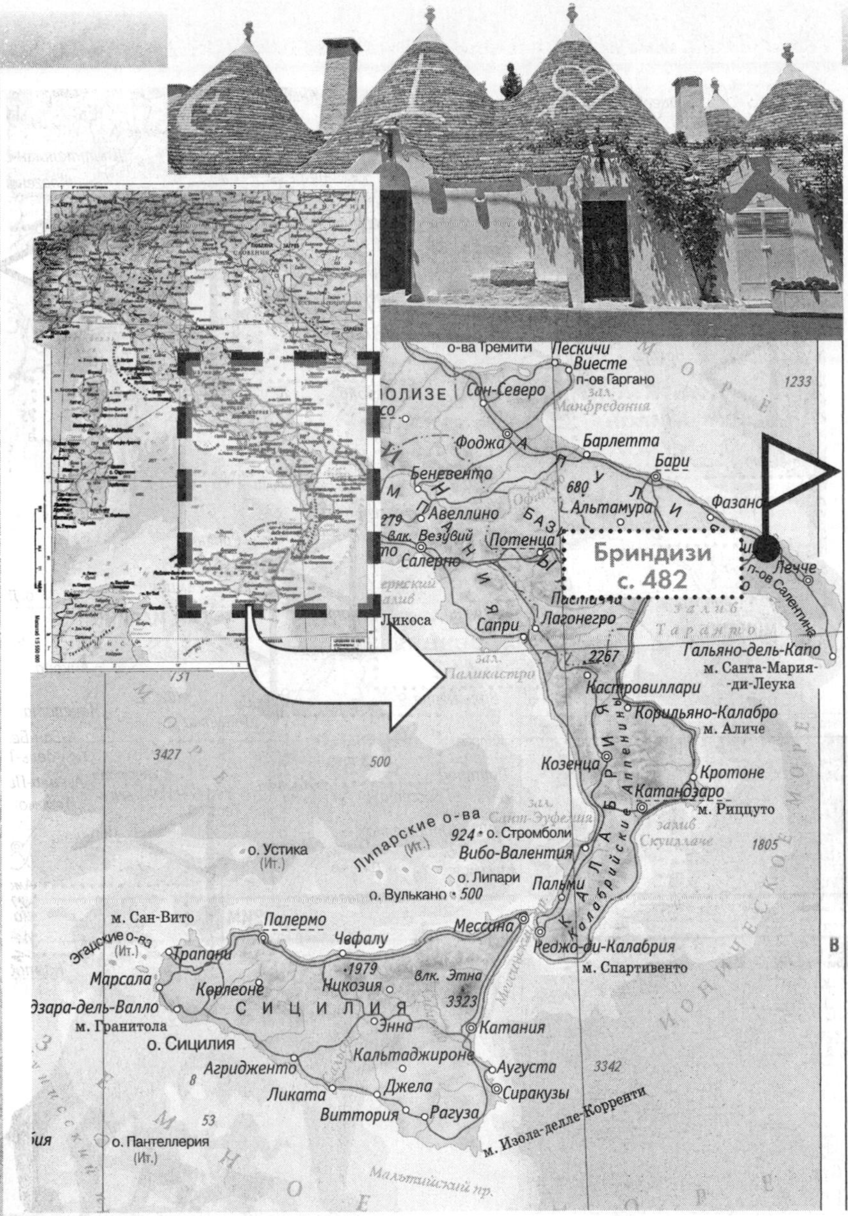
Бриндизи
с. 482
о-ва Тремити
Пескичи
Виесте
п-ов Гаргано
Сан-Северо
зал. Манфредония
Фоджа
Барлетта
Бари
Беневенто
Альтамура
Фазано
Авеллино
Влк. Везувий
Потенца
Салерно
Леуче
п-ов Салентина
Сапри
Лагонегро
Ликоса
зал. Таранто
Гальяно-дель-Капо
м. Санта-Мария-ди-Леука
зал. Поликастро
Кастровиллари
Корильяно-Калабро
м. Аличе
Козенца
Кротоне
Катандзаро
м. Риццуто
зал. Санта-Эуфемия
залив Скуиллаче
Липарские о-ва (Ит.)
о. Стромболи
Вибо-Валентия
о. Устика (Ит.)
о. Липари
о. Вулькано
Пальми
Калабрийские Апеннины
м. Сан-Вито
Палермо
Мессина
Эгадские о-ва (Ит.)
Трапани
Чефалу
Реджо-ди-Калабрия
м. Спартивенто
Марсала
Корлеоне
Никозия
Влк. Этна
СИЦИЛИЯ
Мадзара-дель-Валло
м. Гранитола
Энна
Катания
о. Сицилия
Агридженто
Кальтаджироне
Аугуста
Ликата
Джела
Сиракузы
Виттория
Рагуза
м. Изола-делле-Корренти
о. Пантеллерия (Ит.)
Мальтийский пр.
ИОНИЧЕСКОЕ МОРЕ
МОРЕ

REPVBBLICA ITALIANA

Объяснение

«Почему "их" Италия?» — спрашивают. Объясняю.

Документальный телевизионный сериал об Италии возник в какой-то степени случайно, в отличие от «Одноэтажной Америки» и «Тур де Франс». Что касается первого, то я лет двадцать пять мечтал о том, чтобы повторить путешествие Ильи Ильфа и Евгения Петрова, которое они совершили в 1935–1936 годах, но не с блокнотом в руках, а с телевизионной камерой. Я хотел в некоторой степени «открыть Америку» для российского зрителя, сделав честный, непредвзятый фильм о стране, в которой я рос, о стране, которую я люблю, о стране, которую я довольно хорошо знаю. Так что тут все было ясно.

После успеха «Одноэтажной...» (а успех был ошеломляющий) логичным казалось попытаться повторить его. Я родился в Париже, моя мама была француженкой, дома мы говорили только по-французски, и я люблю Францию. Фильм о Франции для меня в этом контексте — самое очевидное. Все-таки моя родина. И снова — успех.

Но это уже стало отдаленно походить на зарождение традиции. Ну как же, сделали фильм об Америке, сделали о Франции, пора приступать к фильму о следующей стране. Например, об Италии. Почему об Италии? Да потому что все любят Италию, и кроме того, 2011 год — официально объявленный год Италии в России и России в Италии, так что есть повод. Все так, но как ныне любят говорить в России, имелась одна «маленькая деталь» (попробуйте сказать «большая деталь» и сразу поймете, что деталь может только быть маленькой и выражение «маленькая деталь» — свидетельство малограмотности того, кто его употребляет), а именно: в отличие от Америки и Франции, родных для меня стран, Италия мне совершенно не родная. Америку и Францию я знаю изнутри, я там рос. Я совершенно точно представлял, что хочу рассказать об Америке и о Франции, что хочу снимать и почему. С Италией же ситуация иная. Я бывал там много раз, но, скорее, как турист, визитер. У меня нет никакого специального, устоявшегося отношения к этой стране. И — быть может, главное — я не говорю по-итальянски.

Так что, с одной стороны, я не желал снимать кино об Италии. Но с другой — соблазн был велик...

И соблазн взял верх над доводами разума.

Первым делом я засел за изучение итальянского языка. Я прекрасно понимал, что за несколько месяцев не сумею выучить его так, чтобы вести интервью на итальянском. Но я хотел добиться хотя бы того, чтобы понимать итальянскую речь процентов на восемьдесят (без ложной скромности сообщаю, что мне это удалось).

Дальше надо было решить: ***про что кино***? Что мы будем снимать и почему будем снимать именно то, а не это? Эти вопросы оставались без вразумительных ответов, пока нас с Ваней Ургантом не осенила мысль: следует создать список из десяти–пятнадцати известных итальянцев и с ними договориться об интервью. Прежде чем начать съемки в стране, снимем интервью с этими людьми, в которых каждому зададим среди прочих два одинаковых вопроса. Первый: ***представьте себе, что перед вами стоит человек, который никогда в Италии не был, но может увидеть лишь одно-единственное место в вашей стране. Куда вы направили бы его?*** И второй: ***представьте себе, что я могу съесть только одно-единственное итальянское блюдо. Скажите мне, что это за блюдо и где его лучше всего готовят?*** В итоге мы получим перечень итальянских мест, которые надо обязательно увидеть, а также список блюд. Таким образом наш маршрут будет определен не нами, а ими, итальянцами. Отсюда выросло и название фильма — «Их Италия».

Если вы, посмотрев фильм или прочитав эту книжку, спросите, почему нет ничего о Помпеях, о Капри, о таких потрясающих городах, как Лукка, Пиза, Генуя, Римини, Феррара, ну и так далее, ответ один: потому что их не назвали наши собеседники. А люди это были не банальные. В их числе, например:

Франко Дзеффирелли
Тонино Гуэрра
Князь Строцци и его княжна и княгини

Маргарета Хак
Андреа Бочелли
Аль Бано
Дольче и Габбана

Пьеро Антинори
Феручччо Феррагамо
Марко Мюллер
Этро и его семья
Моника Белуччи
Кардинал Равази.

И это далеко не полный список.

Были люди, интервью с которыми мы добивались, но тщетно. К таким относятся: Сильвио Берлускони — тогда он был еще премьер-министром, погруженным в скандалы по самое не хочу; выдающаяся оперная певица Мирелла Френи, которая назначила нам день и час и... исчезла; Микеле Плачидо, известный в России как комиссар Каттани (он был занят на съемках); легендарный вратарь сборной Италии Джи Джи Буффон; знаменитый писатель Умберто Эко, Адриано Челентано... Хочу сказать безо всяких обиняков, что мы рассчитывали на гораздо большую и эффективную помощь итальянского посольства в Москве. Эта помощь была обещана, в какой-то мере оказана, но мера эта оказалась недостаточной — и это я выражаюсь политкорректно. Вообще, обязательность итальянцев — отдельная тема, которой я еще коснусь.

ВОЗВРАЩАЯСЬ К НАПИСАННОМУ РАНЕЕ

В двух предыдущих книжках, связанных с «Одноэтажной...» и «Тур де Франс», я написал о нашей съемочной группе. На этот раз упомяну еще и «новеньких», но начну со «стареньких»:

- Надежда СОЛОВЬЕВА. Генеральный продюсер. У нее по-прежнему все под контролем, она всех держит в страхе, всегда ищет как сделать, а не как не сделать, всегда готова сочетать полезное с приятным.
- Валерий СПИРИН. Режиссер, по-прежнему похожий на сонного полярного медведя, которого лучше не будить.
- Артем ШЕЙНИН. Креативный продюсер. По-прежнему по-сержантски всех строит и исправно, до изнеможения отжимается по утрам и вечерам.
- Аня КОЛЕСНИКОВА. Исполнительный продюсер. По-прежнему четкая, ответственная, обворожительная, умеет говорить на вдохе, малоодетая, улыбчивая.
- Влад ЧЕРНЯЕВ. Главный оператор. По-прежнему занудливо и бескомпромиссно требует, чтобы картинка была именно такой и не иной.

• Женя ПЕРЕЯСЛАВЦЕВ. Оператор, по-прежнему внезапно исчезающий, чтобы «достать» абсолютно нереальные кадры.

• Стас ТОЛСТИКОВ. Звукооператор, по-прежнему дотошно делающий свою работу, при этом получающий удовольствие от всего нового.

• Володя КОНОНЫХИН. По-прежнему невозможно определить род его профессии — швец, жнец и на дуде игрец, мастер на все руки, наш талисман.

Но были, как я уже сказал, и новенькие.

• Лена ЧЕБАКОВА. Прежде чем познакомить вас с ней, я должен сделать небольшое отступление.

Во всех наших поездках нас сопровождал человек, которого я называл «местным голосом». Например, в поездке по США это был мой давний друг Брайан Кан. Во Франции это был Робен Димэ. Общего между этими двумя господами было только то, что оба были местными: Брайан – стопроцентный американец, Робен – стопроцентный француз. Каждый должен был «прозвучать» в качестве местного голоса, который комментирует наши с Иваном высказывания, поправляет нас, спорит с нами.

Брайан справился с поставленной задачей блестяще. Робен же не то что не справился, а полностью провалил задание. Об этом я достаточно подробно написал в книжке «Тур де Франс», так что не буду повторяться. Но после неудачи с французским «голосом» наш генеральный продюсер засомневался в необходимости «голоса» итальянского (замечу в скобках, что генеральный продюсер – это тот человек, который финансирует проект, он вынужден считать каждую копейку и относится резко отрицательно к непродуктивным тратам). Словом, возник спор. Я считал наличие подлинно местного человека важным, настаивал на этом. Наконец договорились, что попробуем, но в случае, если выбранный нами человек окажется неподходящим, увольняем его и больше не берем никого. Поэтому я отнесся настороженно к сообщению Ани Колесниковой о том, что нашим «итальянским голосом» будет некая Елена Чебакова, русская женщина, вышедшая когда-то замуж за сицилианца. Ну вот, подумал я, мало того, что она не настоящая итальянка, так она еще связана с мафией.

Дорогая Лена! Пожалуйста, извините меня за эти мерзкие подозрения. Вы не просто оправдали мои ожидания. Вы были доброй феей, всегда положительной, всегда там, где надо было быть, вы были помощницей, вы рекомендовали нам людей и места. Словом, благодаря вам наш фильм стал лучше.

Что до вас, уважаемые читатели, то будет полезно знать, что Лена совершенно прелестная блондинка, изящная, невысокого роста, с очень русским лицом, которое стало еще нежнее благодаря итальянской прививке. Нет ничего удивительного в том, что в неё влюбился и женился на ней сицилианец Марио Белла.

- Марио БЕЛЛА. Как, на ваш взгляд, выглядит типичный сицилианец? Представления не имеете? Ладно, тогда скажу о том, каким рисовался мне этот персонаж: кряжистый, невысокого роста, глядящий на вас черыми, словно два дула пистолета, зрачками, неулыбчивый, готовый в любой момент выхватить из-за пазухи обрез. Похоже? Нет, дорогие мои, не похоже.

Марио Белла, как вам уже известно, муж Лены Чебаковой, но я не стал бы писать о нем, если бы он не оказался и одним из наших водителей. Марио специально взял отпуск, чтобы поработать с нами (и заодно проследить за тем, чтобы никто к его Елене не приставал). Марио статен, красив, мужественен, улыбчив, приветлив, смугл, белозуб, по ходу дела учил меня итальянскому языку, никогда не говорил «нет». Он и Лена пригласили нас на семейный ужин, когда мы были на Сицилии, и это отдельная и прекрасная страница нашего путешествия.

Еще хочу сказать, что благодаря Марио мы чувствовали себя абсолютно защищенными. Почему – спрашиваете вы? Да потому, что Марио – карабинер. Мне кажется, что из-за этого некоторые из нас, будучи за рулем, допускали определенную наглость, рассчитывая на то, что если нас остановит «polizia stradale» (это вовсе не «страдающая» полиция, как предполагают некоторые российские туристы, а «дорожная»), то Марио всегда договорится с ними. Что, собственно, и произошло раза два.

Единственное, в чем он не преуспел, было в организации вертолетных съемок того, как карабинеры пытаются бороться с нелегальной иммиграцией, приплывающей из Северной Африки. Военное начальство сказала «да», потом «да, но», потом «может быть, но потом», и в конце концов «нет». Марио был сильно раздосадован. Мы же все вспоминаем его с любовью.

Такова наша команда, в которой, по сути, остаются все те же люди. Я рад, что работаю с ними, благодарен им за то, что они делают, за поддержку и преданность, за умение трудиться много часов подряд, порой не в самых благоприятных условиях, притом без всяких жалоб. И еще я благодарен им за то, что они стоически терпят меня, человека разных настроений.

Всем им спасибо!

Часть I

Размышления

Размышление первое. Моя Италия

Да-да, у меня есть моя Италия. Ее образ сложился до этой поездки и сопровождал меня, напоминая о себе, окрашивая мои новые впечатления тем особым цветом, который не имеет названия и связан с памятью. Есть в английском языке такое слово — «*flashback*». В англо-русских словарях оно переводится как «ретроспективный кадр (кино)». Перевод по смыслу точный, но страшно неуклюжий и ограниченный. На самом деле (помимо кино) «*flashback*» — это то, что происходит с нами, когда внезапно в памяти возникает воспоминание о давно прошедшем — чаще всего в виде картинки. Стоит мне заговорить или подумать об Италии, как мгновенно вспыхивают эти картинки из прошлого...

Помпеи. Это уму непостижимо! Город был основан в VI веке до нашей эры. Он рос, развивался, расширялся до 24 августа 79 года — того дня, когда его накрыло и похоронило извержение вулкана Везувий. Это было тысяча девятьсот тридцать три года тому назад. Несчастье для жителей Помпей обернулось счастьем для нас: город сохранился точно таким, каким его настигло извержение, в чем мы можем убедиться благодаря раскопкам.

То, что я там увидел, поразило меня и стоит перед моим мысленным взором, будто я был там вчера. Тогда, почти две тысячи лет тому назад, люди жили так, как мы живем сегодня, за исключением одного — не было электричества. А все остальное имелось: ходишь по мощеным улицам — слева и справа стоят отчасти сохранившиеся двух- и трехэтажные дома, видишь гостиные, столовые, спальни, атриумы, попадаются по пути бывшие магазинчики, закусочные; туристы валом валят смотреть на почти полностью сохранившийся публичный дом, стены которого украшены росписью соответствующей тематики. Высятся

Вид на Помпеи. Фридрих Федерер. Литография. 1850 г.

просторные общественные здания, стройные колоннады бывших площадей, трубы канализации...

Бродишь среди этих руин и задаешься вопросом: а куда это потом подевалось? Почему на смену этому пришли варвары, темное Средневековье с его нечистотами, вонью, религиозной слепотой, время, когда люди мылись два раза в жизни — при рождении и при погребении, когда от дам и господ не просто разило — в складках их одежды водились вши, блохи и прочие «прелести». Почему так случилось? Как объяснить, что политеистическая культура древних греков и римлян была светлее, веселее, здоровее и цивилизованнее, чем сменившая ее монотеистическая культура христианства? Почему утро зарождения европеизма в подлинном смысле этого понятия оказалось настолько ярче — во всех отношениях — его раннего дня? Почему?

Рим. Форум. Август. Жара африканская. Может быть, этим объясняется отсутствие людей. Одни — местные — в отпуске, другие — туристы — испугались жары. Так или иначе, но Форум почти

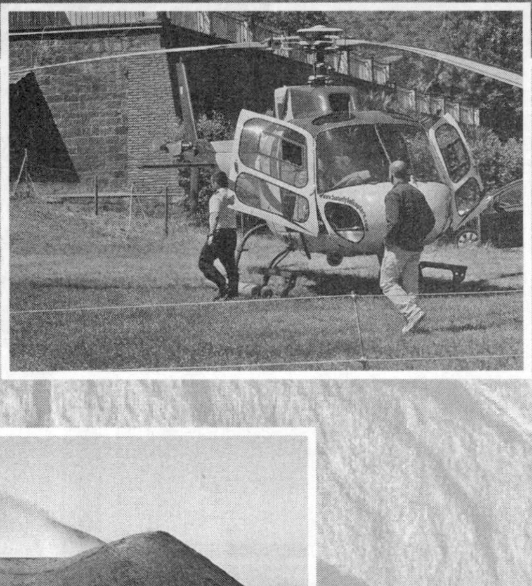

Вот на этом вертолете мы полетели на свидание с Везувием

Везувий тихо дышит... пока

Танцовщица. Фреска из виллы Мистерий. Помпеи. I в. до н. э.

Дедал и Пасифая. Фреска из виллы Веттиев. Помпеи. I в. до н.э.

Фреска из виллы Мистерий. Помпеи. I в. до н.э.

Легендарная волчица, вскормившая легендарных же Ромула и Рема

пуст. Царит тишина: древний Форум расположен ниже уровня современного города, городской же шум не опускается, а поднимается. Слышно только цикад. Они исполняют свою металлическую мелодию хором, не останавливаясь ни на минуту, пока в один августовский день все разом не замолчат, подчиняясь неизвестному нам взмаху дирижерской палочки великого маэстро — Природы.

Я здесь впервые. Еще в детстве я страшно увлекался историей Древнего Рима. Рем и Ромул, Сулла, Цезарь, Август, Антоний, Тиберий, Клавдий, Траян и целый сонм других — для меня живые люди, я вижу их и слышу во всем их величии и блеске. И вот я здесь, я хожу по той земле, по которой ступали они, и от этого у меня перехватывает дыхание. Даже ограбленные и опустошенные триумфальные арки стоят непоколебимо и гордо, говоря всем и каждому: «Смотрите, склоните головы, дивитесь».

И вдруг, словно молния, меня поражает мысль: «Вот откуда я! Здесь мои корни! Здесь! Я — европеец! И бесконечно благодарен судьбе за это».

o—o

Рим. Бомж. Он не сидит, а возлежит. Как мадам Рекамье. И как мне показалось, то ли горделиво, то ли презрительно смотрит на проходящих: мол, идите, идите, еще не таких видел на своем веку. И то правда. Этому бомжу порядка двух тысяч лет. Этот памятник бездомному показала мне Галя Букалова, нежно мною любимая жена моего друга Алексея Букалова, заведующего вот уже двадцать с гаком лет бюро ИТАР–ТАСС в Риме. Этот бомж почему-то произвел на меня неизгладимое впечатление. Если вам захочется познакомиться с ним, пройдите на Via Babuino, и там, рядом с храмом, вы увидите его, полулежащего, просящего милостыню. Только нет в его облике ничего просящего. Скорее, есть что-то надменно-превосходное.

Рим. Ватикан. Собор Святого Петра. Вот уж не мое. Громадный, совершенно некрасивый, внушающий тебе, что ты никто и звать тебя никак. Я-то зашел в собор лишь с одной целью — посмотреть на «Пьету» Микеланджело. Посмотрел. Что и говорить, поразительная вещь. Она должна вызвать сочувствие, сострадание, желание исповедаться... Но у меня не вызвала, уж слишком сильно отвлекает сам собор, который во всем противоречит апостолу Петру. Я, как известно многим, атеист, так что дела церковные меня не занимают. Но здесь — другое. Ведь Петр был простым человеком, он же предал своего учителя и потом горько каялся. Он стал первым епископом Рима, что и соответствует папскому титулу, но оставался скромным, строгим (прежде всего к себе). Что собор его имени имеет общего с ним? Да ничего. Этот собор — нечто иное, как воплощение стремления Церкви — в данном случае католической — доказать человеку, что он ничтожество.

Рим. Моисей. Совсем недалеко от Нового Арбата есть памятник моему любимому Гоголю. Нет, это не тот, официальный и бездарный, что стоит у начала Гоголевского бульвара. Николай Васильевич спрятался от прохожих в тихом московском дворике. Сообщаю вам точный адрес, хотя мне кажется, что Гоголь, человек крайне закрытый, был бы против: Никитский бульвар, дом 7. Он сидит в глубокой задумчиво-

Форум. Вид из Фарнезских садов. Камиль Коро. 1826 г.

Здесь ходили Цезарь и Тиберий... Здесь мои корни

Древнеримский бомж возлежит как мадам Рекамье. Юный же римлянин явно им впечатлен

сти и печали. У его ног ведут хоровод герои его гениальных произведений, но ему не до них. Ему вообще не до кого. Но достаточно подойти к нему, как ты сразу заметишь, что Гоголь за тобой следит. Начинаешь обходить его по кругу, а он будто поворачивается за тобой, смотрит и смотрит на тебя...

При чем тут Рим, спросите вы? Нет, дело не в том, что Николай Васильевич долго жил в Риме, обожал его. Просто именно в Риме я набрел на такой же памятник. Такой же — в том смысле, что его герой тоже следит за тобой, поворачивает, как кажется, голову вслед тебе.

Это памятник Моисею работы все того же Микеланджело. Меня он ошеломил. Признаться, я никогда особенно не думал о том, как выглядел Моисей, но если бы спросили меня, я, скорее всего, сказал бы, что он был невысокого роста, худощав, аскетичен. А тут...

Перед вами сидит гладиатор, атлет, от которого веет силой и чувственностью. Он огромен, его мускулатуре мог бы позавидовать любой культурист. Горделивая голова, мощный взгляд... В правой руке он держит Заповеди, полученные от Творца, но держит их почему-то кверху ногами. От него исходит громадная сила, я это почувствовал и даже чуть оробел. У Моисея на голове рожки,

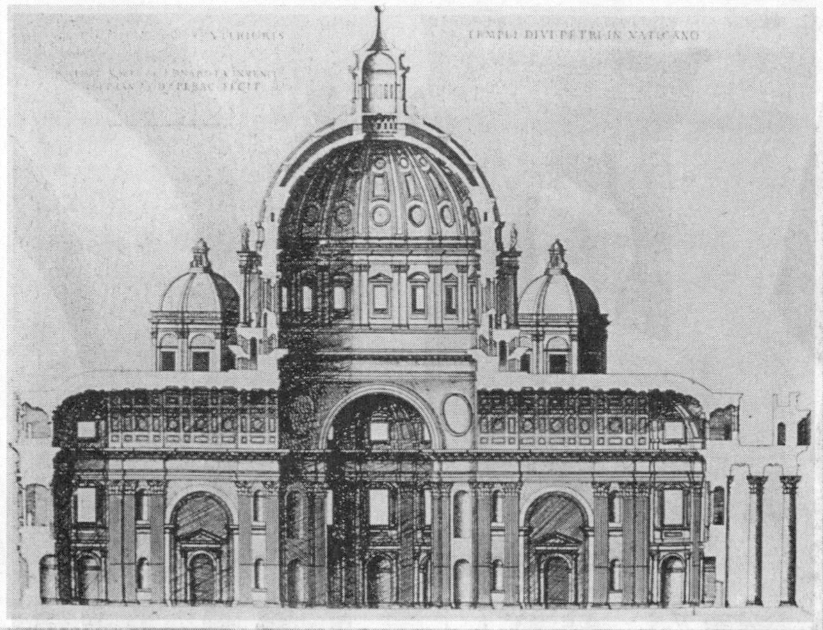

План собора Святого Петра

Собор Святого Петра. Вивиано Кодацци. 1630 г.

Виттория Колонна и Микеланджело у «Моисея». XIX в.

что, конечно же, вызывает недоумение. Объяснение до смешного простое: в Ветхом Завете сказано, что иудеям, которых он вел по пустыне, было трудно смотреть ему в лицо, потому что... и тут при переводе с иврита на Вульгату (латинский перевод Библии, сделанный святым Иеронимом в IV веке и утвержденный Тридентским собором) произошла досадная ошибка: одно и то же слово на иврите может означать «рога» и «свет». Но переводчику было не до размышлений, и у него получилось, будто Моисей имел рога. На самом же деле речь идет о том, что от его лица исходил яркий, слепящий свет, отчего иудеи и не могли глядеть на него.

Капри. Вилла Сан-Микеле. Мы жили в Нью-Йорке. Мне было лет тринадцать, когда мама дала мне книжку и сказала (она всегда говорила со мной только по-французски): «Vova, ça va te plaire»*. На обложке было написано по-английски: «Axel Munthe. The Story of San Michele»**.

Я начал читать и так и не встал с кресла, пока не закончил эту удивительную книгу шведского доктора, мечтавшего о солнце и о свете, доктора, спасавшего жизни в пораженном холерой Неаполе, доктора, которому приснилось, что он будет жить в светлой вилле высоко-высоко над морем, там, где жил некогда грозный Тиберий, и что он собственными руками построит себе эту виллу... И он ее построил. Закрывая книжку, я точно знал, что когда-нибудь тоже там окажусь и увижу эту виллу, что вокруг меня будут бродить тени тех людей, которых описал Мунте, и тень его любимой собаки, да и десятков других животных, прирученных великим гуманистом... И это случилось.

Нынче Капри — магнит для туристов. Забито все и вся. Но к счастью, не все знают о вилле Сан-Микеле, а даже услышав о ней, не особенно интересуются каким-то Акселем Мунте (это же не магазин «Эрмес», «Бриони» и прочее, и прочее — о подобных местах один мой знакомый однажды сказал: «Моя жена продвигается там со скоростью пять тысяч евро в час»), так что туристов в этом райском уголке немного.

---

* «Вова, тебе это понравится» (*фр.*).

** «Аксель Мунте. История Сан-Микеле» (*англ.*).

Там тихо, там покой, там поют десятки видов птиц. Их предков Мунте спас когда-то от охотничьих сетей и ружей, купив склон горы, на который птицы эти прилетали и прилетают по сей день весной. Там древний египетский сфинкс смотрит вдаль, и ты, стоя рядом с ним, чувствуешь дыхание пирамид. Там солнце, отнявшее в конце концов у Мунте зрение, льет свой прекрасный и беспощадный свет на это творение рук человека, мечтавшего и мечту свою воплотившего.

Это одно из моих самых любимых мест на свете.

o—o

Сицилия. Ното. Сюда после полета над Ионическим морем прилетел Дедал. Сюда, завершив свой седьмой подвиг (укротив критского быка), завернул Геракл. Правда, тогда этот город носил иное название, да и его давно уже нет — в 1693 году он был полностью разрушен могучим землетрясением. Ното возник в XVIII веке, почти разом, напоминая в этом смысле Санкт-Петербург, но только в этом смысле. Весь город выстроен в одном стиле, название которому «сицилийское барокко», и это что-то совершенно невероятное. Ното называют «Каменным садом», но никакие названия, никакие эпитеты не могут передать его своеобразную, неповторимую красоту. Я помню, как после нескольких часов хождения по Ното у меня жутко заболела шея — от того, что я все время передвигался задрав голову, рассматривая балконы, башни и башенки, звонницы церквей, каменную лепнину, похожую на застывшие взбитые сливки.

Дух захватывает.

o—o

Флоренция. Звонница. Купол. Баптистерий. Вряд ли я могу добавить что-то к тому, что уже написано другими о Флоренции. Но искус велик, так что попробую.

На Соборную площадь надо приходить или рано утром, когда только-только встает солнце, или поздно вечером, даже ночью. И в том, и в другом случае не будет никого. Вы окажетесь один на один с величайшими творениями человеческого гения. Только предупреждаю — подготовьтесь: впервые увидев то, что предстоит увидеть вам, Стендаль потерял — в буквальном смысле! — дар речи. Он молчал три дня, то и дело у него кружилась голова. Теперь это называется «болезнью Стендаля», потому что ей подвергаются многие. Она может и вас захватить, так что, повторяю, будьте осторожны.

Я вышел на Соборную площадь и остолбенел. Передо мной в небо устремилась звонница Джотто. Громадная и легкая, мощная и изящная, сотканная (именно так, а не сложенная или построенная) из зеленого, белого, розового и черного мрамора, она поразила меня в самое сердце. Она уходила вверх, но в то же время не уходила, что-то такое происходило с моим зрением или восприятием, это был странный фокус, обман зрения, но обман неслыханной красоты. Потом только я понял: никакой не обман, просто Джотто, гениальнейший Джотто придумал то, что ни до, ни после него ни один архитектор не смог придумать: чем выше окно звонницы находится, тем большего оно размера. Вспомните: когда вы смотрите на высокое строение, вам кажется, что окна наверху меньше. Это именно кажется — всем нам понятно, что на самом деле они одинаковые, их «уменьшение» — оптический обман. И глаз, привыкший к тому, что высокое окно «меньше» того, что расположено ниже, никак не может «смириться» с тем, что видит, — в этом и заключается гениальность приема Джотто. Я стоял с открытым от удивления ртом, напряженно смотрел вверх, пока и в самом деле не закружилась голова... Я часто задумываюсь над тем, что Джотто умер, так и не увидев завершения строительства спроектированной им звонницы, но умер он — и в этом я уверен — совершенно спокойно, осознавая, что сотворил чудо, и чудо это, как памятник великому художнику, будет стоять вечно.

Домский собор, рядом с которым высится звонница, прекрасен. Но уникален он своим куполом, о котором я не стану здесь писать, поскольку именно на купол Домского собора послал нас один из наших героев, Франко Дзеффирелли. Скажу лишь одно: никто, ни один архитектор по сей день не понимает, каким образом Брунеллески сумел воздвигнуть этот купол, который согласно законам физики не может и не должен держаться. Но поди ж ты, держится, да еще как.

Самый старожил на Piazza del Duomo — это Battistera di San Giovanni, или баптистерий Святого Иоанна. Он строился с

Палаццо Веккьо

1059 по 1129 год. Вплоть до относительно недавнего времени в нем крестили всех жителей Флоренции. Крестили там и маленького Данте, и весь род Медичи. Когда будете подходить к этому поразительному восьмиграннику с его тремя бронзовыми вратами, сделайте так, как сделал я: начните с южных ворот и... не торопитесь. Это творение Андреа Пизано стоит вашего внимания, ведь здесь представлены двадцать восемь панелей с барельефами, изображающими жизнь Ионна Крестителя. Вас поразят мельчайшие детали, вы подумаете: это предел того, чего может достичь человеческий гений. Но перейдите к северным воротам — там тоже двадцать восемь панелей, они изображают сцены из Нового Завета и принадлежат руке еще более мощного скульптора, Лоренцо Гиберти. Только после этого подойдите к восточным воротам работы все того же Гиберти. Там всего десять панелей с изображениями библейских историй, но ничего подобного я не видел ни до, ни после. И дело не в позолоченной бронзе, а в неслыханной красоте всех фигур, каждой детали. От этого вполне можно потерять дар речи.

Глядя на все эти творения, я вспомнил слова маркиза Алексиса де Токвиля. Маркиз никак не мог понять, чем демократическая система правления превосходит родной ему феодальный строй, и в поисках ответа он отправился в Соединенные Штаты Америки — изучать первую демократию новой истории. Это было в 1831 году. Пробыл он там несколько месяцев и в результате написал книгу, которая, на мой взгляд, остается лучшим исследованием США. Называется она «О демократии в Америке». В ней де Токвиль приходит к выводу, что демократическая система и в самом деле сильнее, а сила ее заключается в том, что она берет привилегии, которые прежде были только у аристократии, и раздает их всем. Но раздает понемногу. Де Токвиль, оглядываясь на навсегда ушедшее прошлое, говорит, что у его предков не было необходимости работать, они могли заниматься самосовершенствованием — учить языки, учиться музыке, живописи, читать философию, заниматься спортом; эти люди обладали большим количеством времени и делали то, что хотели делать. Потому, заключает маркиз, они и создали то, что никогда не создадут в демократическом обществе, не предоставляющем своим членам ни времени, ни средств для этого. Думаю, он прав: невероятная тщательность работы, ее

Барельефы баптистерия работы Лоренцо Гиберти. XV в.

глубина, отражающая особое состояние души... Наверное, ощущение невозможности повтора чего-либо подобного сегодня отчасти и является причиной столь сильного эмоционального воздействия.

o—o

Флоренция. Каменные рабы Микеланджело. Их четверо. Они как бы вырываются из мраморных глыб или рождаются — не знаю, какое слово точнее. Это неоконченные работы Микеланджело. Для меня — абсолютная вершина его творчества, произведения такой силы, такого напряжения, что я, когда смотрел на них, задыхался. На самом деле этих рабов должно было быть шесть, и им предстояло украсить надгробие Папы Юлия II. Но к моменту, когда Микеланджело завершил работу над двумя статуями, Папа от проекта отказался. В результате множества хитросплетений эти два раба оказались в Лувре, в Париже. А еще четыре остались во Флоренции и вот уже более пятисот лет все пытаются вырваться из своего мраморного плена.

o—o

Лукка. Много лет тому назад, чуть ли не в другой жизни, я был в командировке в Вильнюсе, столице Литовской ССР. Я тогда работал в журнале «Soviet Life», который издавался советским правительством в обмен на журнал «Америка». Оба эти издания были сугубо пропагандистскими и имели своей целью убедить читателей в превосходстве одной страны, одной системы над другой. Должен сказать, что советский журнал ни в чем не уступал американскому — ни по качеству статей, ни по фотографиям, ни по уровню печати (а печатался он в Финляндии). Так вот, я отправился в Вильнюс писать очерк о Лаздинае, пригороде столицы, отличавшемся совершенно новым подходом к градостроительству: большие многоэтажные дома встраивались в природу, не нарушая ничего; деревья, ландшафт не только не страдали, но даже выигрывали, и жители этого района оказывались в каком-то волшебном городе-саде (по Маяковскому). Витаутас Чеканаускас был одним из архитекторов Лаздиная (за что получил Ленинскую премию), он водил меня по этому новому жилому массиву, пропагандистская ценность которого была очевидна. Но Чеканаускас занимался и реставрацией старого города в Вильнюсе, и признаться, старый город с его узенькими улочками и домами XV века меня привлекал куда больше нового. В какой-то момент я задал Чеканаускасу явно провокационный вопрос:

— Вы мне рассказали о том, что реставрация старого города — дело не только сложное, но и дорогое: невозможно использовать новую технику, потому что машины не могут заехать в эти узкие улицы, и приходится применять только ручной труд. В качестве примера вы привели такой факт: старинные кирпичи, которые необходимо сохранить, надо сначала вынуть из старой кладки, и такая работа стоит три рубля за каждый... — (Тогда заработная плата в сто пятьдесят рублей в месяц считалась вполне приличной.) — А не проще ли было бы снести все эти старые дома и построить на их месте новые?

Чеканаускас посмотрел на меня с явным недоумением (чтобы не сказать — презрением) и сказал:

— Вы случайно не видели фильм Кубрика «Заводной апельсин»?

— Да, видел, — ответил я.

— Так вот, вы могли увидеть, что происходит с человеком, который растет в совершенно безликих, одинаковых, уродливых домах. А родившийся и выросший в красоте — это другой человек. Разрушать такую красоту — преступление.

Конечно же, он был прав. И я вспомнил его слова, когда впервые попал в Лукку — город-сказку, в котором сохранилось все: и старинные крепостные стены, и мощеные улицы, и здания. Все так, как было сотни лет тому назад, за исключением того, что в этих старинных домах есть теперь и электричество, и канализация, и водопровод. Красота сохранена, каждый дом со своим индивидуальным фасадом и характером, но и жить в нем человеку удобно.

Это совершеннейшая красота. И для меня очевидно, что человек, который родился среди этой красоты, человек, который вырос, окруженный ею, отличается от других тем, что в нем возникает совершенно особое чувство, понимание красоты; а если это происходит не с одним человеком, а с целым народом, если это длится веками, то народ уже на генетическом уровне обладает этим совершенно особым чувством прекрасного.

Вы никогда не задумывались, почему лучшие в мире дизайнеры — итальянцы? Не имеет значения, идет ли речь об автомобилях, об одежде, о мебели... Поезжайте в Лукку. Там вы найдете ответ на этот вопрос.

Вот так получается, что моя Италия — это серия *flashbacks*, картинок и ощущений давно увиденного и пережитого, которые, словно кусочки пазла, складываются в картину. Именно они возникают перед мысленным взором, когда я слышу слово «Италия».

Размышление второе. Мои итальянцы

Раз есть «моя Италия», логично предположить, что имеются и «мои итальянцы». И они, конечно, существуют, причем в разных смыслах. Прежде всего у меня есть итальянские друзья и приятели, однако знакомство с ними не позволяет мне составить некое обобщенное представление и сказать: итальянцы — это...

Нет ни одного народа, удостоившегося такого количества эпитетов, как итальянцы. Вот лишь некоторые из них: они шумные, нервные, пройдошистые, ленивые, безалаберные, веселые, жизнерадостные, страстные, вороватые, необязательные, непунктуальные, модные, трусоватые, сластолюбивые. Итальянки хороши собою, они модницы, гламурные, крикливые, темпераментные. Всё это отчасти предрассудки, отчасти и правда, но на самом деле не добавляет ничего к подлинному пониманию того, кто такие итальянцы и почему они именно такие.

Вообще, нет ничего более трудного да и бесполезного, чем попытки определить черты как внешние, так и внутренние, характерные для той или иной нации. Можно ли, например, сказать, что одна из черт русского человека — гостеприимство? Можно. А можно ли сказать, что гостеприимство — одна из черт грузина? Конечно. А значит ли это, что русские и грузины похожи?..

Нам, европейцам, иногда кажется, что китайцы, японцы, корейцы и вьетнамцы очень походят друг на друга, потому что у них раскосые глаза и кожа желтого цвета. Но мы же понимаем, что это не так, что китайцы отличаются от японцев не меньше, чем, скажем, итальянцы от немцев.

На мой взгляд, самыми точными и яркими выражениями национальных особенностей являются язык и народные песни. Для человека, имеющего хоть какой-то опыт путешествий (при условии, что слон не наступил ему на ухо), не составит труда отличить французскую народную музыку от итальянской, итальянскую от испанской, испанскую от немецкои и так далее. Даже если вы не знаете ни одного слова на этом языке, ваше ухо отличит звучание шведского от голландского, португальского, греческого...

Однако это не приближает нас к пониманию того, каким является национальный характер того или иного народа. В данном случае — итальянского.

Об итальянцах написана гора книг, так что я вряд ли смогу добавить что-либо новое. Тем не менее тщеславное желание поделиться собственным открытием оказывается (по крайней мере, для меня) сильнее здравого смысла. Так что потерпите.

Итак, мое открытие таково: итальянцев в общепринятом смысле... нет. «Ну и загнул Познер, — подумаете вы, — а кто же эти шестьдесят с лишним миллионов человек, которые населяют Апеннинский полуостров, если они не итальянцы?!» И я вам отвечу: вы спросите их, как спрашивал я, и в ответ на вопрос «Вы итальянец?» услышите вот что:

— Я флорентиец.

— Я римлянин.

— Я сицилиец.

— Я неаполитанец.

— Я венецианец.

— Я генуэзец...

Пожалуй, лучшей иллюстрацией сказанного может послужить князь Джироламо Строцци, интервью с которым вы найдете во второй части этой книги. Я спросил у него, кто же он в первую очередь — итальянец, тосканец или флорентиец, и он, хитро улыбнувшись, заявил, что это очень трудный вопрос, но тут же и ответил:

— Во-первых, флорентиец, затем тосканец, а потом итальянец.

Бывают, конечно, исключения. Помню, когда я презентовал наш фильм об Италии, среди гостей был посол Итальянской Республики в РФ господин Антонио Дзанарди Ланди. Услышав мои слова о том, что в Италии нет итальянцев, а есть флорентийцы, римляне и так далее, он счел необходимым завершить свое краткое выступление словами:

— Я итальянец!

Впрочем, что еще должен был сказать посол?

Вопросы есть? Если нет, то напрасно, потому что надо бы спросить: а почему так? Очевидное объяснение заключается в молодости итальянского государства: в 2011 году оно отпраздновало свое стопятидесятилетие. А что было до этого? В том-то и дело, что до этого веками существовали Венецианская республика, Неаполитанское королевство, Генуэзская республика, жили самостоятельной жизнью Рим, Флоренция, Милан, да еще и соперничали друг с другом, воевали.

Но это лишь самое простое объяснение. Есть второе, куда более сложное, которое указывает на уникальный путь развития этой страны, и сводится оно... Нет, прежде я должен чуть отвлечься.

Начиная с самых древних времен и на протяжении столетий все страны так или иначе становились объектами завоевателей. Не буду приводить примеры, поскольку они общеизвестны. Некоторые находились под пятой одного завоевателя в течение длительного времени, что не могло не отразиться на формировании национального характера. К таким странам можно отнести, например, Россию (татаро-монгольское иго), Испанию (мавританское владычество), Болгарию и Грецию (Оттоманская империя). Другие подвергались вторжениям со стороны разных сил, но довольно быстро сумели от них освободиться, образовав свое национальное государство и избежав существенного влияния на них завоевателей, — таковы, например, Франция, Англия, Швеция.

Но из всех европейских стран лишь Италия не только привлекала самых разношерстных завоевателей, но и была накрыта ими, словно лоскутным одеялом, вплоть до совсем недавних времен (в историческом смысле). Этруски — в Тоскане и Умбрии; греки — на юге страны; римляне, завоевавшие весь «сапог» и властвовавшие там пять веков... Но вот под ударами варваров развалилась, казалось бы, вечная Римская империя, и пошло-поехало: на север хлынули германские племена, на юг — средиземноморские; последних вытеснила Византия, которая удерживала юг страны около пятисот лет; в IX веке Сицилию захватили сарацины, а в XI веке их оттуда выгнали норманны, вслед за которыми, веком позже, пришли арагонезцы. Однако отступили, наконец, Темные века, началось Возрождение, варвары давно «цивилизовались» и превратились... в кого? При том, что завоевателей не стало меньше: испанцы — на юге, французы — на севере, а еще австрийцы. И так вплоть до освобождения страны Гарибальди и ее объединения.

Всем этим я хочу подчеркнуть одну важную мысль: национальный итальянский характер выковывался под самыми разнообразными ударами.

Как мне кажется, три фактора оказали решающее влияние на формирование итальянцев.

Первый: то, что они так долго жили порознь. Потому не будет преувеличением сказать, что нет никакой Италии, а есть территория, имеющая форму сапога, и на ней расположились двадцать две страны. Каждая — со своим языком (диалектом), который другим непонятен, каждая не сильно жалует остальных, и жители каждой убеждены, что они превосходят жителей всех других.

Второй: многовековое существование в таких условиях, когда местная власть на самом деле властью-то и не была, а подчинялась тому или другому иностранному завоевателю, привело к значительному нигилизму, к непризнанию власти как реальной составляющей жизни и в связи с этим к исключительной значимости «семьи» (ставлю кавычки, чтобы отличить сугубо родственное значение слова от его расширенного понятия).

Третий: то, за счет чего выжила эта древняя цивилизация (нация), в отличие от множества других, исчезнувших с лица земли. Вдумайтесь в смысл римской пословицы: «Franza o Spagna, purche se magna», что приблизительно переводится так: «Хоть француз, хоть испанец, дали бы только жрать». Итальянцы сохранились как народ только потому, что не стали воевать с куда более сильными противниками (это грозило бы им уничтожением) и приспособились жить в условиях своего рода нескончаемой оккупации. Они выработали те внешние черты, которые в этом случае необходимы (и за которые, замечу, их все любят): приветливость, обходительность, дружелюбие, улыбчивость, услужливость. Именно внешние. А что там внутри?

Попробуем разобраться.

Ничто так не объединяет итальянцев, как футбол. Но только если речь идет о squadra azzurra — о сборной Италии. Во всех прочих ситуациях футбол служит самой яркой, самой убедительной иллюстрацией разделенности Италии: так, как «болеют» за свою местную команду «tifosi», не болеют нигде. Флаги, символика и прочие атрибуты болельщиков разных команд восходят к Средним векам и к Возрождению. Но если ты так страстно предан своей «малой» родине, то не идет ли это в ущерб родине «большой»? В смысле не международных отношений, а твоего каждодневного существования. Не отходит ли Родина с заглавной буквы в твоих помыслах и заботах на второй план, уступая родине со строчной буквы? И не является ли это одной из существенных черт итальянцев?

Что до значимости «семьи» в Италии, то послушайте, что пишет по этому поводу Луиджи Бардзини, выдающийся итальянский журналист: «Итальянская семья — это крепость во враждебной стране: внутри ее стен и среди ее жителей отдельный человек найдет утешение, помощь, совет, пропитание, деньги, оружие, союзников и соучастников для поддержки его целей. Имеющий семью итальянец никогда не бывает одиноким. В ней он находит убежище, где может залечить полученные после поражения раны, либо арсенал и штаб для своих побед. Ученые всегда признавали итальянскую семью единственным в стране фундаментальным институтом, спонтанным изобретением национального гения, сумевшим за прошедшие века приспособиться к переменам и являющимся подлинной опорой того общественного порядка, который в данный момент главенствует»*.

И другое, на мой взгляд, важное соображение Бардзини: «Следует понять и запомнить один основополагающий момент, который большинство иностранцев не замечают. Чаще всего итальянцы следуют двойному стандарту. Есть свод правил поведения для семейного круга и в отношении родственников, почетных родственников, интимных друзей и близких коллег, и есть совсем другой свод правил — для жизни вне семьи. В первом случае итальянцы демонстрируют все те качества, которые им обычно не приписывают поверхностные наблюдатели: они становятся относительно ответственными, честными, правдивыми, справедливыми, послушными, щедрыми, дисциплинированными, смелыми и способными на самопожертвование. Они практикуют те добродетели, которые другие люди нередко посвящают благополучию своей страны в целом; семейная лояльность и есть их подлинный патриотизм. Во внешнем мире, среди царящего там хаоса и общественного беспорядка, они часто ощущают необходимость применения хитростей подпольных борцов, дей-

* Здесь и далее цитируется книга Луиджи Бардзини «Итальянцы».

ствующих на оккупированной территории. Любая официальная и легальная власть считается ими враждебной до того момента, пока не будет доказано, что она дружественна или безвредна: если ее нельзя игнорировать, тогда следует ее нейтрализовать либо, в случае необходимости, обмануть».

Читая эти строки, я не мог не думать о России: что греха таить, в России традиционное отношение к власти очень схоже с тем, что описывает синьор Бардзини. Отличие же — и, на мой взгляд, очень важное — заключается в том, что в России совершенно иначе относятся к семье.

Но вернемся к вопросу об итальянском характере... Если рассуждения Бардзини точны, а я в этом не сомневаюсь, то можно сказать, что в каждом итальянце живут два итальянца. Один — «для своих», то есть для «семьи», другой — для всех остальных, и надо понимать, что, приезжая в Италию, мы с вами встречаемся исключительно со вторым. И мы, иностранцы, ничего в этом не понимая, ничего об этом не зная, принимаем «внешнего» итальянца за настоящего. Когда же то, что мы считали дружелюбием и готовностью ради нас встать на уши, оказывается пустыми обещаниями, мы обижаемся и начинаем повторять известные предрассудки о том, каковы итальянцы. И остаемся в дураках и в своем неведении.

Наконец, если из поколения в поколение людям, чтобы выжить, приходится приспосабливаться к тем, кто их завоевал: улыбаться им, льстить им, делать вид, что почитают их и счастливы служить им, — разве это не влияет на формирование национального характера? Разве это не способствует появлению причудливого замеса, состоящего из лицемерия и презрения, лицедейства и внутреннего чувства превосходства?

Возвращаюсь к пассажу, вызвавшему, наверное, ваше недоумение, а именно к словам о том, что никаких итальянцев нет в общепринятом смысле слова. Нет итальянца, которого мы все придумали себе, нет этого простодушного, веселого, услужливого, вечно улыбающегося парня. А есть сложнейшая смесь, быть может, самая сложная среди всех европейцев.

Теперь — о тех итальянцах, которых я называю моими. «Мои» они по той же причине, по которой «моими» являются те места, о которых я уже написал: они не только стали частью моей жизни, они мою жизнь изменили, потому что благодаря им я по-другому стал смотреть на мир. Их список — и некоторые мои соображения о них — привожу ниже в алфавитном порядке, с указанием дат рождения и смерти. Цель этого одна: показать, что совершенно не имеет значения, является ли человек твоим современником или же лет на семьсот тебя старше. Важно лишь то, что он думал, творил, оставил после себя. Я не стану рассказывать вам биографии этих людей, все они доступны в Интернете, речь пойдет лишь о том, каким образом и почему они стали «моими».

Святой Фома Аквинский (1225—1274). Тех из вас, кому известно, что я атеист, мой выбор конечно же удивит. И напрасно. Атеизм вовсе не предполагает слепоту и глухоту ко всему, что касается веры, вовсе не исходит из того, чтобы a priori отвергать размышления человека верующего.

Позвольте вас спросить: доводилось ли вам читать хотя бы одну работу Фомы Аквинского? Если нет, то настоятельно советую заполнить этот пробел. Это был и великий мыслитель, и великий поэт. Когда-то, много лет назад, я набрел на следующую цитату из его «Summa Theologica», написанной приблизительно в 1265 году: «Если бы все зло было предотвращено, свет лишился бы многого добра. Лев перестал бы жить, если бы не было убивания животных; и не было бы терпения мучеников, если бы не было тирании преследования».

Меня совершенно поразила эта мысль: без зла нет добра. Не просто нет в физическом смысле, но нет ***вообще***, нет об этом представления; а коль скоро так, кто же мы? Ведь с тех пор, как существует человек, представление о добре и зле — чуть ли не суть нашего бытия. Вся религия (не только христианская), вся философия, все сказки основаны на этом представлении. Наше вековое стремление к самоусовершенствованию — это разве не борьба между добром и злом?

А если нет добра, значит, нет и зла? То есть нет этого явления в нашей этике, в нашей морали? А что тогда есть?

Эти слова в какой-то степени перевернули мои представления о мире, о человеке. И подтолкнули меня в сторону

Святой Петр и Фома Аквинский

поиска сведений о том, кем был этот, дотоле мне неизвестный, итальянец.

Вот еще цитата из Фомы Аквинского (датируемая 6 декабря 1273 года; ему оставался год с небольшим до смерти): «Все, что я написал, похоже на соломинку по сравнению с тем, что я видел и что открылось мне». А написал он очень много. Собственно, его труды легли в основу католицизма и по сей день не превзойдены. Не могу сказать, что я согласен со всеми его посылами и утверждениями. Но я восхищаюсь его убежденностью (что особенно ценно в наши дни — убежденность, но никак не фанатизм) и изяществом изложения мыслей. Если вы ничего не прочитаете из его писаний, ознакомьтесь хотя бы с его пятью доказательствами существования Бога. Не для того, чтобы разрешить собственные сомнения, а чтобы насладиться красотой мысли.

Умер Фома Аквинский престранным образом: он ехал на осле в Лион на Собор с задачей примирения католицизма и православия. По дороге ему на голову упала тяжелая ветка. Удар оказался смертельным: он скончался в монастыре, куда его доставили и где безуспешно пытались вернуть к жизни.

Рака с останками святого Фомы Аквинского покоится в соборе Якобитов в Тулузе. Помню, я долго стоял перед ней и вел молчаливый разговор с этим человеком, который семь с лишним веков тому назад размышлял о том же, о чем размышляем мы сегодня.

Микеланджело Антониони (1912–2007). Есть, как мне кажется, фильмы, которые меняют нас навсегда. Невозможно объяснить, как именно. Но меняют. Что-то там внутри происходит — входишь в кинотеатр одним человеком, выходишь чуть другим.

Так подействовали на меня два фильма Антониони — «Blowup» (в русском переводе — «Фотоувеличение») и «The Passenger» (в русском переводе — «Профессия журналист»).

Могу совершенно определенно сказать, что никогда, ни до, ни после, я не видел более сильного художественного доказательства бессмысленности существования. Люди полагают, что они общаются, понимают друг друга, говорят на одном языке,

Микеланджело Антониони

но все это — заблуждение. Казалось бы, страшно. Да, конечно, страшно, но в то же время очаровывает поразительное мастерство. Не только очаровывает, но поражает и восхищает. И непонятно, почему остается надежда на то, что вопреки всему люди прорвутся друг к другу. Да, в течение всей жизни мы пытаемся преодолеть то, что нас разделяет. Антониони, с одной стороны, убеждает нас, что это невозможно. А его высочайшее мастерство, безупречная художественность, с другой стороны, демонстрируют нам, что это не так, потому что искусство и есть главный прорыв человека к человеку.

Меня можно упрекнуть в том, что я ничего не говорю о великой трилогии Антониони: «L'Avventura» («Приключение»), «La Notte» («Ночь»), «L'Eclisse» («Затмение»), но ведь я не кинокритик и не занимаюсь выставлением фильмов в ранжир. Я пишу о тех картинах, которые изменили мои представления о жизни, о людях, а трилогия Антониони, несмотря на всю ее гениальность, к ним не относится.

Впрочем, в определенном смысле относится: именно в ней я впервые увидел Монику Витти, актрису, которая потеснила в моем сознании всех остальных и остается для меня одной-единственной и недосягаемой...

Антониони прожил долгую жизнь — он умер в девяносто четыре года. И умер (сообщаю об этом не без удовольствия) атеистом.

Джованни Боккаччо (1313–1375). Представьте себе, что вы прочитали следующее предложение: «Для каждого захоронения они выкапывали огромные рвы, куда прибывавшие сотнями трупы складывали слоями друг на друга, словно товар складывают на корабле».

Согласитесь, это вполне можно принять за описание того, что происходило, например, в Аушвице. Или во время блокады Ленинграда. И я не имею в виду то, что описывается, я имею в виду то, как это описывается, то есть язык.

Вы не пытались прочесть какие-либо русские тексты, относящиеся к середине XIV века? Если пробовали и если вы не специалист в области древнерусской письменности, то вы не поняли ничего или почти ничего. Это же самое можно сказать об английской литературе того времени, ярчайшим представителем которой был Джеффри Чосер: читается, но лишь в случае, если вы хорошо образованы, — да и то с огромным трудом. Боккаччо же читать легко, и это меня сразило. Но не только это.

Раскрывая «Декамерон», я совершенно не представлял себе, что не смогу закрыть его, пока не дойду до последнего предложения. Для меня Боккаччо оказался первым в истории рассказчиком. Я считаю рассказ самым трудным из всех литературных жанров. Если вдуматься — вряд ли наберется хотя бы десять великих мастеров рассказа: Чехов, О. Генри, Мопассан, Киплинг, Сэлинджер, Зощенко... Но все названные мной писатели (и неназванные — я мог кого-то забыть) — это, говоря в целом, наши современники, представители XIX–XX веков. Выходит, Боккаччо опередил всех лет этак на четыреста! Но и это не все.

В «Декамероне» я выделил бы три темы: женскую, эротическую и церковную. Во всех трех Боккаччо выступает отважнейшим сторонником того, что мы ныне называем прогрессом. Он изящнейшим образом показывает зависимость женщин от «мужского мира», отстаивает совершенно крамольную для того времени мысль об их равноправии. Это во-первых. Во-вторых, он доказывает, что секс — это не только естественно, но и хорошо, это наслаждение, к которому следует стремиться. Напоминаю, речь идет о середине XIV века, когда Церковь всесильна, не говоря о предрассудках. Боккаччо же устами своих героев (семи женщин и трех мужчин) подвергает священнослужителей такой смеси иронии, презрения и здорового смеха, что я по сей день не понимаю, каким образом он избежал публичного сожжения.

Для меня Боккаччо — первый подлинно свободный писатель. Он как-то сказал следующее о живописи Джотто: «Зрение обычного смертного часто терялось, столкнувшись лицом к лицу с его творениями, оно воспринимало нарисованный предмет за реальный объект».

По поводу Боккаччо я сказал бы так: разум обыкновенного смертного часто мутнеет от понимания того, что написанному — почти восемь веков, и от ощущения, что написано это вчера.

Джованни Боккаччо. XV в.

Микеланджело Буонарроти (1475–1564). Я уже писал о нем и вроде добавить нечего. Я был в городке Пьетросанто недалеко от испорченного новыми русскими Форте деи Марми. Там, рядом с этим городком, расположенным высоко в горах, находятся места, где добывают знаменитый каррарский мрамор. То, что там жил Микеланджело, понятно, но когда я оказался у его дома, на стене которого прибита табличка: «Здесь с такого по такой-то год жил и работал...», то совершенно обомлел и застыл. Я попытался представить себе, как я лет этак пятьсот тому назад попал бы в Пьетросанто и встретил Микеланджело. Что бы я сказал ему? И что бы он ответил? Судя по всему, у него был препротивный характер и, несмотря на все свои величие и гениальность, он завидовал другим, в частности Леонардо да Винчи (который не завидовал никому). Завидовал он зря: ведь Леонардо (к счастью для Микеланджело) не занимался скульптурой, а Микеланджело почти не занимался живописью, так что они в самом деле не конкурировали ни в чем, кроме одного: кого из них считать большим гением. И Микеланджело прекрасно понимал, что это Леонардо. И думаю, это понимание мучило его всю долгую жизнь.

Что до меня, то Леонардо кажется мне не совсем человеком. Не богом, конечно, но почти богом, как, например, Геракл. Микеланджело же для меня реально живой человек с любовью и ненавистью, с ревностью и восхищением, с величием духа и мелочностью. Он в своей скульптуре совершенно недосягаем, он — единственный — владел тайной общения с мрамором, и то, что сделал он, не сделал никто, включая Родена.

Антонио Вивальди (1678–1741). Из-за этого человека я полюбил скрипку и из-за него же не научился играть на ней.

Мне было совсем мало лет, семь или восемь, когда я впервые услышал этот инструмент. Это случилось дома, в Нью-Йорке, мама слушала по радио программу «The Firestone Hour», посвященную классической музыке. И вдруг до меня донесся какой-то совершенно удивительный звук. Я прильнул ухом к радио и простоял так несколько минут. Когда же музыка кончилась, мама сказала мне:

— Это сочинил Вивальди. Называется «Времена года».

Микеланджело Буанарроти. Копия с картины Марчелло Венутти. 1535 г.

тонио Вивальди. Фран-
уа Морелон дё ля Кавэ.
1723 г.

Я стал спрашивать, кто такой Вивальди, и, узнав, что он был великим скрипачом, заявил, что хочу научиться играть на скрипке. Думаю, мама очень обрадовалась этому: она любила и хорошо знала классическую музыку, жалела, что не смогла учиться игре на фортепьяно, а тут ее ***petit Vova****** вдруг сам пожелал взять в руки не бейсбольный мяч, а скрипку.

Правда, папа отнесся скептически к моему увлечению. Он, думаю, помнил собственный детский опыт, когда его заставляли ходить к учителю игры на рояле. Занимался он мало, особых успехов не добивался, но много лет спустя объяснял это тем, что вслед за ним на урок приходил вихрастый мальчик в очках, которого учительница выставляла в качестве примера и требовала, чтобы папа «слушал, как прекрасно играет Митенька». Митенька был будущим Дмитрием Дмитриевичем Шостаковичем, и папа говорил, что именно из-за Шостаковича не стал пианистом.

Как бы то ни было, мама нашла учителя, купила мне маленькую скрипку, и я пошел на урок. Может быть, именно тогда меня постигло первое в жизни настоящее разочарование. Оно случилось тогда, когда я попытался извлечь из скрипки первую ноту: раздался совершенно омерзительный звук.

Вам знаком анекдот о том, как в Одессе (ну где еще?!) Циперович спрашивает Рабиновича: «Ты умеешь играть на скрипке?», а тот отвечает: «Не знаю, не пробовал». Это был мой случай. Я, конечно, понимал, что не буду сразу играть, как Вивальди, но чтобы у меня вышло настолько отвратительно — этого я никак не ожидал. И в тот же самый момент я понял, что не хочу больше заниматься.

Мама не была готова к такой скорой капитуляции и требовала, чтобы я ходил на уроки.

Однако я так и не научился играть ни на скрипке, ни на чем-то другом. О чем очень сильно жалею. Но виноват не я, а Вивальди!

Кстати, лишь много лет спустя я понял, что тогда, когда мама слушала радио, играл не Вивальди.

---

* Маленький Вова (*фр.*) — так она звала меня в отличие от «большого Вовы», моего отца.

Леонардо да Винчи (1452–1519). Иногда меня спрашивают: если бы вы могли взять интервью у любого из когда-либо живших или живущих на свете людей, кого бы вы выбрали? И я отвечаю: Леонардо да Винчи.

Мне могли бы возразить: а как же Иисус Христос? Мохаммед? Будда? Что вы скажете относительно Юлия Цезаря? Платона? Сократа? Александра Македонского? Чингисхана? И так далее. Но мой выбор остается неизменным: Леонардо.

О нем написаны тома, но точнее и лучше всех о нем сказал Джорджо Вазари:

«Небесным произволением на человеческие существа воочию проливаются величайшие дары, зачастую естественным порядком, а порой и сверхъестественным; тогда в одном существе дивно соединяются красота, изящество и дарование, так что к чему бы ни обратился подобный человек, каждое его действие носит печать божественности, и, оставляя позади себя всех прочих людей, он обнаруживает то, что в нем действительно есть, то есть дар Божий, а не достижения искусства человеческого. Именно это и видели люди в Леонардо да Винчи, в котором сверх телесной красоты, не получившей сколько-нибудь достаточной похвалы, была еще более чем безграничная прелесть в любом поступке; а дарование его было так велико, что в любых трудных предметах, к которым обращалась его пытливость, он легко и совершенно находил решения; силы в нем было много, и соединялась она с легкостью; его помыслы и поведение были всегда царственны и великодушны, а слава его имени разлилась так далеко, что не только у своего времени было оно в чести, но еще более возросло в потомстве, после его смерти».

Хочу напомнить вам, что Вазари писал этот текст всего лишь через тридцать с небольшим лет после смерти да Винчи, иными словами, он фактически был его современником, а ведь о современниках так не пишут.

Я встречался с Леонардо четырежды. Первый раз это было в Москве в Музее изобразительных искусств имени Пушки-

Леонардо да Винчи. Автопортрет

на на выставке Европейского портрета. Каких там только не было художников! Я ходил от Рембрандта к Гольбейну, от Гольбейна к Дюреру и тихо умирал от счастья. В основном зале все портреты были расположены в форме подковы, так что волей-неволей зритель, начиная с одного из двух концов подковы, приближался неизбежно к ее центру. И вот, совершенно неожиданно для себя, я оказался лицом к лицу с «Дамой с горностаем» Леонардо. И замер. Все остальное исчезло: не только портреты, но и люди. Это была какая-то мистика. Между этой прекрасной женщиной и мной возникла связь, я не мог оторвать от нее глаз, я был заворожен ею. И навсегда запомнил невыразимо прекрасную руку, которой она придерживает горностая. Я пришел в себя потому лишь, что услышал, как меня вежливо просят чуть отойти в сторону, чтобы дать другим посмотреть. Оказалось, я стоял там почти двадцать минут. Ушел я сразу, не стал смотреть на другие портреты, не было ни сил, ни желания. Я тогда впервые понял, что такое сила гения.

Вторая встреча произошла в Лувре, по-моему, в 1979 году и была вполне преднамеренной. Я, как и миллионы других, видел несчетное количество репродукций «Джоконды», и они не производили на меня ни малейшего впечатления. Я решил, что дело тут в привычке людей следовать общепринятому — в данном случае общепринятой оценке этого портрета. И шел с целью убедиться, что это именно так. Лувр был оккупирован тысячами разбитых на группы японцев, которых возглавлял гид, державший высоко над головой флажок для опознавания. Они шли, слушая в наушниках записанные объяснения и продвигаясь от картины к картине. Когда я подошел к «Джоконде», мне сказочно повезло: группа японцев отошла, образовалось свободное пространство, куда я шагнул и... замер. Я был ошеломлен. «Джоконда» была несказанно прекрасна, в ее полуулыбке я увидел легкую насмешку над моими сомнениями, и я заплакал. От счастья. От радости, что я ошибся. От восторга.

Третья наша встреча произошла в Уффици. Если вы бывали там, то помните, что во многих залах картины выставлены не по годам, а по темам. Так, есть зал «Благовещение». Что ни работа, то шедевр. Я иду по залу, наслаждаюсь прекрасным и вдруг краем глаза вижу проход в следующий зал, где на сте-

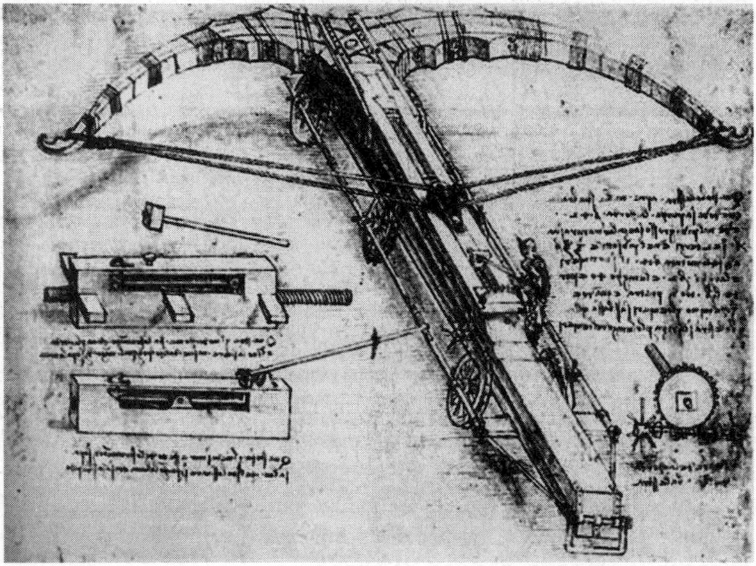

Гигантский арбалет-пушка. Рисунок Леонардо да Винчи

не висит... что-то. Не могу разобрать что, но оно притягивает меня с неодолимой силой. Приближаюсь, словно околдованный. Работа не завершена. Это «Поклонение волхвов», которую Леонардо начал и потом бросил (он этим грешил), но в ней такая мощь, такая экспрессия, такой восторг, что вновь для меня все остальное исчезает. Пишу об этом, и мурашки бегают по коже.

Четвертая встреча была в Лукке в Музее изобретений Леонардо. Об этом невозможно рассказать, это надо увидеть. Ведь речь идет о последней четверти XV века, но изобретения эти относятся, скорее, к XX веку, и непостижимо, как человек того времени мог придумать такие вещи. Не стану их перечислять, но не могу воздержаться от поворотного моста, велосипеда, автомобиля и летательного аппарата. Если добавить к этому, что Леонардо был блестящим математиком и инженером, философом, архитектором и анатомом, что ему принадлежит идея об использовании солнечной энергии, равно как и открытия в области оптики и гидродинамики, то голова начинает идти кругом.

Я думаю, что ему было все подвластно, что если бы захотел, он мог бы стать и олимпийским чемпионом в любом виде спорта.

Одного я не могу понять: отчего Леонардо никогда не занимался скульптурой?

o—o

Лукино Висконти (1906–1976). Фильм «Rocco e i suoi Fratelli» («Рокко и его братья») вышел в 1960 году. Мне было 26 лет, и примерно тогда я его и увидел. С тех пор прошло полвека, но я помню этот фильм почти покадрово. Эта, в общем, обычная история о том, как бедная семья с юга Италии едет в Милан, чтобы заработать на жизнь, сделана так, что становится историей обобщающей, всецело тебя охватывающей. Я помню, как в какой-то момент я вдруг понял, что стал членом этой семьи, что ее беды и радости стали моими, что я неспособен смотреть на происходящее со стороны.

Эта была чуть ли не первая (и, на мой взгляд, лучшая) роль Алена Делона. Висконти сделал из него не красавца (каким он был и остается по сей день), а ангела, но страдающего, но нежно любящего, но вызывающего сострадание. Я тогда не смог простить Висконти сцену, в которой старший брат Рокко-Делона на его глазах насилует его девушку, которую блистательно играет Ани Жирардо. Не смог простить, потому что, как мне казалось, есть запрещенные приемы, приемы, против которых нет защиты, и художник не имеет права пользоваться ими. Прошло много лет, пока я понял, что это сцена не об изнасиловании, а о безнадежности, о безысходности, о трагичности бытия; за пятьдесят с лишним лет, прошедшие с тех пор, я ничего более сильного не видел.

Чуть позже я встретился с самим Висконти. Это было на Московском международном кинофестивале в 1963 году, на котором я работал переводчиком-синхронистом. Поскольку мой отец был Ответственным секретарем фестиваля, я имел некоторые привилегии, в частности, у меня был пропуск в бар фестиваля, где собирались именитые гости. Как-то я оказался там за одним столом с Федерико Феллини, Джульеттой Мазина и Лукино Висконти, которого сопровождал красавец-любовник,

Лукино Висконти в Венеции. 1970 г.

немец лет 20 (Висконти никогда не скрывал того, что он — гомосексуалист). Трудно было бы найти двух более непохожих друг на друга людей, чем Феллини и Висконти. Феллини — большой, мощный, с гривой волос и бычьей шеей — напоминал римского легионера. Висконти же — стройный, изящный, как струна вытянутый, тщательно выбритый и постриженный — напоминал римского патриция (каким он, собственно, и был). Оба великих мастера не только ценили, но и любили друг друга, и вот Висконти смотрит ласково на Феллини и говорит:

— Знаешь, Федерико, ты — гений, но тебе не хватает немного... культуры.

Стол чуть ли не опрокидывается от гомерического хохота.

Моя последняя встреча с Висконти была в 1971 году, когда я сумел получить билет на закрытый показ его фильма «Morte a Venezia» («Смерть в Венеции»). Я даже не знаю, с чем сравнить впечатление, которое произвела на меня эта картина. Я только понимаю, что любая попытка выразить это словами тщетна. С одной стороны, все донельзя просто: пожилой композитор приезжает на Лидо, где влюбляется в мальчика-красавца, страдает, сочиняет и умирает от холеры. На самом же деле это и гимн, и реквием, это и «красота спасет мир», и «каждый умирает в одиночку», это картина черно-белая, но она полыхает цветом.

После просмотра я вышел в полном смятении духа, и это чувство так и не покинуло меня.

Галилео Галилей (1564–1642). Вот уж кого люблю, так люблю! Вот кого я от души обнял бы, случись с ним встреча, затащил бы в какую-нибудь таверну и от души выпил бы с ним.

Как и все светочи Возрождения, Галилей был не только великим ученым, физиком, но и поэтом, но и живописцем, да много что еще. Но главное: он был ***инакомыслящим***. Нет, вы только подумайте: кругом пылают костры всесильной инквизиции, добрые люди друг на друга доносят, чтобы получить свои кровные 30 сребреников, а этот на голубом глазу заявляет, что не Солнце вращается вокруг Земли, а Земля вращается вокруг Солнца. Караул! Церковь в смятении и ужасе! Того гляди этот еретик скажет, что у него есть научное доказательство, что если поместить гирю и перышко в вакууме, они упадут на землю с одинаковой скоростью! Ату его!

Ну и потащили Галилея в высокий церковный суд. «Отрекись! — говорят свободные, независимые и справедливые судьи. — Отрекись, а то...» И Галилей, мой любимый Галилей, умница и гений, посмотрел им в глаза, увидел в них злобу, ненависть и тупость и подумал: «А пошли вы все...» — и отрекся.

Но что мы, что весь мир запомнил? А то, что на смертном одре он сказал: «А все-таки она вертится!» Нако-ся, выкуси! И тем самым Галилео Галилей остался не только великим ученым, он стал навечно великим образцом для подражания, образцом духа человеческого.

И когда в мрачные брежневские годы Юрий Петрович Любимов поставил в Театре на Таганке пьесу Бертольда Брехта «Галилей» и Галилея в ней играл Владимир Высоцкий, это был просто-напросто апофеоз диссидентства, апофеоз инакомыслия, не только демонстрация власти кукиша, но и, как говорят ныне, мессидж для публики: мол, вот как надо, вот что можно.

Ай да Галилей!

Ах, да, забыл рассказать вам, что во время наших съемок по Италии я встретился с одним из иерархов католической церкви, кардиналом Равази (это интервью размещено во второй части этой книги), и не преминул напомнить ему, что лишь совсем недавно Церковь признала правоту Галилея: Земля-таки вертится вокруг Солнца, а не наоборот.

– И как же так получилось, что вам, священникам, потребовалось пятьсот лет, чтобы признать свою ошибку?! – спросил я (признаюсь, с нагловатой улыбкой).

Кардинал поднял взор к скрытому потолком небу, будто там, высоко-высоко таился ответ, тяжело вздохнул и сказал:

– Мы же всего лишь люди.

Джакомо Казанова (1725–1798). Так и слышу: «А Познер-то, небось, эротоман! У него в героях ходит Казанова!» Эх, вы!..

Передо мной лежит толстенная книга. Называется она «История моей жизни». Автор – Джакомо Казанова. В этой книге

*Галилео Галилей.
Юстас Сустерманс.
1635 г.*

*Джакомо Казанова.
Антон. Рафаэль Менгс.
1760 г.*

одиннадцать томов, чуть меньше полутора тысяч страниц. И она совершенно восхитительна. Никто не поведал о том времени точнее, искуснее и талантливее, чем Казанова.

Один из самых почитаемых писателей Великобритании XX века, В.С. Притчетт, так написал о воспоминаниях Казановы: «Казанова – непревзойденный воссоздатель каждодневной жизни Европы восемнадцатого века. От шлюхи до патриция, от шкафа до бюро, от дока до дворца – таков его диапазон. Он превосходит всех других эротических писателей удовольствием, которое черпает в новостях, в пересудах, в личности его любовницы».

Среди тех, с кем Казанова общался, были Вольтер, Гёте и Моцарт, его принимала в Санкт-Петербурге Екатерина II, он получал звания и ордена, подвергался гонениям и заключению, в том числе в знаменитой венецианской тюрьме Пьомби (считалось, что из нее невозможно сбежать, а Казанова сбежал).

В нем сочетались изящество Арамиса, авантюризм Джеймса Бонда, любовный пыл Дон Жуана и благородство Дон Кихота. Живи он сегодня, за ним охотились бы все – от голливудских продюсеров и режиссеров до папарацци и первых красоток мира.

Я не сомневаюсь, что втайне подавляющее большинство мужчин завидуют Казанове, а женщины мечтают о встрече с ним.

Христофор Колумб (1451–1506). На самом деле престранный персонаж. Итальянец по происхождению (родился в Генуе), но служил испанской короне. Открыл Америку, но до конца своих дней настаивал, будто это Индия (правда, не «восточная», как назвали настоящую Индию, а «западная»). Мимоходом замечу, что в действительности Америку открыл варяг Лейф Эрикссон в XI веке, то есть за четыреста лет до Колумба, но я пишу сейчас не о древних скандинавах, а об итальянцах. Так что Колумб был первым не по хронике, а по значимости своего подвига. Ведь все остальные великие мореплаватели – Америго Веспуччи, Фернан Магеллан, Васко да Гама – все они были потом, я даже думаю, что, не будь Колумба, они тоже не появились бы.

Христофор Колумб. Себастьяно дель Пьомбо. XVI в.

Позволю себе спортивную аналогию: скажем, в какой-то стране – например, в Швеции – никогда не было выдающегося теннисиста. Потом неизвестно откуда возникает Бьерн Борг, один из величайших теннисистов в истории этого спорта, и он порождает целую плеяду выдающихся шведских теннисистов, таких как Андерс Яррид, Иоаким Нистром, Ионас Бьоркман, Матс Виландер, Стефан Эдберг, Робин Содерлинг... Колумб для мореплавателей – тот же Борг.

И еще: вы никогда не интересовались размерами флагманского корабля Колумба – «Санта Марии», – на котором он поплыл навстречу вечной славе? Я этим вопросом не задавался и, случайно узнав, обомлел: водоизмещение – 200 тонн, длина – 23 метра, ширина – 7,6 метра. Рядом с яхтой какого-нибудь младоолигарха – карлик.

o—o

Никколо Макиавелли (1469–1527). Я думаю, что это был необыкновенно обаятельный, остроумный (не говорю «умный» – это хорошо известно), веселый человек, блестящий собеседник, но такой, который не только великолепно говорил, но умел слушать и слышать – другого.

Размышляя о его судьбе, я лишний раз убеждаюсь в верности русской пословицы о том, что нет худа без добра. В 1513 году Макиавелли был арестован и обвинен в государственной измене, но твердо отрицал свою вину и в конце концов был освобожден, после чего уехал из Флоренции в Сант'Андреа. Он провел там семь лет, и именно там, в деревне, написал те работы, которые увековечили его фамилию. Нет у меня сомнений: не попади Макиавелли в опалу, он так и не создал бы ничего.

Вот отрывок из письма, написанного им в тот период другу:

«Я встаю с восходом солнца и направляюсь к роще посмотреть на работу дровосеков, вырубающих мой лес, оттуда следую к ручью, а затем к птицеловному току. Я иду с книгой в кармане, либо с Данте и Петраркой, либо с Тибуллом и Овидием. Потом захожу в постоялый двор на большой дороге. Там интересно поговорить с проезжающими, узнать о новостях в чужих краях и на родине, наблюдать, сколь различны вкусы

Никколо Макиавелли. Санти ди Тито. XVI в.

и фантазии людей. Когда наступает обеденный час, я в кругу своей семьи сижу за скромной трапезой. После обеда я возвращаюсь снова на постоялый двор, где обычно уже собрались его хозяин, мясник, мельник и два кирпичника. С ними я провожу остальную часть дня, играя в карты... С наступлением вечера я возвращаюсь домой и иду в свою рабочую комнату. У двери я сбрасываю крестьянское платье все в грязи и слякоти, облачаюсь в царственную придворную одежду и, переодетый достойным образом, иду к античным дворам людей древности. Там, любезно ими принятый, я насыщаюсь пищей, единственно пригодной мне и для которой я рожден. Там я не стесняюсь разговаривать с ними и спрашивать о смысле их деяний, и они, по свойственной им человечности, отвечают мне. И на протяжении четырёх часов я не чувствую никакой тоски, забываю все тревоги, не боюсь бедности, меня не пугает смерть, и я весь переношусь к ним».

По-моему, совершенно пронзительные слова. Мне жалко того, кто не читал Макиавелли, потому что он, этот не читавший, лишил себя целого пласта истории и культуры. Что до меня, я перечитывал его несколько раз и каждый раз восхищался точностью, изысканностью и глубиной мысли. Вот два моих любимых соображения этого аристократического флорентийца:

«Многие вообразили республики и княжества, которые в реальности не видел никто и которые никогда не существовали; ибо то, как мы живем, настолько отличается от того, как мы должны были бы жить, что тот, который бросит то, что сделано, в пользу того, что следовало бы сделать, скорее поспособствует собственной гибели, нежели сохранению».

Мне кажется, что ни Маркс, ни тем более Ленин не читали этого. И еще:

«Нет иного пути обезопасить себя от лести, как добиться того, чтобы, говоря вам правду, люди понимали, что не оскорбляют тебя; но когда всякий может говорить тебе правду, тебя перестают уважать».

От себя добавлю: если тебе льстят, не говорят правды, то ты неизменно теряешь представление о реальности, из-за чего начинаешь принимать ошибочные решения. А не хуже ли это ситуации, когда ты теряешь уважение окружающих?

Хотел бы я задать этот вопрос Макиавелли. Кто его знает, может, еще удастся.

Амедео Модильяни (1884–1920). О нем написаны девять романов и одна пьеса; сняты один документальный и три художественных фильма. И это о человеке, который умер в полной нищете и обменивал свои картины на обеды в ресторане. А ведь в 2010 году одна из его «Обнаженных» была продана на аукционе за шестьдесят девять миллионов долларов...

О нем можно рассказать бесчисленное количество забавных историй, начиная с той, когда он своим рождением спас семью от разорения. Дело в том, что его отец, вполне успешный торговец, все потерял из-за внезапно грянувшего экономического кризиса. Кредиторы наслали на него пристава, чтобы забрать все имущество. Но по древнему закону запрещалось забирать кровать беременной или только что родившей женщины, а как раз, когда вошел пристав, у матери Модильяни начались схватки. Ценности семейства были навалены на нее, и пристав ушел ни с чем.

Это история в духе итальянского неореализма – тут и драматизм, и юмор. Но случались и страшные вещи... Модильяни умер в тридцать пять лет от туберкулеза, его жена Жанна Эбютерн, будучи на девятом месяце беременности, выбросилась из окна пятого этажа дома родителей и погибла вместе с нерожденным ребенком.

Что до меня, то я влюбился в Модильяни с первого взгляда. Его женщины с длинными шеями, капризными и чуть безвольными ротиками, зелеными глазками, эти лица, похожие на маски, меня притягивают и не отпускают. В них есть волнующая эротика, обещание чего-то неизведанного, тайна, известная только Модильяни.

Говорят, он страшно конкурировал с Пикассо. Для меня они настолько разные, что не представляю их конкурентами. Правда,

Амедео Модильяни. 1918 г.

Федерико Феллини и его жена Джульетта Мазина. 1955 г.

к Пикассо известность и деньги пришли довольно рано, в отличие от Модильяни, которого слава настигла лишь после смерти.

Все-таки жизнь несправедлива.

o—o

Федерико Феллини (1920–1993). Его просто не с кем сравнивать. Разве что с Чаплиным.

Мое первое знакомство с Феллини состоялось при просмотре фильма «La Strada» («Дорога»), и с этого момента он стал одним из тех немногих, без кого я не смог бы обойтись.

Помните классический вопрос: если бы тебе предстояло поселиться на необитаемом острове, произведения каких трех авторов ты взял бы с собой? Отвечаю: все сочинения Шекспира, все сочинения Баха и все фильмы Феллини.

Кино имеет свойство устаревать быстрее других видов искусства, ведь оно в значительной степени зависит от техники. Но Феллини (как и Чаплин) не устаревает. Не могу объяснить себе, почему. Очевидный и довольно тривиальный ответ: потому что гений не устаревает никогда. Может быть.

Попробуйте рассказать содержание любого фильма Феллини. Ничего не получится. Его фильмы не имеют фабулы, нет в них ни начала, ни конца (в повествовательном смысле). Так что же держит, что привораживает? А то, что Феллини рассказывает о тебе. Не спорьте, это так. О чем бы он ни делал кино, это история о тебе, о твоей жизни, о твоей тоске и радости, о твоей любви и горе, обо всем, что касалось, касается и коснется тебя.

> «Я памятник воздвиг себе нерукотворный...»

— Конечно!

> «И долго буду тем любезен я народу...»

— Конечно!

> «Веленью Божию, о муза, будь послушна,
> Обиды не страшась, не требуя венца,
> Хвалу и клевету приемли равнодушно
> И не оспоривай глупца».

— Конечно!

Поэтов в кинематографе очень и очень мало, может быть, всего один. И имя ему – Федерико Феллини.

o—o

Часть II

Интервью

Альбано

Альбано

Вот ведь как странно. Я всегда считал, что певцы — люди... ну, как бы это сказать... не очень умные. Особенно певцы эстрадные. Почему? Не знаю. Знаком ли я с большим количеством эстрадных певцов? Нет. Есть ли основания для такого моего мнения? Нет. А поди ж ты... Поэтому встреча с Альбано меня поразила. Ну, ходит такой мужчина в не снимаемой им соломенной шляпе, из-под которой выбивается длинная шевелюра... «О чем говорить с ним?» — мучительно думаю я. И оказывается, что он не только умный, не только тонкий, но одинокий и страдающий человек, который все еще мечтает о том, как исправить мир.

Познер: Скажите, пожалуйста, где мы находимся, что это за место?

Альбано: Мы находимся, собственно, в моем доме, который я построил в 1971 году. После многолетнего опыта жизни в Риме и Милане мы решили обосноваться на юге Италии, именно там, где я родился.

Познер: И здесь не только ваш дом, рядом расположена... даже не знаю, как это назвать... скажем, гостиница — правильно?

Альбано: Все началось со строительства жилого дома. А затем постепенно здесь развилось своего рода целое поселение, усадьба с гостиницей, рестораном, баром и всем тем, что позволяет чувствовать себя менее одиноким.

Познер: Из какой-то части этой гостиницы, я слышал, доносилось детское пение, мне показалось, что там большое количество детей. Что это такое?

Альбано: А, да, я захотел создать здесь, в этом местечке, детский сад. Дети ходят сюда, и должен сказать, их голоса меня умиротворяют. Бывая здесь, я часто подхожу туда, не показываясь, и мне нравится слушать детскую речь, потому что для меня — это жизнь, которая только начинается.

Познер: Ваши родители отсюда?

Альбано: Да. Здесь есть один очень старый лес (в свое время вся территория области Пулья была покрыта лесами), и небольшую часть этого леса, остававшуюся нетронутой, я купил в те же годы, в шестьдесят девятом. Мой прадед зарабатывал себе на жизнь угольщиком в этом лесу. Я никогда и представить себе не мог, что однажды мне доведется купить этот старый хутор, а затем и построить здесь целую усадьбу. Мои родители родились в этих краях, а я бежал отсюда в возрасте семнадцати лет, но затем, добившись успеха, вернулся к своим истокам, в родное гнездо.

Познер: Сравните для меня Северную Италию, где вы очень долго жили, и Южную Италию, где вы родились, росли и куда в конце концов вернулись. Это две разные Италии?

Альбано: Это абсолютно две разные Италии, и они особенно сильно различались в пятидесятые—шестидесятые годы, когда шла очень большая волна эмиграции из южной в северную часть страны — туда, где были деньги, были заводы, была работа. Я же искал свою дорогу, свой мир в области «легкой» музыки и нашел его. Эта была Италия двух колоритов, двух цветов. Фантастическое солнце, великолепный климат — здесь, но при этом и бедность. А там, на севере, все бесцветно: постоянные туманы, холод, особенно зимой, но и возможность реализовать себя, что и случилось со мной и со многими другими. Я могу также сказать, что люди в любой части мира испытывают разные влияния. Влияние на север было более позитивным, если говорить о финансовой стороне вопроса, поскольку он граничит с более богатыми странами — Швейцарией, Австрией, Германией, Францией. Мы же выходим на Средиземное море, вокруг нас — Албания, Греция и другие бедные государства. Иными словами, существует некая борозда, разделяющая эти два мира, — богатство и бедность.

Познер: А вы можете назвать, какова для вас главная черта итальянца с севера и итальянца с юга? Главная черта характера?

Альбано: Человек Северной Италии — это деньги, а житель Южной Италии словно говорит: «Я хочу денег».

Познер: У меня дома есть энциклопедия имен разных стран — английских, французских, испанских и так далее, есть и итальянские имена. Я искал имя Альбано как итальянское, но не нашел. Что, такого имени нет в Италии? И откуда тогда оно у вас?

Альбано: Нет, имя Альбано не очень распространено, но оно существует. Есть местечко с таким названием недалеко от Рима, есть озеро Альбано, городок и гора Альбано. Но мое имя, то есть его этимология, объясняется тем, что мой отец в годы Второй мировой войны сражался в Албании и сказал моей матери: «Когда родится ребенок, если это будет мальчик, назови его Альбано. Это принесет нам удачу». По-моему, так и получилось. Когда я хочу пошутить со своими друзьями, то всегда говорю: я настолько известен, что моим именем назвали и озеро, и гору, и городок.

Познер: Вы можете определить год, когда действительно стали знаменитым? В какое время люди заговорили об Альбано, с какой песней пришел успех?

Альбано: Вы имеете в виду в Италии или?..

Познер: В Италии, Италии.

Альбано: Это случилось в шестьдесят седьмом году. Я уже записал к этому моменту пару пластинок, работал с кланом Адриано Челентано. Затем сменил фирму звукозаписи и начал сотрудничать с известной «Эмми». И одна телевизионная программа сделала меня знаменитым за одну ночь. На следующий день я возглавил рейтинг исполнителей с песней «На солнце». Эта композиция перевернула всю мою жизнь, даже изменила в некотором роде эстрадную музыку Италии того времени. И кроме того, из этой песни родился фильм. В те годы так поступали: когда какая-нибудь песня расходилась тиражом более миллиона экземпляров (а я продал ее тиражом более миллиона), индустрия кинематографии тут же покупала права и делала фильм. В этом фильме снялись великие актеры того периода — Франко Франки, Чечилия Сия и многие другие. Среди них была и молоденькая американская актриса Ромина Пауэр. И началась совсем другая история, абсолютно неожиданная, абсолютно непредвиденная, интересная.

Познер: Она стала вашей женой?

Альбано: Мы снимались затем вместе во многих фильмах — думаю, что в семи. И в каждом фильме были объятия, свадьбы, любовные сцены. И так, находясь между игрой, шуткой — таковы были требования кинофильмов — и нашими человеческими влечениями и потребностями, мы пришли к тому, что поженились.

Познер: Сколько времени вы были вместе?

Альбано: С шестьдесят... Тридцать-тридцать один год вместе.

Познер: Вы не возражаете, если я буду задавать вам очень личные вопросы?

Альбано: Пожалуйста.

Познер: Вы расстались, хотя ваша история приводится в пример как идеальный роман. Что произошло между вами и супругой?

Альбано: Это была очень насыщенная, очень яркая, очень правдивая, очень поучительная история. Но как и во всех сюжетах, у нее есть начало и, к сожалению, конец. Я никогда не мог представить, что после стольких лет эти отношения могут закончиться. Но... наступило время конца. Я должен был согласиться с ним. И думаю, что это правильно, потому что в отношениях с кем-либо всегда лучше находиться в любви и ради любви, нежели оставаться в положении, которое приводит к очень плохим, никчемным результатам.

Познер: Я задал вам этот вопрос, потому что... Я сейчас скажу вещь, которую обычно интервьюеры не говорят... Я сам прожил со своей женой тридцать семь лет и потом расстался. Это было очень непросто. И поэтому мне интересно узнать, как вы дальше жили после тридцати лет совместной жизни, любви?

Альбано: Я с детства учился бороться. Я боролся, чтобы выбраться с юга Италии. Я боролся, когда был в Милане, практически никого не зная, в своего рода джунглях, и день за днем пробивал себе путь, к тому же с большим успехом. И затем случилось вот так... В любви также надо бороться. До тех пор, пока все вокруг было хорошо и прекрасно, я чувствовал себя ангелом, мы были на седьмом небе от счастья, мы оба были ангелами, которые летали там... Но приходит время приземляться... и ты начинаешь это осознавать... Но никогда нельзя становиться жертвой никаких обстоятельств. Я хочу научить этому своих детей — необходимо иметь здоровое чувство гордости, желание продолжать, нужно понимать, что неприятности могут случаться, но следует научиться разрешать их. И я сделал бы своим девизом такую фразу: «Я хочу быть проблемой для тех проблем, которые встают передо мной!»

Познер: Поговорим о музыке. Что вы думаете о сегодняшней популярной музыке, той, что вы называете легкой? Какова она в сравнении с музыкой конца пятидесятых — шестидесятых годов, в которые вы начинали? Как вы считаете, что произошло?

Альбано: На мой взгляд, речь идет не только о музыке. Достаточно посмотреть вокруг: на одежду, на машины, на мотоциклы, на самолеты — все вокруг меняется... Особенно много перемен произошло за последние десятилетия двадцатого века. Это был период больших инноваций, бурного развития идей и существа жизни... И, следовательно, музыки, поскольку она всегда отражает действительность. Музыка развивается. Она может быть хорошей и не очень — это решает публика. А ты должен всегда идти в ногу со временем... Конечно, когда ты хочешь погрузиться в великую музыку, в плаценту музыки, тогда достаточно позвонить мистеру Бетховену, мистеру Пуччини, мистеру Джузеппе Верди, Баху, Генделю... кого еще вспомнить? Шуберту... поскольку это — действительно великая, бесподобная, монументальная музыка. Но затем, всплывая на поверхность, ты вновь оказываешься в сегодняшнем дне, и ты никогда не должен упускать это из вида... А, забыл. Конечно, я имел в виду также и великого Чайковского, извините меня.

Познер: Я вырос в Америке и с раннего детства очень любил джаз. То были сороковые годы. И этот джаз совершенно отличался от того, который сегодня существует. Он был гораздо более радостным, гораздо более позитивным и, в общем, гораздо более понятным и идущим от сердца, нежели нынешний, идущий от головы, не слишком эмоциональный, довольно холодный и безрадостный. Можете ли вы сказать, что примерно то же самое происходит и с легкой музыкой?

Альбано: Практически да. Кроме того, если мы вернемся к тем годам, на которые вы ссылаетесь, необходимо учитывать, что джаз происходил прежде всего из страданий темнокожего, негритянского населения, и это было пение, это был звук со вкусом грусти... Он отдавал одиночеством, имел оттенок перенесенного насилия и унижения. Современный нам джаз — это джаз интеллектуалов, снобов. Да, он холодный, именно холодный и иногда даже докучливый. В легкой музыке происходят процессы того же рода. Я не хотел бы утверждать, что в ней теперь нет страстей. Можно было бы сказать, что она в большей степени дочь сегодняшнего дня, дочь компьютеров, других измерений, которые родились с прогрессом. Но достаточно вернуться к своим корням — потому что все еще есть великие музыканты, все еще есть великие композиторы. Однако и публика должна быть соответствующей, способной почувствовать и понять, где есть настоящая, мощная и здоровая музыка. А она есть.

Познер: Что сегодня вам очень нравится в Италии и что очень не нравится?

Альбано: Мне абсолютно не нравится то, как и какая политика проводится в Италии. Не знаю, плохой ли это комедийный спектакль в исполнении столь же плохих комедиантов, либо речь идет о полнейшей деградации и упадке в области политики. К счастью, я хорошо знаю или думаю, что хорошо знаю, талант итальянцев. Это народ, способный существовать и двигаться вперед без правительства. Такова великая правда об итальянском народе, потому что истинное правительство — это люди на площадях, в домах, семьях, это люди, которые настроены позитивно и которые уже не могут более терпеть неразбериху, не имеющую ни вкуса, ни смысла настоящей политики. Ведь политика нужна для того, чтобы правильно руководить народом, чтобы вести его вперед и в культурном, и в экономическом, и в социальном отношении. К сожалению, в последние годы, да впрочем, и всегда Италия не могла занять четкую осознанную позицию. Путешествуя по миру, я убеждаюсь в том, что Италия — великая страна. И нам повезло в том, что мы страна, которую очень любят. Но любят прежде всего за то, чем Италия была в течение двух — двух с половиной тысяч лет, а не за то, чем она является сегодня. Нам нужно новое Возрождение.

Познер: Вы сказали о том, что вам не нравится. А что вам нравится?

Альбано: Думаю, что я ответил и на этот вопрос: мне нравится в итальянском народе то, что он способен руководить страной самостоятельно. Он самодостаточен, созидателен, и кроме того, даже в национальной кухне он всегда находится в поиске лучшего. Да, он хранит кулинарные традиции, но в то же время ищет что-то новое в сравнении с этими традициями. И затем диалектика, великая культура. Слава Богу, мы живой народ. Повторяю: единственная вещь, которая вызывает многочисленные вопросы, — это чрезмерная политическая деградация.

Познер: Встречаясь с итальянцами во время этих съемок, я спрашиваю: если бы я мог съесть только одно итальянское блюдо, — вы как раз упомянули кухню, — что вы посоветовали бы мне попробовать? И где это делают лучше всего?

Альбано: Я думаю, что итальянцы могут обидеться, если им задать такой вопрос, поскольку в каждом доме (и я подписываюсь под этим) есть свое особое блюдо. В моем доме можно поесть такие спагетти, которые не встретишь больше ни в одном уголке мира. Их я готовлю сам, я изобрел этот рецепт. Он уникальный и неповторимый.

Познер: Самостоятельно готовил спагетти и замечательный итальянский тенор, которого вы, вероятно, знали. Я имею в виду Паваротти. Вы лучше его делаете спагетти?

Альбано: Я не пробовал его спагетти, хотя был дома у Паваротти и мы обедали вместе. Должен отметить, что я никогда больше не встречал человека, который ел бы с таким удовольствием и в таком невероятном количестве. Помню: он сидит, а на животе у него стоит большая тарелка... да, на животе. В руке — вилка, на столе — две бутылки вина «Ламбруско», охлажденные, и несметное количество тальятелли. И я подумал: «Этого вполне достаточно...» Но затем появились отбивные, колбаски... Это было невероятно. Он пожирал все. И сейчас, рассказывая об этом, я вижу его... Вижу прежде всего счастье, которым буквально светились его глаза, были полны его жесты, вижу его удовольствие. С ним приятно было обедать вместе — естественно, соблюдая меру. Но, повторяю, никогда я не видел человека, который ел бы так много и так «вкусно», как Великий Паваротти.

Познер: Вы знаете, я родился во Франции. Для французов вино — вещь особая. А для итальянцев что такое вино?

Альбано: В моей памяти запечатлелось, будто я попробовал вино раньше, чем молоко. И это не шутка. Для нас культура вина священна. В каждом доме каждый крестьянин, каждый житель производил вино. И в каждом доме оно было свое, отличавшееся по вкусу. Это было восхитительно — та атмосфера в период, когда вино еще не перебродило. Ты ходил по улицам и пьянел от аромата бродившего вина. А потом — первое вино, и встречи, и то состояние расслабленности, которое этот напиток вызывал у нас, молодых. Мой дед был первым, кто дал мне попробовать вино. Моя мать страшно (и справедливо!) рассердилась, потому что я был очень маленьким. Но этот факт, этот момент я никогда не забывал. А вино нужно для того, чтобы создать приятную атмосферу: будь ты в обществе с женщиной, которую любишь, или в компании друзей, или просто в семье. Но речь, конечно, идет о вине с большой буквы.

Познер: Вы производите вино?

Альбано: Когда я бежал с юга Италии, я обещал отцу добиться того, о чем сейчас вам рассказываю. «Может быть, я делаю ошибку, что уезжаю, — сказал я, — но знай: добившись успеха (а я его добьюсь!), я построю большую винодельню, и первое вино будет носить твое имя». Он ответил: «Ты, парень, полон мечтаний и фантазий, но помни, что действительность гораздо суровее, чем ты себе ее представляешь». Я, конечно, понимал это, но был решительно настроен и уверен, что достигну всего... И со временем я создал свою первую винодельню, произвел свою первую бутылку вина, на которой было написано «Дон Кармелло», так как моего отца звали Кармелло. И он тогда развел руками: «Да, одно тебе действительно удалось сделать». В 1973 году у меня была моя первая «вайнери» — винодельня.

Познер: Насчет успеха. Вы помните, сколько у вас было золотых дисков и сколько платиновых?

Альбано: Ну, думаю... тридцать золотых и около десятка платиновых, может быть, больше... Недавно Греция выпустила пятнадцать моих платиновых дисков, и один из них я записал вместе с одним греческим певцом. Тут необходимо пояснить. Этого греческого певца зовут Янис Путатос. В детстве у него был кумир — Альбано. Он добился большого успеха, но мечтал записать со мной альбом. И мы сделали это. Было продано триста пятьдесят тысяч экземпляров диска с песнями на греческом языке, которые исполнил он, на итальянском, которые спел я, и несколькими совместными нашими песнями. И это было очень неожиданно: 13 мая в Греции мне вручили пятнадцать платиновых дисков.

Познер: Триста пятьдесят тысяч?

Альбано: Для такой маленькой страны, как Греция, это просто чудо. Это как продать пять миллионов экземпляров в Европе.

Познер: Скажите, пожалуйста, вы, насколько я знаю, часто выступали в Европе. А приходилось вам давать концерты в Америке и где именно?

Альбано: В Америке? Очень много! В «Линкольн-сентр», в «Метрополь»... где еще? Действительно много. Первый концерт состоялся в 1967 году, а потом почти каждый год-два. Приходили не только итальянцы, но и латиноамериканцы, и русские. За последние десять лет было немало русских.

Познер: Какая разница между публикой американской, европейской, например итальянской, и русской, если она есть? Как все они реагируют — или примерно одинаково?

Альбано: Итальянская публика хочет сама быть участником представления. Поэтому следует оставаться внимательным и говорить: «Минуточку, здесь пою я, а не вы!» Ты должен уметь устанавливать правила и порядок. А причина очень проста: они считают тебя своим. И когда ты появляешься перед ними, начинают требовать: «Эй, спой мне эту песню, ту песню». Но я говорю: «Минутку, за программу отвечаю я, а вы можете слушать». Необыкновенная публика — это японцы. Для артиста — предел мечтаний. А также русские люди.

Познер: Хотя в Японии совсем другая музыкальная культура, они, по-видимому, чувствуют и европейскую музыку?

Альбано: По моему мнению, они делятся на группы, которые охватывают и изучают культуру американскую, или итальянскую, или русскую. Меня приходит слушать, естественно, не весь японский народ. Но те, кто был на моем концерте, знали обо мне намного больше, чем я мог предположить. Они чрезвычайно подготовлены.

Познер: Вы за свою жизнь слышали многих из тех, кто занимается вашим делом, то есть поют не классику, а легкую музыку: французов, итальянцев, разумеется, американцев. Кто для вас как-то выделяется, кого вы назвали бы особенным, оставившим след?

Альбано: Один из них — Паоло Понте, настоящий мастер, колосс... Я все же не сказал бы — великий певец, но во всем, что он делает, есть особая душа. Во Франции есть великий Мишель Сарду, великий Азнавур, с которым я очень хорошо знаком. Я также имел удовольствие петь с Жильбером Беко, который также — один из... Это певцы, услышав которых, ты говоришь, что они отмечены Богом, озарены изнутри особым светом, у них своя манера пения, манера подавать себя... Из итальянцев мне очень нравился Доменико Модуньо — автор песни «Воларе» и многих других песен. Между прочим, он родился здесь, в двух с половиной километрах от моего дома... Можно поговорить об Адриано Челентано, который был, есть и навсегда останется в эстрадной музыке. Это персонаж, не подпадающий ни под какую классификацию, ни под какую оценку. У него абсолютно свой, индивидуальный вокальный тембр и особый выбор тематики песен, которые порой тебя полностью поглощают — настолько они интересные. Одним из моих учителей был Рэй Чарльз... Всех этих певцов я открыл для себя, оказавшись в Милане. Там передо мной раскинулись новые музыкальные горизонты, новое измерение. Потому что здесь мы жили в условиях монокультуры эстрадной музыки. Здесь мы слушали классику и певцов типично итальянских, то есть великого Паоло Гуилла, Ниллу Пицци и других. Но не хватало той духовности в пении, которой обладали негритянские исполнители. Величайшим для меня среди них был Рэй Чарльз. Я начал ценить группу «Битлз» после того, как прослушал их песни в исполнении Рэя Чарльза.

Познер: Я имел счастье интервьюировать Рэя Чарльза, как и вас, и это оставило в моей памяти очень глубокий след.

Альбано: Да?

Познер: Я думаю, что он был гением.

Альбано: Он был гением. Говоря о нем, я все еще ощущаю трепет. Я слушал его сначала на пластинках, а потом, когда он приезжал в Италию, не пропускал ни одного его выступления. И каждый раз он был невероятно великолепным, невероятно... Он смотрел на мир через свой голос, через свое желание видеть. И заставлял тебя увидеть свой мир, погруженный во тьму и в то же время освещенный лучами особенного, музыкального света.

Познер: Я хочу вам рассказать чуть-чуть о моем интервью с Рэем Чарльзом. Вы знаете, что он потерял зрение в пять лет? И он мне говорил, что его мама...

Альбано: Извините, ведь у него были те же проблемы, что и у Бочелли. Бочелли — в шесть лет.

Познер: Нет, Бочелли позже, в двенадцать. Так вот, его мама заставляла его работать, как будто он все видел. Например, рубить дрова. И соседи говорили: «Ну как же вы заставляете его, он же слепой?» А она отвечала: «Да, он потерял зрение, но не потерял мозги». И учила его всегда преодолевать трудности. И еще он мне рассказал, что, уже будучи более или менее известным, он пел, как Нат Кинг

Коул — очень похоже. И все восклицали: «Настоящий Нат Кинг Коул!» Но однажды ему приснилась его мама. «Будь Рэем Чальзом!» — посоветовала она. И на следующий день он стал петь по-другому, и родился настоящий Рэй Чарльз.

Альбано: На мой взгляд, это очень типичная история, потому что каждый из нас, когда рождается как певец, имеет учителя, выбирает себе учителя. Я помню, что в начале моей карьеры мой вокал походил на Дзукерро, Синатру и Доменико Модуньо, то есть это был сплав, слияние этих трех больших голосов. Но затем постепенно я отходил от этого. И окончательно отошел, именно слушая негритянских певцов, прежде всего Рэя Чарльза, потому что он передавал такой пафос, такие чувства, которых другие не имели.

Познер: В завершение нашего разговора я хочу задать вам несколько вопросов, требующих только коротких ответов. Это вопросы, которые когда-то задавались французскому писателю Марселю Прусту и потом стали хрестоматийными — существует так называемый «вопросник Марселя Пруста». Там вопросов много, но я выбрал лишь некоторые из них.

Альбано (франц): Я ищу утраченные...

Познер: Повторюсь, что ответы должны быть по возможности короткими... Что для вас счастье?

Альбано: Это угорь, которого ты можешь взять в руки, но который ускользает от тебя.

Познер: Что такое несчастье?

Альбано: Это взрыв внутри тебя, оставляющий в тебе следы, от которых ты хочешь как можно быстрее избавиться.

Познер: О чем вы больше всего жалеете?

Альбано: Я жалею о том, что в этом мире не хватает общей «культуры мира».

Познер: Каким талантом из тех, которых у вас нет, вы хотели бы обладать?

Альбано: Мне хотелось бы быть всесильным политиком и удалить слово «война» из словаря каждого из нас, хотя я понимаю, что это — утопия.

Познер: Если бы вы встретили дьявола и он предложил бы вам бессмертие без каких-либо условий, вы приняли бы это предложение?

Альбано: Я хочу остаться человеком. Я знаю, что есть начало, есть период отсрочки, вздоха между двумя вечностями тишины — это и является жизнью. И я не хочу торговаться ни с каким дьяволом.

Познер: Когда и где вы были наиболее счастливы?

Альбано: У меня было немало моментов счастья: детство, бедное, но очень счастливое; первые влюбленности, первые сочинения; первый большой успех; первые дети, свадьба. В целом, если подводить итоги, то моментов счастья я испытал достаточно много.

Познер: Когда вы предстанете перед Богом, что вы Ему скажете?

Альбано: «Если я ошибся — извини меня. Я это сделал не специально».

Познер: Спасибо. И последний вопрос: представьте, что я, чужестранец, могу посетить одно-единственное место в Италии. Что посоветуете?

Альбано: Место это здесь — Пулия!

Моника Белуччи

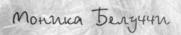

Моника Белуччи

Нет ничего хуже попытки договориться об интервью со звездой — эстрады ли, театра ли, кино ли, все одно. Звезду окружает глубоко эшелонированная оборона в лице агентов, секретарей и прочих лиц, у которых одна задача: не допустить вас до нее. Для этого есть множество способов. Например, потребовать от вас непомерное количество денег. Так, агент Софи Лорен за интервью с ней назвал нам сумму в двести пятьдесят тысяч (!) евро. Интервью, понятно, не состоялось. Другой способ — назначать, а потом переносить день и время встречи. Мою встречу с Моникой Белуччи переносили пять (!) раз. Идея проста: либо отпадет желание, либо все будет просрочено. Признаюсь, был момент, когда мне хотелось послать Белуччи и все ее окружение куда подальше. Но звезда для документального фильма — это как драгоценный камень в короне, это то, что привлекает зрителя. Терпение и упорство победили.

Интервью состоялось в старинном парижском особняке, где Белуччи участвовала в фотосессии для журнала «Татлер» (особняк не ее, а из тех, которые сдаются хозяевами для свадеб, званых ужинов и тому подобного).

Я знал, что Моника Белуччи красива, но не был готов к тому, что меня ожидало. Моника Белуччи не просто красива. Она ослепительно красива. Не той чистой, ангельской красотой Рафаэля, которая меня совершенно не волнует, а плотской, зовущей, возбуждающей. Я сидел напротив нее и пытался разглядеть в ней хоть какой-нибудь изъян — тщетно.

Общалась Моника абсолютно естественно, не «строила» из себя никого. Кроме того, она умна и не лишена чувства юмора. Так что переносы и ожидание оказались оправданными.

Познер: Мы с вами однажды встретились в Москве. Что вы там делали? Какова была цель вашего визита?

Белуччи: Вообще, я была в Москве трижды. Два раза приезжала по приглашению Картье и еще один раз, последний, с Дольче и Габбана — мы друзья и уже давно сотрудничаем.

Познер: Было еще что-то для «Мартини» или нечто в этом роде — нет?

Белуччи: Да, мы делали совместный проект, также с Дольче и Габбана, для «Мартини».

Познер: Понятно. Есть легенда, что, будучи студенткой, вы якобы зарабатывали на жизнь в пиццерии...

Белуччи: Нет!

Познер: Это неправда?

Белуччи: Нет.

Познер: А легенда гласит, что вы там работали, и патрон в конце концов вас уволил — мол, из-за вашей красоты все мужчины Перуджи ходили туда, а их жены были этим недовольны. Поэтому вам указали на дверь.

Белуччи: Нет, это просто выдумка. Хотя я считаю, что это прекрасно — иметь возможность зарабатывать на жизнь с самых юных лет, быть независимой и так далее. Но нет, я училась в университете в Перудже, на юридическом факультете, и одновременно работала моделью, поэтому сначала переехала в Милан, затем в Париж, в Нью-Йорк, а потом бросила университет, так как работы стало очень много. Можно сказать, я предпочла просто жить. Я была очень молода, но рано повзрослела, поскольку мне требовалось стать экономически независимой. Это заставило меня жить взрослой жизнью, но я была еще очень и очень юна.

Познер: Вы не жалеете, что бросили юриспруденцию?

Белуччи: Нет. Сейчас я часто сотрудничаю с адвокатами, и порой их работа кажется мне чересчур скучной по сравнению с тем, чем занимаюсь я.

Познер: Ах, вот как? Понятно... Что для вас значит красота, женская красота?

Белуччи: Красота — это состояние души. Я всегда говорю, что самое важное — не быть красивой, а чувствовать себя красивой. И это, скорее, идет от внутренней зрелости, чем от внешних данных. Я считаю, что красота без умственных спо-

Справа налево: Иван Ургант, Доменико Дольче, Стефано Габбано и я

Стены, отделанные шкурами леопардов и украшенные эротическими женскими губами... Вполне стиль D&G

Флорентийский стейк — это объедение, сопровождаемое спектаклем

VENEZIA

Рино Бариллари, «король» папарацци

Что только не сделаешь, чтобы обратить на себя внимание...

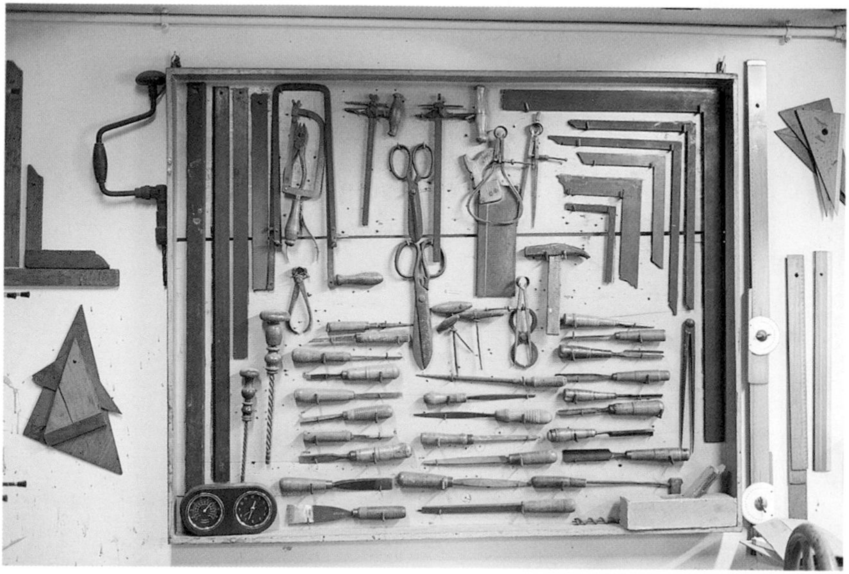

Мастерская мастера-переплетчика...

и сам Мастер

*Справа — начальник полиции города Венеции.
Слева — его подчиненная, в руки которой
я не возражал бы попасть...*

Причудливые жилища, называемые трулли — гордость городка Альбарабелло

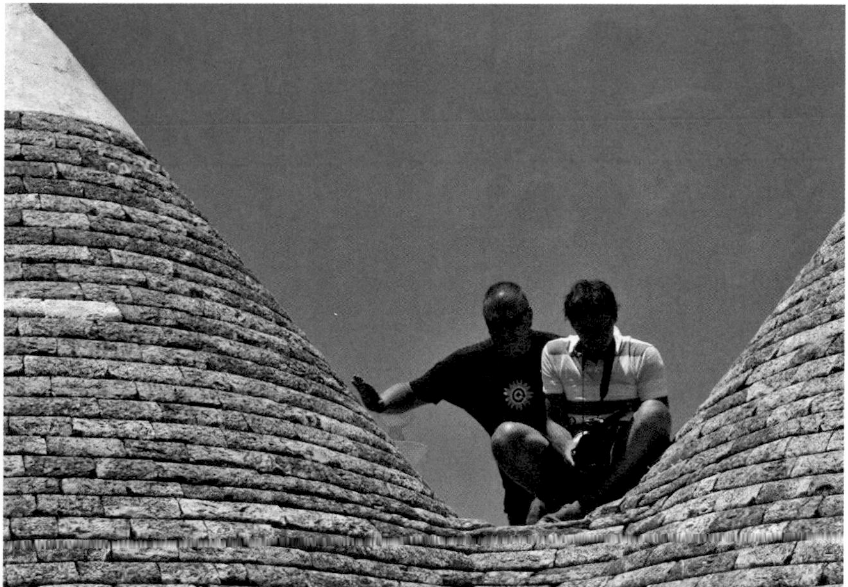

Венеция. «Бесконечное отражение» в зеркале самого старого в Европе кафе

Дом Франко Дзеффирелли поражает изысканностью, роскошью...

....и вот таким портретом кисти Веласкеса

Мастерская поэта, сценариста, скульптора, живописца
и обыкновенного гения Тонино Гуэрры

Один из залов палаццо семейства Строцци во Флоренции

Чтобы стать мастером-стеклодувом, надо учиться не менее 20 лет

Прелестная Адриана Вианелло, наша венецианская фея, поражавшая всю группу своим изяществом и вкусом

Так сушат белье не только в Венеции, но и по всей Италии...

Бесподобное муранское стекло...

...красота простоты.

Карта старинного городка Барбарано Романо. Обратите внимание: его делят вдоль всего три улицы

Звонница Джотто. Чудо архитектуры

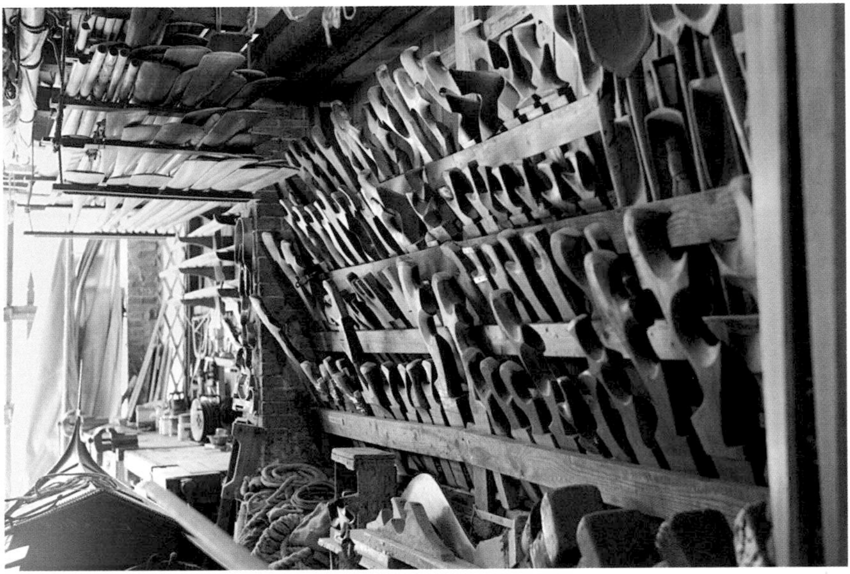

Директор Венецианского кинофестиваля Марко Мюллер готовит нам угощение

Такие символы веры можно встретить по всей Италии

Не знаю, чем привлек меня этот ракурс Флоренции...

Священник, который водил нас по острову Сан-Микеле, где он надеется быть похороненным

5
2

Венеция...
GONDOLA RIDES

Флоренция...

Не знаю, что волнует больше: сама Моника Белуччи или то, что оставлено ею...

собностей, без чувств ничего не стоит. Да, она производит мощный эффект, но он длится не более пяти минут, если за этим ничего не стоит.

Познер: Как говорят американцы — «beauty is only skin deep»*.

Белуччи: Да, совершенно верно.

Познер: Ясно. Французы говорят: «Чтобы быть красивой, надо страдать», но некоторые на это отвечают: «Чтобы казаться красивой, надо страдать, а чтобы быть красивой, надо просто быть ею». Что вы об этом думаете?

Белуччи: По-моему, для того чтобы быть красивой, нужно хорошо себя чувствовать. Надо принять себя, а чтобы познать себя, требуется с этим работать. Особенно работать над собственной личностью. Я думаю, чем больше ты работаешь над собой, тем больше... Это внутренняя работа, которую необходимо проделать для того, чтобы принять свою внешность. Потому что есть очень симпатичные женщины, не считающие себя таковыми. Следовательно, мы больше зависим от того, что происходит у нас внутри, чем от того, как выглядим.

Познер: Вы актриса. Вас считают французской актрисой, итальянской, европейской. А кем вы сами себя считаете?

Белуччи: Ох, мне всегда казалось, что это очень скучно — говорить о себе... Просто мне посчастливилось сниматься в итальянских и французских фильмах, время от времени в американских, мне нравится сотрудничать с разными режиссерами. И в какой-то момент моя работа перестает быть просто актерской игрой — это уже человеческий опыт, очень интересный, поскольку ты общаешься с людьми, которые говорят на разных языках, являются носителями разного культурного наследия. Для меня это человеческие открытия, а не только актерская работа.

Познер: Есть ли для вас принципиальная разница между европейским кинематографом и американским?

Белуччи: Мне кажется, когда ты стоишь перед камерой, большой разницы нет. Потому что актерская игра — это актерская игра. Будь то во французском, итальянском или английском кино — меняется только язык. Конечно, разница в том, что в

---

* По смыслу соответствует русской поговорке «С лица воду не пить».

Все эти фотографии я сделал, пока Моника Белуччи позировала для журнала «Татлер»

Европе меньше средств, чем в Штатах. То есть трейлер поменьше, съемочная команда состоит из меньшего количества людей, снимать нужно быстрее, на площадке меньше народу... Но перед камерой ты просто актер, наедине со своим одиночеством в процессе создания роли, независимо от языка.

Познер: Почему, как вам кажется, американский кинематограф господствует и является популярным во всем мире? Например, возьмем французские фильмы — во Франции они хорошо известны, но в мире — не особенно. То же самое можно сказать об итальянском кино.

Белуччи: Да, оно было популярно... В прошлом. Оно было великолепно...

Познер: Да-да, так было, но давно.

Белуччи: Сейчас действительно все непросто...

Познер: Однако американское — везде в Европе, даже в Японии, где совсем другая культура... В чем, на ваш взгляд, секрет американских фильмов?

Белуччи: Мне кажется, что, скажем прямо, они хороши. Давайте называть вещи своими именами! Они действительно хороши. Есть очень интересное авторское кино, которое снимают талантливые люди, и есть фильмы, рассчитанные на широкую публику — они очень качественно сделаны, с поразительными спецэффектами. Ну и примите также во внимание невероятные экономические возможности, позволяющие иметь такие прокатные права, которые нам недоступны. Вот так. И фильмы хорошие, и американцы отлично защищают свой рынок. В то же время... Я жительница Европы, и я люблю европейское кино, но я также люблю и индийское кино, и китайское, и японское, и иранское... И по-моему, нас, европейцев, чрезвычайно интересует то, что происходит во всем остальном мире...

Познер: Гораздо больше, чем американцев!

Белуччи: Да, они, вероятно, более ориентированы на свой рынок. Таким образом, лично для меня быть европейской актрисой — это суперразвитие. Потому что я могу сниматься в американском фильме, но также работаю во французском, в итальянском кино... Вот недавно я сня-

лась в иранском фильме, снятом режиссером Бахманом Гобади...

Познер: Он уже закончен?

Белуччи: Да, закончен. Съемки только что завершились. Я провела месяц в Стамбуле...

Познер: Это фильм о политике?

Белуччи: Это фильм о любви, но в нем также говорится об Иране до и после иранской революции. Я вдруг обнаружила, что, будучи европейской актрисой, имею возможность расширять свой кругозор и выстраивать отношения с кинематографами, которые сильно отличаются от кинематографа моей страны... Американцы же действительно создают потрясающие картины, которые идут в прокат во всем мире, но сами несколько замкнуты в собственном пространстве по сравнению с нами.

Познер: Есть ли актрисы, которые стали для вас источником вдохновения?

Белуччи: Да весь кинематограф меня вдохновляет! Естественно, мне очень нравится итальянское кино. Конечно, сейчас не так много итальянских фильмов с международной славой, но тем не менее это был кинематограф, послуживший школой для всего мира. Феллини, Росселини, Висконти, Де Сика и все великие итальянские актрисы, которые...

Познер (кивает): Антониони...

Белуччи: ...Антониони. И все великие актрисы, которые стали частью этого кинематографа, — Маньяни, Лорен, Лоллобриджида, Мангано, Моника Витти... Эти женщины стали эмблемами благодаря таланту, красоте и женственности, и эти их качества настолько бесспорны, что они, можно сказать, установили диктатуру всемирной женственности.

Познер: Мы сейчас снимаем документальный фильм об Италии, поскольку этот год — год Италии в России. И я уже общался со многими итальянцами, мы много попутешествовали и еще продолжаем ездить по Италии. Но везде и всем я задаю один и тот же вопрос: что лично для вас означает «быть итальянцем»?

Белуччи: Для меня это... Это я. В том смысле, что Италия — часть моей личности, моего способа мышления, действия, это просто мой стиль жизни! Страна происхождения определяет даже то, как ты ешь! Иначе говоря, это то, как ты смотришь на само существование! Я думаю, Италия — страна, у которой есть немало недостатков, как и у многих других стран, но в то же время нас часто воспринимают как «прекрасную страну», страну, где есть искусство, красота, хорошая еда, хорошая жизнь... Это все же страна, которую отличает любовь к жизни. И действительно, несмотря на то, что порой политическая или экономическая ситуация бывает очень сложной, во время своих многочисленных путешествий я всегда встречаю... как бы это сказать... очень благожелательное, очень нежное отношение: «А, вы итальянка? Обожаю Италию, обожаю итальянцев!». Мне кажется, в других странах нас всегда принимают с большой любовью.

Познер: Да, это так. Но вы живете во Франции, а едите по-итальянски?

Белуччи: Ну, на самом деле я живу между Римом, Лондоном и Парижем. Это три моих города...

Познер: А как Лондон появился в этом списке?

Белуччи: Лондон... Просто я очень люблю Лондон. Для меня он служит неким мостиком между Европой и Америкой. И это город, где я чувствую себя очень свободно по сравнению с Францией и Италией — обожаемыми мною! Но там я ощущаю себя... как бы это сказать... То есть я знаю там многих, многие знают меня...

Познер: ...тогда как в Англии вы как бы инкогнито?

Белуччи: Да-да, в Англии я чувствую себя... Англичане более...

Познер: Да-да-да, я понимаю...

Белуччи: У них есть понятие частной жизни... что совсем неплохо. Так что я достаточно много времени провожу в этих трех городах. За исключением тех моментов, когда работаю и порой внезапно уезжаю куда-то... неизвестно куда.

Познер: Италия только что отпраздновала стопятидесятилетие объединения. Как вы считаете, стала ли она наконец настоящим государством? Объединилась ли она или пока еще в каком-то смысле находится в процессе самоидентификации?

Белуччи: Думаю, что мы еще в процессе развития, поскольку наше воссоединение, объединение Италии произошло совсем недавно. И Италия состоит из провинций, где говорят с абсолютно разными акцентами. Иногда даже бывает так, что на расстоянии десяти километров друг от друга сосуществуют два разных произношения. Это страна, которая находится в поиске самой себя, и хотя союз уже осуществлен на практике, он еще не укоренился в умах людей. И еще... мне кажется, итальянцам предстоит объединиться духовно.

Познер: Я хотел бы сменить тему и, возможно, задать достаточно деликатный вопрос... И если вы не захотите отвечать, просто скажите об этом. Я где-то читал: вы сказали, что вы не католичка. И что вы не против религии, но она вас интересует с философской точки зрения. И вы нерелигиозны. Это так?

Белуччи: Вообще я получила религиозное образование...

Познер: Да?

Белуччи: Да, у меня религиозное образование, католическое, со всеми причастиями и всем необходимым. Но действительно, скажем так, я верю в важность религии, верю... как в философию, понимаете? Мне всё интересно. А так я, скорее, агностик. То есть я не хочу говорить о том, чего не знаю.

Познер: Понимаю.

Белуччи: Но я ничего не имею против религии. Я признаю значение молитвы, молитва может ко многому привести человека... Да, это так. Но что касается меня — то я больше верю в энергетику.

Познер: Что вас сейчас волнует? Есть ли в мире что-то, что тревожит вас, выбивает из колеи?

Белуччи: Таких моментов немало, как и у всех. Война, насилие... Я вряд ли что-то добавлю к тому, о чем и так все время говорят... И у меня есть дети... Я думаю о будущем, о том, что станет с человечеством... Но мне хотелось бы мыслить позитивно. Мне хочется верить, что человечество создаст что-то лучшее, несмотря на все то, что мы сейчас видим. В Средние века людей пытали и казнили на площадях, и все приходили на это смотреть как на спектакль...

Познер: Точно.

Белуччи: Да. И сегодня насилие тоже существует, но оно как-то более скрыто, возможно, людям стыдно за насилие. Мне хочется думать, что в общечеловеческом масштабе люди поймут: если они разрушают, то и где-то еще кто-то другой тоже что-то разрушает. Я верю в возрождение человечества, которое приведет к пониманию: идти навстречу другому и защищать другого означает также защищать самого себя, ведь это логично. У меня есть дети, и я надеюсь на лучшее. Раньше люди жили по сорок лет, сейчас — по восемьдесят. Я хочу думать, что, несмотря на имеющееся в мире плохое, налицо и пробуждение сознания, и устремление его к чему-то лучшему.

Познер: У вас две маленькие дочки?

Белуччи: Да. У меня две девочки, одной почти семь, а другой один год.

Познер: Они будут жить во Франции?

Белуччи: Ох, пока это маленькие цыгане. Они говорят на многих языках. Ну, младшей всего год, она пока еще мало говорит, но... старшая бегло разговаривает на четырех языках — на французском, итальянском, английском и португальском.

Познер: На португальском?!

Белуччи: Да, потому что мы часто бываем в Бразилии.

Познер: Вы, скорее, оптимистично смотрите на будущее своих детей? Или...

Белуччи: Послушайте, я надеюсь на лучшее, а иначе зачем было заводить детей? Повторю: я хочу думать, что человечество станет лучше...

Познер: Будем надеяться. Что ж, завершаю. Вы хорошо знаете Италию?

Белуччи: Достаточно хорошо.

Познер: Тогда подскажите. Если бы я мог поехать в Италию один-единственный раз и увидеть только одно-единственное место — что-то не туристическое, — что вы посоветовали бы мне посмотреть?

Белуччи: Есть столько всего, я не могу выбрать что-то одно...

Познер: И все-таки, одно-единственное место, которое важно именно для вас, то, на что вы смотрите со слезами на глазах?

Белуччи: Да всё! Потому что ты едешь в Тоскану, в деревню Сенезе, и она великолепна... Едешь в Умбрию, а Умбрия — это сады Италии... Едешь в Милан — это очень живой город, там происходит масса событий... Едешь в Рим — и видишь там самый красивый в мире свет. Едешь на юг — море, солнце, люди... Это Италия, сложно выбрать что-то одно...

Познер: Сложно, что и говорить! Но я бедный человек — могу поехать лишь однажды и увидеть что-то одно. Помогите же мне!

Белуччи: Ну, тогда я назвала бы... Рим. Рим — магическое место.

Познер: Магическое?

Белуччи: Да, для меня Рим — это магия. Для меня Рим — что-то невероятное. Я не римлянка, я из Умбрии. Я приезжаю в Умбрию, чтобы повидаться с семьей... Но Рим — это моя гавань. Я обожаю его... Его свет... Это нечто действительно волшебное... Эта его энергетика...

Познер: Мне он помог найти свои корни. Будучи первый раз в Риме, я посетил Форум, там было совсем мало людей, тихо, поскольку он находится ниже остального города... Я гулял там, среди руин... И тогда осознал, что да, я — европеец и мои корни здесь. Это мне действительно многое дало. И теперь каждый раз в Риме я иду туда... Не по туристическим маршрутам, которых существует великое множество. Там всегда немноголюдно, и это меня привлекает. Вы часто бываете в Риме?

Белуччи: Да, когда есть возможность, я еду туда. Моя дочь родилась в Риме.

Познер: Что вы думаете о Москве? Я не знаю, видели ли вы город, но я не считаю его красивым. Санкт-Петербург очень красив, особенно старая часть, улицы... А Москва... да, там много энергии...

Белуччи: Мне нравится Москва... По-моему, это красивый город. Красивый, интересный...

Познер: Интересный?

Белуччи: Да, там много чего происходит. И русские — особенный народ. Они севернее, но мне кажется, что они очень близки итальянцам.

Познер: Хорошо, но все-таки надеюсь встретиться с вами в Риме. Спасибо вам большое, было очень приятно с вами общаться!

Белуччи: Спасибо вам!

Андрея Бочелли

Андреа Бочелли

Помню, однажды, много лет тому назад, Фил Донахью пригласил меня на свою яхту (очень симпатичная, как ныне говорят, «лодка», ни размерами, ни убранством не напоминающая роскошные корабли российских миллиардеров). Поплыли мы из Уэстпорта на Лонг-Айленде. Фил включил на полную мощность свою первоклассную аудиосистему. И зазвучали сначала женский, а потом мужской голоса, затем после этого вступления мощнейший тенор запел «Time to say goodbye...». Я тогда впервые услышал Андреа Бочелли. Фил был в совершеннейшем восторге от него и сказал мне, что больше всего на свете он жалеет о том, что не родился с таким голосом. Мне же Бочелли понравился, но не более того. Я много слушал записей Карузо, Джильи, Паваротти, меня было трудно удивить.

Но Бочелли удивил.

Понятно, я никогда не думал, что буду интервьюировать его.

За прошедшие годы он побил абсолютно все рекорды по продажам записей опер, классических арий, стал обладателем бесчисленного количества призов, премий, наград. Критики-пуристы его ругают. Мол, у него нет школы, он превращает классику в попсу. Жалко их, бедных критиков. Они (как и Фил) хотели бы иметь такой, как у Бочелли, голос, уметь петь, но нет у них ни того, ни другого, этого они не могут простить Бочелли и за это не любят его (в отличие от Фила).

Бочелли удивил меня не пением, хотя его невероятная популярность поражает. Он удивил меня кругозором, взглядом на жизнь, умом, скромностью.

Познер: Я хотел бы спросить прежде всего о том, как рано у вас проявился музыкальный дар? Когда впервые стало понятно, что у вас он есть?

Бочелли: Я никогда не задавался этим вопросом и так и не знаю до конца, есть ли у меня талант или нет. Но если тебя все время просят петь, значит, твое предназначение — петь. Когда я был ребенком, пение было моим наказанием. Когда к нам в дом приходили гости, меня звали, отрывали от игр с друзьями и просили спеть. И в школе тоже постоянно просили спеть что-нибудь. И тогда я понял, что это моя судьба.

Познер: Я вчера разговаривал с господином Феррагамо, и он рассказал мне, что его отец Сальваторе Феррагамо сделал первые свои туфли, когда ему было девять лет. Но родители не хотели, чтобы он занимался этим делом, и пытались всячески ему мешать. А он все-таки стал великим мастером обуви. Ваши родители помогали вам стать музыкантом, певцом или, наоборот, не хотели этого?

Бочелли: Мои родители всегда старались поддерживать меня в моих интересах и увлечениях. Для моего отца музыка и пение не представляли собой серьезное занятие. Он всегда говорил мне: «Сначала ты должен получить образование, а потом можешь делать все что хочешь».

Познер: Вы поступили на юридический факультет университета в Пизе и стали адвокатом, так?

Бочелли: Да.

Познер: Но вам это не нравилось?

Бочелли: Я старался увлекаться всем, чем мне приходилось заниматься по жизни. То же могу сказать и об учебе на юридическом факультете: она меня затягивала. Почему? Потому что секрет жизни заключается не в том, чтобы делать, что ты любишь, а в том, чтобы любить то, что ты делаешь.

Познер: Хорошо сказано, но это очень непросто. Я знаю многих людей, которые не любят то, чем занимаются. Возможно, это вообще одна из трагедий человечества — большинство людей, пожалуй, не любят того, чем занимаются.

Бочелли: Потому что надо найти правильный подход к жизни. Пифагор говорил, что человек ко всему привыкает. Секрет в том, чтобы вырабатывать в себе хорошие привычки.

Познер: Когда вы все-таки решили, что будете профессиональным музыкантом, когда в вас это решение созрело?

Бочелли: Такого решения я никогда не принимал. Это как сила притяжения — музыка притягивала меня к себе. Отец говорил мне: «Когда люди тебя слушают, а потом кричат «браво», это одно, браво в карман не положишь. А вот когда они начнут платить тебе, твое пение действительно обретет ценность». Он говорил это шутя, но в этом есть доля правды.

Познер: Хорошо, тогда я задам вопрос по-другому. Когда вам стали за это платить?

Бочелли: Не скоро. Моя карьера началась тогда, когда у многих она уже заканчивается. Профессионально петь я начал очень поздно. В студенческие годы я играл на фортепиано в разных заведениях, но это, скорее, ради расширения круга друзей, знакомств с девушками — то, что сейчас вульгарно называют пиаром. Я не думаю, что человек многое решает в своей жизни. Мое видение истории очень похоже на видение Толстого. В том смысле, что история сама выбирает своих героев и ставит их на правильное место. Не люди делают историю. Не отдельные люди. Просто я оказался в нужном месте в нужный час.

Познер: Вы 1958 года рождения?

Бочелли: Да.

Познер: Выходит, вам было тридцать восемь лет, когда вышел ваш первый золотой диск?

Бочелли: Да.

Познер: Чем вы объясняете феноменальный успех песни «Time to say goodbye»? Почему именно эта вещь пользовалась и до сих пор пользуется такой гигантской популярностью?

Бочелли: Случаются удачные совпадения. В музыке, я имею в виду, хотя и не только в музыке. Примерно то же самое произошло много лет назад, когда великий тенор Беньямино Джильи спел песню «Мама». Когда голос исполнителя гармонично сочетается с мелодией произведения, люди сразу это замечают. Потому что они умеют отличать хорошее от плохого, обычное от необычного.

Познер: Вы поете и популярную музыку, и классическую. Не видите в этом никакого противоречия?

Бочелли: Этим, можно сказать, грешили все теноры прошлого: Карузо, Беньямино Джильи. Все они делали то же самое, но гораздо лучше, чем я. У меня на компьютере около ста песен Беньямино Джильи, именно популярных песен. Он был великим их исполнителем, хотя и считается вторым тенором в истории. Карузо, которого и по сей день считают первым, непревзойденным тенором в истории человечества, оставил после себя много замечательных популярных песен. Важно не выбирать, что петь и что не петь, важно просто хорошо петь.

Познер: Критики — музыкальные критики — к вам довольно строги, особенно в том, что касается вашего исполнения оперных партий. Их отзывы, я сказал бы, не очень добрые — и это мягко говоря. Вы вообще обращаете на это внимание, это вас задевает?

Бочелли: Пока я не был известен, критики писали обо мне превосходно, но как только я добился успеха, огромного успеха, обо мне стали писать плохо. Это отвечает известному афоризму Оскара Уайльда: «Люди прощают тебе все, кроме успеха». И потом должен сказать, что есть еще одна проблема — проблема распространения плохих новостей. Обо мне написано много положительных отзывов, так и оставшихся в журналах, в которых они вышли. И есть несколько плохих, разнесшихся по всей прессе мира, и все это только потому, что я немного знаменит. В конце концов жизнь рассудит. Через несколько лет мы посмотрим, кто будет более известен — я или критики, которые обо мне написали. Однако я всегда серьезно отношусь к написанному и внимательно все читаю, даже если это негативная критика. Потому что если отзыв честный, я могу вынести из него что-то полезное для себя.

Познер: А что такое для вас успех?

Бочелли: Зависит от того, под каким углом зрения смотреть на него. Лично для меня успех в карьере — это любовь, которую мне дарят слушатели. С технической точки зрения успех можно определить как способность прославить то, чем ты занимаешься, и сделать так, чтобы это славилось и ценилось как можно дольше.

Познер: А вы слушаете собственные записи?

Бочелли: Во время работы над диском — да, а потом нет, я стараюсь слушать что-нибудь другое. Я не могу многому научиться, слушая лишь то, что делаю сам.

Познер: Есть ли концерты, выступления, которые вам особенно запомнились?

Бочелли: Очень сложно выбрать после стольких насыщенных лет. Должен признать, что у меня немало прекрасных воспоминаний. Можно вспомнить мой дебют в опере, некоторые концерты — например, концерт под башнями-близнецами, еще до трагедии, или под египетскими пирамидами, или концерт перед Папой Римским... Все это воспоминания, которые останутся со мной навсегда.

Познер: Вы позволите, я задам вам несколько вопросов, не имеющих отношения к музыке?

Бочелли: Хорошо.

Познер: Какое ваше любимое место в Италии, конкретное любимое место?

Бочелли: Мой дом.

Познер: А есть ли у вас любимое блюдо?

Бочелли: Как у настоящего итальянца — паста.

Познер: Вы не оригинальны. Давайте я задам вам серьезный вопрос. В 2010 году вышел видеоклип, ставший очень известным, в нем вы говорили о том, что могли не родиться из-за аборта. Его посмотрели на сайте Youtube сто сорок тысяч человек. И вы сказали, что как настоящий, искренний католик боретесь не только против чего-то, но и за что-то, а именно за жизнь. Вы помните это?

Бочелли: Я отлично это помню.

Познер: Тогда я хотел бы спросить: вы не считаете, что женщина имеет право решать, рожать ей или не рожать?

Бочелли: Естественно, женщина имеет на это право. Однако, по-моему, с точки зрения морали было бы лучше обсудить этот вопрос с отцом ребенка и постараться вместе принять наиболее правильное решение. Очевидно, что последнее слово за женщиной. Но поскольку в процессе принимали участие два человека, было бы вернее, по крайней мере, обсудить это вдвоем.

Познер: Но ведь порой даже неизвестно, кто отец, бывают и такие случаи.

Бочелли: Эти случаи более сложные. Вообще такой выбор всегда трудно делать, к нему надо отнестись со всей осторожностью и сначала хорошо все обдумать. И будет лучше, если женщина посоветуется и поговорит с близкими ей людьми, неравнодушными к ее судьбе. В одиночестве не следует принимать подобные решения.

Познер: Из ваших слов я понимаю, что вы не сторонник закона, запрещающего аборты?

Бочелли: Как я сказал в той записи, о которой вы упомянули, я предпочитаю направлять свою энергию на то, чтобы помогать людям. Считаю нецелесообразным растрачивать ее на борьбу с чем-либо.

Познер: Какая, на ваш взгляд, наиболее серьезная проблема в Италии, что вас больше всего беспокоит, если что-нибудь беспокоит?

Бочелли: Меня многое волнует. В Италии, как в любой цивилизованной и развитой стране, немало трудностей. Главная проблема всех стран, затронутых кризисом, — это то, что все мы уже довольно долго живем сверх своих возможностей. Когда-то отношение было следующим: люди работали, откладывали деньги, чтобы потом что-нибудь купить. Сегодня мы покупаем, влезаем в долги и надеемся, что когда-нибудь их отдадим. Бедным считается не тот, кому нечего есть или у кого нет крыши над головой, а тот, кто не может позволить себе купить сотовый телефон, или фирменную одежду, или дорогую машину. Я нахожу это опасным. Потому что эта надуманная проблема ведет к созданию напряженной ситуации, способной перерасти в насилие. Люди сегодня наизусть знают свои права, но полностью забыли об обязанностях.

Познер: Что лично для вас значит быть итальянцем?

Бочелли: Это сложный вопрос, я не могу представить себя кем-то другим, отличным от того, кем я являюсь. То, что более иного позволяет мне чувствовать себя итальянцем, — это мой язык, естественно. Наши культурные традиции, особенно музыкальные. Как вам известно, опера родилась в Италии, а именно в Тоскане. Я горжусь тем, что мои корни — на земле Данте и Леонардо. Так же как и вы, русские, гордитесь тем, что родились на земле Пушкина, Толстого, Достоевского, Чехова, Гоголя и других гениев литературы.

Познер: Спасибо вам большое. Я надеюсь, что мы еще долго будем слушать вас и ваш голос.

Бочелли: Я благодарю вас за ваш визит и за то, что дали мне возможность вспомнить мои любимые книги, моих любимых писателей, русских писателей. У меня есть одна мечта, которую я хочу осуществить, — посетить Ясную Поляну и могилу Толстого.

Познер: Надеюсь, что ваша мечта исполнится.

Тонино Гуэрра

Тонино Гуэрра

Шел снег. Для февраля — нормально… но не в Италии. А снег шел густой; снежинки, крупные, как тропические бабочки, садились на кусты, на листья, на только-только завязавшиеся бутоны цветов и покрывали их пушистым одеялом… Мы ехали и ехали, гораздо дольше, чем планировалось, потому что нас заносило — машины были на «летнем ходу». Все как в замедленном движении: и то, как мы ехали, и то, как кружились и опускались снежные бабочки… В этом была поэзия.

Поэзия продолжалась весь день, она достигла апогея во время интервью с Гуэрра. Каждое слово, каждое движение, каждый жест — все поэзия.

Мало кто может сказать: я разговаривал с гением. Я теперь могу. И вопрос не в уме, не в эрудиции… Гению вообще не требуются объяснения — ему нет объяснений, нет доказательств.

Как же мне повезло!

Познер: Скажите, пожалуйста, почему вы не любите деревню, в которой родились, — Сантарканджело-ди-Романья? Она вам не нравится? Вы говорите, что у вас сложные отношения с этим местом и вы предпочитаете туда не ездить. Почему?

Гуэрра: Мое детство прошло в Пеннабилли, а не в Сантарканджело. Мои родители, крестьяне, ездили сюда на ярмарку продавать зелень. И когда мама повела меня к врачу, у нее спросили: «Почему вы не оставляете его в Пеннабилли, здесь же такой воздух замечательный!» (А они все боялись тогда за легкие у детей.) И меня возили сюда, в Пеннабилли. Так это стало местом моего детства. И когда после более чем тридцати лет работы в Риме я решил возвратиться в Романью, я подумал, что лучше поеду в Пеннабилли, где буду ближе к природе. Услышу дождь, увижу, как идет снег…

Познер: Вы говорили о своем детстве. Оно прошло в фашистской стране, вы росли при фашизме. Это как-то на вас подействовало?

Гуэрра: Конечно! Я рос в фашистской стране и был маленьким фашистом. Но потом фашисты взяли меня, молодого, арестовали, послали в германский лагерь...

Познер: А почему? Что вы сделали?

Гуэрра: Я не был тем человеком, который любил фашизм, и открыто говорил, что мы проиграем войну. Я всегда был интеллигентным и немного опасным. Я могу себя назвать коммунистом-дзен. Мой коммунизм имеет что-то от святого Франциска Ассизского — что-то духовное и религиозное. Моя мать была служкой в церкви. Монашка, терциария это называется. В больницах она помогала служить священникам мессу — на латыни. Я знал, что она неграмотная, и когда она говорила, ее язык, конечно, не был совершенен. Я ей сказал однажды: «Мама, вас не понимает никто». Она же посмотрела на меня и указала пальцем вверх: «Он меня понимает». Про этот эпизод я рассказывал и на курсах, высших режиссерских курсах в Москве, когда преподавал ребятам.

Познер: А вы сами религиозный человек?

Гуэрра: Трудно. Трудно. Хотел бы. Трудно. Я хотел бы, хотел бы... Было прекрасно работать с Тарковским. Я видел его духовность и его спокойную убежденность. Он верил... Как человек может жить спокойно? Вот мне, например, девяносто один год, со дня на день я могу умереть, и я не знаю, что ждет меня после смерти. А что говорил Феллини? Он всегда говорил мне на этот счет: «Может быть, нас ждет интересное путешествие».

Познер: Вернемся в немецкий лагерь, в Тосдорф. Что он для вас? Лагерь научил вас чему-то?

Гуэрра: Сейчас лагерь для меня — прекраснейшая сказка, в которой я жил. Это был сон, каждый день я мог умереть, каждый день меня окружала исключительная поэзия. И каждый день эта обостренность давала мне возможность видеть удивительные вещи... Хочу воспользоваться случаем, чтобы поблагодарить одну русскую женщину — ее звали Зина. Делаю я это впервые. Нас бросили на передовую, где мы работали на оборудовании, которое производило газ, и надо было двигаться очень быстро, примерно так, как Чарли Чаплин в своих фильмах, в «Новых временах». А за соседним станком стояла женщина, она так умело и быстро справлялась со своей работой, что у нее хватало времени еще и мне помогать, а я-то не успевал, мог взорваться. Я ее больше никогда не видел, но помню, как она мне помогла. Зина, огромное спасибо!.. Теперь это все как сон. Например, меня берут и бросают на рытье траншей, на передовую, и мы бежим под выстрелами, и рядом со мной бежит пожилой человек — для меня тогда пожилой, потому что мне в ту пору было двадцать лет (в лагере я был с двадцати до двадцати двух). Пожилой человек, казалось мне тогда. И он куда-то в сторону бежит. Я его спрашиваю: «Куда ты? Куда ты?» «Оставь, — он отвечает, — я иду продавать чулки». «Как чулки? Какие чулки? На передовой ты идешь продавать чулки? Кому?» Он говорит: «Тут солдаты, они всегда покупают для жен чулки. Даже на передовой». И убегает. После работы нас везут в какую-то полуразрушенную церковь. Бросают на сено, чтоб мы там спали. И вот послушайте... Я только что рассказал очень комичную историю, но в ту пору этот комизм не замечался. А сейчас это становится высокой поэзией. В полночь наконец возвращается этот итальянец... От этого можно заплакать... Он приносит с собой банку меда. И каждому из нас дает по ложке меда. Слезы просто наворачиваются. Какая же это красота!

Познер: Вы использовали слово «поэзия». Вы сами начали писать стихи в лагере?

Гуэрра: Да. Немного. Совсем немного. Но что-то я создал тогда.

Познер: Как же вы их записывали, ведь у вас не было карандашей? Или были?

Гуэрра: Я не записывал их, а рассказывал. На память. Потому что не было ни карандаша, ни ручки. И когда меня просили в бараке, чтобы отвлечься, я их рассказывал. А там был один человек — он работал фельдшером. Он записывал за мной эти стихи, оказывается. И когда я вышел, он подарил мне записи. После освобождения я написал только одно стихотворение о лагере. Оно называется «Бабочка». Всего четыре строки:

Счастлив, действительно доволен
Я был много раз в жизни.
Но более всего — когда меня освободили в Германии
И я смог смотреть на бабочку без желания съесть ее.

Познер: Потом вы стали учителем в школе. Во-первых, чему вы учили, и во-вторых, нравилось ли вам это?

Гуэрра: Я был сумасшедшим. Сумасшедшим, но многие в Италии изучали потом мой метод. Я преподавал итальянский. Я давал всегда одну и ту же тему: «Вчера вечером за ужином». В первые дни дети писали: «Я вчера вечером ужинал, был салат, был бульон» и так далее. На следующий день я опять им говорил: «Вчера вечером за ужином». — «Простите, профессор. Мы сделали это уже». — «Нет, это было в среду. А теперь — про четверг». Они соглашались и снова приносили мне свои сочинения: «Вчера мы ели сыр» и так далее. Я говорил им: «Простите, я тоже вчера ел. Был бульон, но когда я подносил ложку бульона ко рту, мне вспомнился фильм о слонах...» И я начинал рассказывать о слонах, об Африке. Я рассказывал им о том, что я ел, и о том, что мне приходило в голову. Прежде всего что я думал, что воображал, что вспоминал. И они все спрашивали: «А какое отношение это имеет к ужину?» — «Как какое? Самое непосредственное!» — «Но как же? Это же не ужин...» В конце концов они начали писать божественно! Я даже стал собирать их работы. Они были исключительные. И полгода спустя один мальчик принес мне следующее сочинение, даже не сочинение, а исповедь: «Мне всегда очень хотелось зарезать свинью. Я хотел заколоть ее ножом. И я у всех просил дать мне ее зарезать. Но все мне говорили: «Ты же еще совсем маленький. Зачем тебе убивать свиней?» И когда пришел человек, который должен был заколоть свинью на Рождество, я к нему подбежал и попросил: «Дай мне, дай мне!» — «Ты хочешь это сделать? Хорошо». И вот свинья стоит передо мной, ее только что помыли горячей водой. И он дает мне нож... Я мечтал почувствовать, как нож врежется в горло свиньи, и услышать, как она закричит. Мне это нравилось. Я взял нож и понял, что у меня не поднимается рука. У меня нет сил. Я отдал нож и заплакал. Я плакал, потому что любил эту свинью...» Это замечательная история.

Познер: Не кажется ли вам, что в школе — в Италии, в Америке, во Франции — убивают воображение, а не развивают его?

Гуэрра: Это так. Это общество ужасно в отношении к детям. Во-первых, мы у детей отняли дедушек, бабушек... Их больше нет. Нет людей, которые рассказывали бы им сказки. Сейчас детей хотят приучить к технике. По правде говоря, телевидение — это мощное средство, но оно убивает наше воображение. Телевидение тушит фантазию, не дает ей развиваться. Должен сказать, что я был эксцентричным преподавателем, но сильным...

Познер: Каким образом вы перешли из школы в кино? Как это произошло?

Гуэрра: Прежде я сделался поэтом. Прежде чем перейти в кино. И когда состоялась первая встреча Тарковского с Феллини, Федерико спросил у него: «Тебе хорошо работается с Тонино?» А Тарковский, подумав, ответил: «Тонино — поэт. И с ним не может плохо работаться. Невозможно. Потому что поэт не интересуется действительностью как таковой. Он интересуется прежде всего эмоциями, которые способен вызвать окружающий мир... Эмоциями, которые, например, тебе дает цветок или падающий снег за окном...»

Познер: Я все-таки не понял. Как это произошло? Вы опубликовали свои стихи? Потом ушли из школы?

Гуэрра: Я опубликовал первый сборник стихов, который за мной записали в Германии. Тот фельдшер, о котором я вам говорил... У него был карандаш, он записывал за мной. Я этого не знал. Он отдал мне записи, только когда кончилась война. Однажды, в рождественскую ночь, один молодой итальянец попросил меня: «Тонино, приготовь тальятелле. Не приехал лагерный рацион. Перевернулся грузовик». — «Как же я это сделаю?» — «Словами! Словами! Словами!» — «Хорошо. С помощью слов? Хорошо». Все приготовились слушать. И я постарался вспомнить, как готовила тальятелле моя мама. Я рассыпал муку, добавил яиц... Сколько нас? Около восьмидесяти. Отлично. Много яиц потребуется. Немного соли. Я раскатал тесто, разрезал его. Рядом кипит вода, я опускаю макароны в воду. Вот, тальятелле готовы, кто хочет? Ты? Хочешь пармезан? Держи. И тебе, и тебе... Устал. А один человек говорит: «А можно мне добавку?» Смех... Добавки, да? Только слова? Да, только слова, потому что нечего было есть. Это поэзия? Я думаю, чуть-чуть да. То же самое с бабочкой...

Познер: Как же вы попали в кино? Вы не ответили.

Гуэрра: Мне предложили написать сценарий. Это была первая роль Марчелло Мастрояни. Сценарий к фильму, действие которого происходило в Романье, в этой местности. И нужно было знать не только место, но и диалект. Я работал учителем и получал тридцать девять тысяч лир, а продюсер фильма сказал мне: «Если приедешь в Рим, то будешь получать триста тысяч». Я, как проститутка, поехал. Поехал в Рим и десять лет жил впроголодь.

Познер: В кино вы работали с Феллини, Антониони, Рози, Тавиани...

Гуэрра: Тавиани, Тарковский, Ангелопулус... И многие другие...

Познер: У нас нет времени, чтобы поговорить обо всех, но все-таки расскажите, каким был Феллини? Что это за человек?

Гуэрра: Это был великий человек. Исключительный. Мы сейчас не говорим о фильмах, плохих, хороших... Как человек он был исключительный. В этом году на Рождество... на Рождество в Римини... я рассказал о небольшом эпизоде с Феллини, о котором прежде не рассказывал. Много лет назад ближе к вечеру вдруг он мне позвонил: «Поедем в студию, нам кое-что нужно исправить...» Я не помню, это был то ли «Марго», то ли другой какой-то фильм, над которым мы работали. И мы поехали к нему на студию. Войдя, Феллини сказал: «Тонино, не зажигай свет». Мы сели в темноте, и спустя некоторое время я спросил: «Федерико, зачем мы так сидим?» Он ответил: «Потому что в это время перед Рождеством я всегда вот так сижу и вспоминаю аромат пассателле, которые готовила моя мама». Этот великий человек, который любил красивых женщин, шикарные вещи, также любил и свои детские воспоминания... Каждое утро на протяжении двадцати лет тридцать или сорок пять минут он уделял тому, чтобы помочь людям. Вы знаете, что все женщины любили Феллини? Не только в Италии, в Америке тоже. Я не могу сказать, были ли у него другие женщины, но скажу следующее — о том, что меня очень трогало в нем. В молодости у него была невеста. И когда ей исполнилось уже семьдесят—семьдесят пять лет, он продолжал ей звонить, чтобы спросить, как дела, не нужно ли ей что-нибудь — врач или что-то еще. Он продолжал к ней относиться с невероятной заботой и нежностью. Это еще одна замечательная черта Федерико... Покидая вечером студию, мы часто шли бродить по Риму, но так, чтобы нас никто не заметил. Мы творили безумные вещи. Например, проходим мимо большой и совсем пустой парикмахерской, с большими удобными креслами. Заходим и садимся в кресла. «Что желаете?» — нас спрашивают. «Нет, ничего. Мы просто отдыхаем. Очень удобные кресла». «Понимаем, — отвечают, — но мы должны работать». «А мы должны отдыхать», — возражаем мы. И так одно баловство за другим. Единственная проблема Федерико — мазь для волос. А то, что мы вытворяли, это было нечто невероятное...

Познер: Антониони был совсем другим человеком?

Гуэрра: Другим. Другим. Антониони открыто любил женщин. Он любил путешествовать. Феллини — нет. А Антониони обожал смотреть новые места. У него была очень интересная особенность. Вот мы едем в Лондон снимать картину «Крупным планом». Первое, что он там делает, — знакомится со всеми художниками. Со всеми. Потом мы едем в Нью-Йорк. И там он тоже знакомится со всеми художниками. Со всеми фотографами. И со всеми писателями. И долго, внимательно рассматривает город... Не слова его привлекали, а свет этого города, сам город. Большое путешествие Феллини — это путешествие внутрь себя самого. В свое детство. Не то чтобы Микеланджело (Антониони. — *В.П.*) не заглядывал в себя, это скорее было путешествие памяти, ума, путешествие в литературу. Так или иначе, совсем другое путешествие.

Познер: Путешествие внутрь себя, путешествие ума и познания — это все память. Значит, память важна для творения?

Гуэрра: Очень важна. Не существует ни одного писателя, ни одного творца, который не обращался бы к своей памяти. Нет никого, кому память не помогала бы во время работы, потому что именно в детстве мы познаем мир.

Познер: Феллини, Антониони, Висконти, Де Сика — великое итальянское кино. Куда оно делось? Где оно? Ничего нет.

Гуэрра: Неправда. Это трудный момент для итальянского кино. Очень трудный. Но с другой стороны, мы не можем так гово-

«Сад камней» Тонино Гуэрры: Параджанов, Антониони, Тарковский

Мастерская Тонино Гуэрры

рить. После войны был подъем итальянского кино, неореализм. Должно пройти какое-то время. Сейчас у нас есть Ольми, Торнаторе — вот уже два человека. Тавиани, Беллоккьо — тоже великие режиссеры. Они есть еще. Они живы. Но имеется одно отличие. В послевоенное время у всех наций — у русских, итальянцев, англичан, американцев — была общая тема, а именно послевоенный период. Мы говорили об одном и том же — о возрождении после войны. А в последние двадцать лет у каждого государства свои проблемы, нас больше ничего не объединяет. Мы немного потерялись. Потом американцы стали использовать новейшую технику... Но нам необходимо вернуться к поэзии. Со всей современной техникой нам следует научиться смотреть на мир нежнее, с душой.

Познер: Вы думаете, что это возможно? Что мир реально вернется к тому, о чем вы говорите?

Гуэрра: Я надеюсь. В противном случае многое умрет, как умер, например, кинозал в Европе. В России еще многие продолжают ходить в кино. А в Италии больше нет вечерней церемонии похода в кинотеатр. Мы больше не ходим туда, не пристаем там к женщинам. Сейчас есть телевидение. Возможно, будут развиваться телевизионные программы, а также останется популярным театр, концерты. Я сейчас про Европу говорю.

Познер: Вам нравится сегодняшний мир?

Гуэрра: Не очень. Мне нравится жить. Жизнь прекрасна! Мир сегодня не представляет собой ничего хорошего. Но все может улучшиться. Есть периоды хорошие, есть плохие.

Познер: Если бы переводила не ваша жена, я спросил бы вас, любите ли вы женщин?

Гуэрра: Очень. Я очень люблю женщин. Я всегда смотрю на женщин.

Познер: А русские женщины — это сложно?

Гуэрра: Это нормально.

Познер: Это как?

Гуэрра: При коммунизме многие были напуганы и многие читали. Женщины читали. Они убегали и спасались в мире литературы. Зайдя в метро, я заметил, что многие читают. Русские женщины красивые, и они читают. Сейчас уже меньше. Культура — это единственное, что делает женщин красивыми, гораздо лучше, чем пластические хирурги... Это сразу видно по глазам, они блестят совсем иначе... Я должен идти обедать.

Познер: Дайте еще пять минут. Предположим, я марсианин, пришел к вам и говорю: «Тонино, у меня есть время, чтобы поехать в одно только место в Италии, только одно, потом я должен вернуться на Марс. Скажите, что я должен посмотреть?»

Гуэрра: Что бы я выбрал? Многие порекомендовали бы Венецию, но я люблю маленькую Италию. Сразу за Неаполем идет Амальфитанское побережье, и там располагается городок Равелло. Я посоветовал бы именно это место. Это мечта. Небольшой городок над морем с римскими виллами. Еще могу посоветовать Остуни в Апулии. Город белый, как молоко. Там есть исключительной красоты церковь с невероятной мозаикой на полу. Тарковский, увидев ее, чуть не упал в обморок.

Познер: Вы можете завершить для меня фразу, которую я сейчас скажу? Фраза такая: «Для меня быть итальянцем — значит...»

Гуэрра: Для меня быть итальянцем означает, возможно, быть щедрым, готовым всегда поговорить, поблагодарить ближнего за оказанную услугу, вкусно накормить друга. Но самое лучшее, что может сказать о себе человек, — это: «Я делаю добро другим». Делать добро. Но это трудно. В идеале нужно, чтобы люди любили друг друга.

Познер: Поэтому вам так нравился Папа Иоанн XXIII?

Гуэрра: Когда мы снимали «Амаркорд», Феллини всегда заходил за мной в семь утра. Он приезжал с моря, если я не ошибаюсь. Я привык выходить из дома в семь-семь пятнадцать. И перед дверью моего подъезда всегда образовывалась пробка, потому что рядом находилось здание суда. Я каждый раз переходил улицу через эту пробку, среди машин. В тот день я тоже переходил улицу, и одна машина задела меня. Я закричал. И вдруг понял, что передо мной Папа Иоанн XXIII. Я онемел. А он улыбнулся мне. Он был от меня на расстоянии вытянутой руки. Улыбнулся и благословил, разделив меня движением руки на четыре части, как арбуз. Машина уехала, все автомобили загудели. Я был ошарашен... Это хороший финал. Пойдем.

Франко Дзеффирелли

Франко Дзеффирелли

Пожалуй, я не видел в Италии более красивого, более изящного дома. Входишь — и кажется, что ты попал — нет, не в музей, а в жилище римского патриция времен расцвета империи: мраморные полы, статуи и статуэтки... Понятно, что изумительный портрет кисти Веласкеса должен звучать диссонансом, но нет, он вписывается сюда естественнейшим образом.

Я стоял, осматривался и ждал, когда выйдет ко мне Дзеффирелли. Но он не вышел — его выкатили. Он сидел в коляске и был необыкновенно хорош собою. Безупречно завязанный шелковый фуляр, белоснежная сорочка, немыслимой красоты халат... Конечно, патриций.

Познер: Я начну со странного вопроса: я попросил своего приятеля посмотреть в телефонном справочнике Рима фамилию Дзеффирелли, и он ее не нашел.

Дзеффирелли: Я хочу держаться подальше от масс.

Познер: Но фамилии Дзеффирелли нет вообще. Это разве не странно?

Дзеффирелли: Нет. Это очень увлекательная история, история моего рождения. Я незаконнорожденный сын женщины, которая уже состояла в браке, имела детей, и мужчины, у которого были дочери. Это был великолепный, красивый роман. Он, к сожалению, закончился трагически, мама умерла рано. Но я родился от безумия этих двоих достаточно зрелых людей. Маме тогда было сорок, она являлась очень важной дамой — известным флорентийским кутюрье. Мои родственники, тети, сразу окружили меня огромным количеством тепла и любви. Все знали мою историю и помогали мне с детства. В нашей семье чтили традиции музыки и театра. Мой дядя был баритоном и имел свой бизнес. Дед дружил с Верди, который подарил ему этот портрет. И он был другом Пуччини. Его изображения тут нет, но неважно. Все они имели какое-то отношение к великому миру музыки прошлого века. С самого детства я был знаком с оперой и театром, и музыка сделала из меня того, кем я сейчас являюсь. Я учился на шедеврах. Одна из опер, сводившая меня с ума в возрасте четырнадцати лет, — «Хованщина». Потом — «Борис Годунов». Русские приезжали с ними во Флоренцию.

Познер: Давайте вернемся к вашей фамилии — как вы получили ее?

Дзеффирелли: Я не мог взять фамилию мамы, она была замужем, и не мог взять фамилию папы, поэтому мне требовалась абстрактная фамилия. Мама выбрала для меня эту — Дзеффирелли, это из Моцарта, так как она была музыкантом по духу. У Моцарта есть «Фарфале ДзеффиреТТи». А потом, записывая мою фамилию, ошиблись, и «Т» превратились в «Л». Так я оказался единственным на земле Дзеффирелли.

Познер: Вы один-единственный Дзеффирелли?

Дзеффирелли: Один-единственный.

Познер: У вас было счастливое детство?

Дзеффирелли: Ну, насколько счастливым может быть мальчик без мамы и папы? Но это стимулировало меня к тому, чтобы все время искать внимания, у меня было много любви и внимания от окружающих. Я совсем не чувствовал себя брошенным.

Познер: А был кто-то в вашем детстве, кто оказал на вас сильное влияние? Помимо мамы и папы?

Дзеффирелли: Мама умерла, когда мне было шесть лет, папа был бизнесменом. Но во Флоренции все говорят об искусстве, от этого никуда не деться, у нас там такие невероятные свидетельства тому. Знаете, если я в плохом настроении, я сажусь в машину и еду во Флоренцию. Я приезжаю туда, и первое, на что я смотрю, — это Домский собор Брунеллески. Я считаю его купол самой великой битвой, в которой сражался и выиграл человек. Это невероятное достижение. Я ходил туда раз в неделю и проводил там несколько часов. И даже сейчас в плохом настроении я иду туда, и это восстанавливает мои пропорции.

Познер: Вы считаете себя флорентийцем?

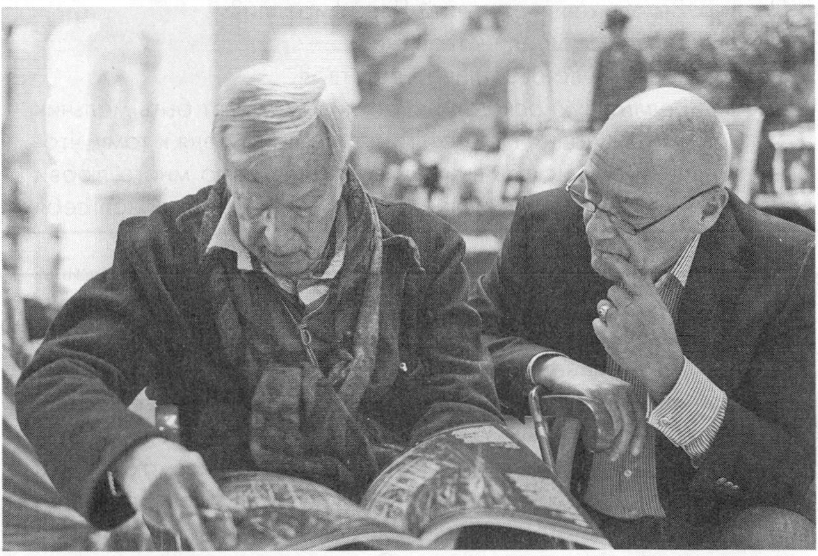

Джанфранко Дзеффирелли оказался на редкость увлекательным собеседником

Дзеффирелли: А кем еще? Чем еще?

Познер: Ну, например, итальянцем.

Дзеффирелли: Ну да... итальянцем. Это мило, это милая страна. Но мы такие разные, здесь столько разных стран вместе, и каждая со своей культурой. У нас наконец-то есть общий язык, но это свершилось как раз во Флоренции, благодаря Данте Алигьери и другим великим поэтам. Так что я суперитальянец, флорентиец.

Познер: Если кто-то к вам придет и скажет: «Господин Дзеффирелли, я приехал в Италию, но могу посмотреть только одно место. Посоветуйте, пожалуйста, куда мне отправиться?»

Дзеффирелли: Я вам только что сказал. Выделите два часа в вашем расписании и идите посмотрите на купол.

Познер: Купол Брунеллески...

Дзеффирелли: Просто проведите там два часа. Это прекрасно, вас переполнит гордость, вы начнете чувствовать свое превосходство от мысли, что человек смог это создать. Значит, и я могу создать нечто подобное. Вот это направление нам надо развивать. Это же не абстрактная мечта. Кто-то создал это, и этот кто-то был во многом похож на меня: у него были руки, глаза, мозг. Но во Флоренции мозг сделал какой-то особый поворот, принял особое направление. Я хотел бы собрать своих друзей со всего мира и провести с ними день на соборе: купол, башня, Микеланджело...

Познер: Говоря о башне, вы имеете в виду колокольню Джотто?

Дзеффирелли: Да, кампанила Джотто. И потом — там Микеланджело, Гиберти, Леонардо...

Познер: Вы понимаете, почему так произошло? Отчего такая концентрация? Благодаря какому волшебству все это сосредоточено во Флоренции, а не где-то еще?

Дзеффирелли: Ну, корни кроются в варварах и в падении Римской империи. Флоренция была на середине пути между Римской империей и варварами. Мы создали свою отдельную культуру в качестве защиты. Набеги варваров были часты, и мы принимали их, кажется, очень гостеприимно. Не воспринимали их как врагов, а старались впитать то, что они могли предложить, и предложить им то, чем обладали сами. В двенадцатом веке у нас была необыкновенная поэзия. После римских поэтов появились флорентийские, с новым языком.

Познер: Позвольте я задам вам следующий вопрос. Я все еще тот самый человек, которому вы подсказали, куда идти. А теперь я спрашиваю: что я должен попробовать из еды? Какое лучшее блюдо?

Дзеффирелли: Еда во Флоренции очень хороша.

Познер: Ну про что вы сказали бы: «Попробуйте это»?

Дзеффирелли: Не утонченное меню. Вы должны обратиться к тому, что раньше ели крестьяне.

Познер: А что это?

Дзеффирелли: Суп с хлебом, бобами и овощами — ля зуппа ди магро. Бифштекс. Мясо в нашей стране — особого качества и приготовлено правильно.

Познер: Флорентийскии стейк? Вы о нем?

Дзеффирелли: О да! Особенного качества, карне эль кьянти, и потом вино кьянти. Еще зелень, овощи...

Познер: Когда я спросил вас, флорентиец ли вы, вы удивились: «А кто еще?» А когда я спросил, итальянец ли вы, ответили как-то без особого энтузиазма. Быть итальянцем для вас что-то значит?

Дзеффирелли: Ну, в конце концов, это много значит, среди других культур итальянская выделяется. Север, готика, Венеция, Рим... Но мы особенные, хотя с нами, флорентийцами, трудно, флорентийцы иногда очень неприятные.

Познер: Правда?

Дзеффирелли: Да, они гиперкритичны, а если сказать флорентийцу: «Ты слишком критичен», он вам ответит: «Могу себе это позволить!»

Познер: Забавно! Я раньше был знаком с флорентийкой, писательницей Орианой Фаллачи. Вы случайно ее не знали?

Дзеффирелли: Это моя сестра!

Познер: Ваша сестра?!

Дзеффирелли: Почти. Я был единственным интеллектуалом, который пришел на ее похороны.

Познер: Она говорила мне: ты должен быть очень осторожен с флорентийцами.

Дзеффирелли: Не только с флорентийцами. Они ее ненавидели. Флорентийцы все коммунисты. Теперь, с крушением русских иллюзий, это пошло на спад. Они сохранили лицемерную ментальность превосходства. Она была флорентийка, такая же взрывная, как я. Я не хочу сказать, что столь же феноменален, какой была Ориана. Мы часто встречались в Америке, когда я работал в «Метрополитан», она приезжала туда. Однажды она спросила: «Почему бы нам не пожениться?» Я сказал: «Проблема в том, что я не был бы с тобой счастлив».

Познер: Будучи молодым, подростком, вы жили в фашистской стране...

Дзеффирелли: Еще какой!

Познер: Это на вас повлияло? Тот факт, например, что вы, мальчик, являлись членом фашистской лиги молодежи?

Дзеффирелли: Я был слишком молодым тогда. Достигнув шестнадцати-семнадцати лет, я отвернулся от этого... У меня была нянька, воспитательница, англичанка... Флоренция пользовалась популярностью среди англичан...

Познер: Ее звали Мэри О'Нил?

Дзеффирелли: Мэри О'Нил. Я благословлен тем обучением, которое она мне дала. Она привнесла в мою жизнь вещи, о которых я очень хотел знать.

Познер: Например?

Дзеффирелли: Свобода, демократия, частная инициатива. Умение не верить во все, что тебе навязывают. Убежденность, что все надо постигать своим умом... Она была очень традиционной англичанкой. Но я от нее многому научился. Она помогла мне понять, насколько неправы, глупы и смешны были фашисты. В возрасте двенадцати-тринадцати лет в моей голове начали формироваться правильные идеи. Фашистская культура пыталась подтолкнуть нас, молодых, ближе к Германии, мы обязаны были учить немецкий в школах и все такое. Но в конце дня я всегда возвращался к своей Мэри О'Нил. Она также подарила мне мир театра, Шекспира, поэзии. Я с ней учил Шекспира... Вы видели мой фильм «Чай с Муссолини»?

Познер: Да. Это про нее?

Дзеффирелли: Про меня.

Познер: Про вас и про нее?

Дзеффирелли: Про то, как она повлияла на мою жизнь.

Познер: Во время войны, я так понимаю, вы были партизаном?

Дзеффирелли: Да.

Познер: Когда это произошло и почему?

Дзеффирелли: Пришел возраст, когда я должен был пойти в армию. Я не хотел идти в фашистскую армию. Мы ждали прибытия американцев. Мне было восемнадцать, призыв приближался. В сорок третьем мне исполнилось двадцать. Мои сверстники прибегали к различным вариантам. Некоторые (моя семья также давала мне на это денег) бежали в Швейцарию. Другие прятались в деревнях, но их, если ловили, убивали. Тогда возникли партизаны, и я присоединился к ним.

Познер: Партизаны, активное партизанское движение в Италии — их сердцевиной были, по сути дела, коммунисты, так?

Дзеффирелли: Да.

Познер: Но вы же противник коммунизма?

Дзеффирелли: Да.

Познер: Получается некоторое противоречие...

Дзеффирелли: Не все партизаны обязательно были коммунистами. Коммунисты организовали сопротивление. Люди моего возраста приходили туда и присоединялись к подпольной деятельности. Но мне как-то удалось избежать столкновения. Я ушел в горы, к северу от Флоренции. Там было много узников войны: поляков, русских и французов. Своеобразный клуб людей из трех стран. На самом деле многие из них умерли, много поляков, например, потому что они все время были пьяными и так ненавидели немцев, что открыто шли им навстречу, и их убивали. Русские вели себя более осторожно...

Познер: После войны вы учились?

Дзеффирелли: Я прервался на войну, а до нее уже изучал архитектуру.

Познер: И потом продолжили?

Дзеффирелли: Нет. Я прервал учебу, приехал в Рим. В театр. Я не мог вернуться к архитектуре, мне хватило. Я увидел другую планету — мир искусства, театра, музыки. Я пошел в этом направлении. Мне посчастливилось встретить правильных людей.

Молодой Дзеффирелли...
Писаный красавец

Между этими фотографиями
Дзеффирелли более 60 лет...

Познер: Каких, например?

Дзеффирелли: Например, Висконти. Он приезжал во Флоренцию искать артистов для своей постановки. И я тут же пошел на кастинг к нему, прихватив свой альбом с театральными эскизами. Он не подумал о том, что я прекрасный артист, но заинтересовался моим талантом театрального художника. Потихоньку я перебрался в Рим, начал на него работать. Он тут же предоставил мне удивительные возможности.

Познер: Повлиял ли Висконти на вас как художник?

Дзеффирелли: Он не был художником, он был очень культурным человеком, но не оригинальным творцом.

Познер: Как, даже не как кинорежиссер?

Дзеффирелли: Да, он был необыкновенно культурным. Знал Пруста наизусть. Но я думаю, режиссерам следует рождаться в бедности. Если у них было счастливое, богатое, нормальное детство, это очень сложно. Стать режиссером — это непросто, это борьба. Вы должны знать низших человеческих существ. Не бывает аристократичных режиссеров. Все наши кинематографисты, все великие авторы — все они вышли из низших классов.

Познер: Это касается и Феллини? Он тоже из низшего класса?

Дзеффирелли: Да, средний класс.

Познер: Вы считаете, что бедность и страдания помогают чего-то достичь?

Дзеффирелли: Не столько страдания... Но быть бедным — это значит понимать, что жизнь — борьба, а не рай, в котором можно нажать на кнопку и появится слуга. Мы все вышли из среднего и низшего классов...

Познер: Роль Висконти в некотором роде заключалась в том, чтобы открывать для вас двери, новые возможности?

Дзеффирелли: Огромные, я на него шесть лет работал. Моим первым хорошим спектаклем был... «Три сестры» (произносит по-русски).

Познер: А, «Три сестры». Да, действительно. Это один из ваших первых больших успехов.

Дзеффирелли: Да... А до этого... а, вот... «Трамвай "Желание"».

Познер: Теннесси Уильямса...

Дзеффирелли: Это был мой дебют в... сорок девятом.

Познер: И это случилось благодаря Висконти, он дал вам эту возможность?

Дзеффирелли: Да.

Познер: А потом, конечно, вы оформили «Золушку»...

Дзеффирелли: Что?

Познер: «Золушку».

Дзеффирелли: «Чиндерелла»?* Это было после...

Познер: Да, после, и это то, что сделало вас знаменитым, я думаю.

Дзеффирелли: Мне очень повезло. Не знаю, почему. Думаю, моя мама молилась за меня. Я смог поехать в Англию — вместе с Каллас**.

Познер: Это было гораздо позже...

Дзеффирелли: Не сильно.

Познер: Разве?

Дзеффирелли: Это было в пятидесятые. Я делал «Травиату». В Далласе проходил музыкальный фестиваль, и они приглашали на него великих личностей из Европы, в том числе Каллас. Там она пела Медею и Травиату. Со мной.

Познер: Что такого прекрасного в опере? Почему вы так любите ее?

Дзеффирелли: Это абсолютное искусство. В опере собираются все музы: драма, голос, красота. Хореография. Там есть все, это рай муз. И это обнаружили флорентийцы в пятнадцатом веке, когда придумали итальянскую оперу.

Познер: Они придумали оперу?

Дзеффирелли: Был момент в Ренессансе, когда они открывали для себя греческую традицию: театр, трагедии и так далее. Флорентийцы перевели пьесы, но не могли их исполнять. Они были написаны для больших театров на открытом воздухе, а навыков говорить так, чтобы тебя слышали в большом театре, еще не появилось. Во Флоренции имелась очень хорошая школа, и вот в период Ренессанса

---

* Я говорил с Дзеффирелли по-английски. На английском «Золушка» — «Cinderella», Дзеффирелли не сразу понял, о чем речь, а потом произнес название сказки по-итальянски: «Чиндерелла».

** Речь идет о великой оперной певице Марии Каллас.

они задумались: а как же греки исполняли свои трагедии? И узнали, что они их не играли, а пели. Они восстановили оперы — таким образом опера родилась во Флоренции в пятнадцатом веке.

Познер: Вы много работали в опере, но позже занялись кинематографом, снимали кино.

Дзеффирелли: Да, это так.

Познер: Я не спрашиваю, что лучше, потому что это глупый вопрос, но вашему сердцу опера ближе, чем кино?

Дзеффирелли: Это как иметь разных друзей и ко всем ним хорошо относиться. Вы должны быть влюблены в то, что делаете.

Познер: Нужно быть влюбленным?

Дзеффирелли: Да, вам должно нравиться то, что вы делаете.

Познер: Но это обязательно должна быть страсть?

Дзеффирелли: Да, как сексуальная оргия.

Познер: Правда?

Дзеффирелли: В мыслях, я имею в виду.

Познер: Я понимаю.

Дзеффирелли: Когда я работаю над «Доном Жуаном», для меня это своего рода экстаз, так же как Верди, Пуччини. Сейчас я готовлю свою пятую «Турандот».

Познер: Пятую?

Дзеффирелли: Пятую. Я начал в «Ла Скала», потом делал ее в «Метрополитан» в Нью-Йорке, после здесь, затем в Вероне, а теперь мы готовим ее для султана Омана — я участвовал в открытии нового музыкального центра, который он построил.

Познер: Все говорят, что вы один из ведущих... даже не знаю как сказать... постановщиков произведений Шекспира. Чем лично для вас является Шекспир?

Дзеффирелли: Ну, во-первых, для меня это поэзия, мне нравится язык, я люблю английский и английскую поэзию. А Шекспир предлагает невероятное — истории, сюжеты (некоторые из них вечны), портреты общества. Мисс О'Нил во Флоренции вовлекла меня в тайну Шекспира, а его очень интересовали итальянские истории. Потом у него были северные сюжеты — например Гамлет и другие, но многие пришли к нему из Венеции. В итальянской литературе была очень развита культура передачи историй, они передавались по морю, ведь существовала навигация между Венецией и Лондоном, и театр впитывал эти истории, адаптировал их. Это было сочетание английской любви к театру и итальянской любви к повествованию. Истории, которые приходили из Италии, моментально становились популярными. Позже пошли короли, королевы и так далее, но весь ранний Шекспир — итальянский.

Познер: Шекспир в эпоху Ренессанса, позднего Ренессанса, объединял в себе нечто чувственное и нечто духовное, духовное и плотское. Рацио и дух соединились, чтобы создать эти невероятные произведения, этот мощнейший выстрел. Что вы об этом думаете?

Дзеффирелли: Это была особая встреча двух... я не сказал бы — культур, но человеческих предрасположенностей: итальянцы рассказывали истории, англичане создавали рай поэзии из этих историй. Это было очень интересное взаимозаимствование между двумя культурами. Потом, конечно, театр пошел в другом направлении, в сторону севера.

Познер: Что вы думаете обо всех этих спорах о том, что Шекспир на самом деле не был Шекспиром, что кто-то другой написал эти пьесы?

Дзеффирелли: Ерунда!

Познер: Рад это слышать. Рад. В вашей долгой жизни художника были большие победы, триумфы, но также были и неудачи...

Дзеффирелли: А разве не у всех так? Жизнь прекрасна. Я помню период, когда на протяжении трех лет у меня случался один триумф за другим, это очень монотонно. В конце концов мне это наскучило, и я начал делать спорные вещи. Потому что в театральном мире все должно быть драматично, все время должна разыгрываться какая-то драма.

Познер: Вы рисковали? Для того чтобы достичь чего-то, действительно ли художнику надо рисковать, или можно быть консервативным, находиться в безопасности, и все будет хорошо?

Дзеффирелли: Я не очень понимаю, о чем вы спрашиваете.

Познер: Я спрашиваю, можно ли достичь чего-то, ничем при этом не рискуя?

Дзеффирелли: А... Нет. Если вам слишком комфортно, всегда есть опасность сделать что-то скучное. Я совершал ошибки, чудовищные ошибки. В «Отелло» с Джоном Гилгудом...

Познер: Великий актер!

Дзеффирелли: Но ужасен в «Отелло»! И я не понимал, в чем проблема. Это был провал. За год до этого я делал «Ромео и Джульетту» с молодежью, а потом поехал в Стратфорд ставить «Отелло» с Гилгудом и потерпел фиаско. Я вернулся в Олд Вик и поставил итальянскую комедию «Много шума из ничего». Это, возможно, был самый успешный мой спектакль. Шекспир... Вы видели «Гамлета»?

Познер: Разумеется. Вы, кажется, очень критикуете то, что происходит в современном мире. Вы даже сказали, что раньше люди слушали сердцами и создавали невероятные вещи, а сейчас они производят только компьютеры и мобильные телефоны. Вы действительно настолько критично относитесь к настоящему? Вы пессимистично смотрите на то, куда движется мир?

Дзеффирелли: Лично со мной судьба обошлась прекрасно, я имел все для того, чтобы кем-то стать. Но, достигая позитивных результатов, я всегда думал: почему я, откуда у меня способность выдавать эти необыкновенные результаты? Я не видел себя частью того великого времени и не чувствовал, что заслужил то, что на меня снизошло. Я не могу объяснить того успеха, который пришел к «Гамлету» сначала в Италии, потом в Англии. «Гамлет» — это как Библия, это все равно что выпустить новую версию Библии. В моем мозгу не выстраивается объяснение того, почему я добился такого успеха. Знакомство с людьми знающими, вроде вас, я воспринимаю как некую корзину, куда складываю все подарки, которые получаю от божественного провидения. Я всегда, или почти всегда, находил способ добиться счастливого результата. И другие чувствовали, что я был человеком, дарующим им желаемое. Очень часто людям не нравится то, что им дарят, но не в моем случае. Мои зрители были благодарны.

Познер: Позвольте, я перефразирую вопрос, который уже задавал. Довольны ли вы тем, куда сейчас движется мир? Если нет, то почему? У вас оптимистичный или пессимистичный взгляд на это?

Дзеффирелли: Я не занимаю никакой позиции, потому что я сам не понимаю, как ответить на этот вопрос.

Познер: Не понимаете?

Дзеффирелли: Я не могу понять, как творчество находит себе путь к успеху, как человек создает что-то. Мы эксплуатируем сложнейшие технологические придумки, но это не человеческое творчество, а нечто другое, что я не могу определить. Мне восемьдесят восемь, я свою работу сделал, но я не могу научить, указать, как раньше, что будет дальше. Я не знаю, правда, не знаю этого, знаю только, что мой век закончился. Но именно поэтому я борюсь за школу — чтобы оставить после себя опыт, который сделал мою жизнь такой успешной и полной великих достижений. Это я могу передать. Это не модно, но это станет свидетельством времени: Дзеффирелли сделал то-то, мы так уже не сможем, мы занимаемся другими вещами... Мой век окончен.

Познер: Как вы относитесь к театральным постановкам, например к пьесе Шекспира, в которой режиссер одевает актеров в современную одежду, не сохраняет эпоху, а переносит все в современность и заставляет их выглядеть и играть совсем по-другому? Мне говорят, что это режиссерское видение и интерпретация. Что вы думаете по этому поводу?

Дзеффирелли: Это уже не ново, это делали семьдесят лет назад. Немцы положили начало такому театру — в современных костюмах. Если они ставят историю шлюхи, она должна трахаться на сцене. Это все ужасный немецкий символизм, символистская манера рассказа. Особенно это видно там, где дело касается музыки, у нее есть определенная формула, которую нельзя трясти и нарушать. Верди — это Верди, Вагнер есть Вагнер. Это, возможно, допустимо с Шекспиром, но музыкальный элемент — это чистая геометрия, вы должны соблюдать в музыке все, как в математике. На самом деле существуют ужасные постановки, но почему так трудно работать в опере? Я понимаю, что можно создавать нечто иное, однако не могу и не хочу этого делать. Я ставил очень современные спектакли много лет назад... Мой «Гамлет» — это шестьдесят восьмой год... И это было что-то особенное. Вся декорация подчинялась этой идее, был другой, совершенно другой подход. Я шокировал критиков и заткнул им рты. Они воспринимали меня как старомодного постановщика, но это было ново...

Познер: Вы только что упомянули критиков. Как вы относитесь к критикам вообще? К театральным, оперным, кинокритикам и так далее?

Дзеффирелли: Я в их черном списке, но мне это не повредило, зритель, мой зритель нашел путь.

Познер: Вы не любите критиков?

Дзеффирелли: Нет... Они все неудавшиеся творцы. Их решениями движет зависть. Они завидуют любому, кто придумывает что-то действительно интересное. Они помогают и поддерживают всех тех, кто пытается делать вещи, которых зритель не понимает. В России в начале века существовал иной подход к постановкам, к новым операм — вспомним хотя бы Римского-Корсакова. Это родилось из нордического отношения к повествованию. У вас были великолепные авторы, писатели, великие писатели. И это способствовало необыкновенному проникновению в театр, в музыку. Я за свободу, за творческую свободу. Социальная свобода должна быть обязательна для всех. Уважай правила, и ты сможешь счастливо выражать свой талант. Проблема в том, что критики очень часто выделяют тех, у кого нет таланта. И эти бесталанные люди делают театр, делают оперу, а это совершенно неправильно. Они устали говорить, что Моцарт — великий композитор, они пытаются найти что-то новое в том, как это будет спето или продирижировано, они всегда в противостоянии. У них также есть потребность исследовать новые пути, и это легко понять, я сам пытался это делать...

Познер: Я хотел бы задать вам последний вопрос. Его я задавал в разных странах, где снимал документальное кино, — в Америке, во Франции. Не могли бы вы окончить фразу: «Быть итальянцем для меня означает...» — что? Что такое для вас — быть итальянцем?

Дзеффирелли: Быть итальянцем? Я не могу быть французом, англичанином или русским. Мы можем иметь нечто общее, но мое целое состоит из суммы качеств, ошибок, историй, которые созданы в Италии, которые происходят из Рима.

Познер: Кстати, почему вы переехали из обожаемой Флоренции в Рим? Почему не остались во Флоренции?

Дзеффирелли: Не совсем так. Вчера я открыл свою прекрасную школу, но был момент, когда мне хотелось создать ее во Флоренции, да и Флоренция очень ее хотела. Но я им не доверил ее. Рим более открыт, Флоренция более зажата. И политически небо там то красное, то на следующий день уже желтое. Так что нет. У меня есть надгробная часовня на кладбище во Флоренции, вот туда я однажды отправлюсь, а работать там... Как это ни странно, во времена Муссолини там можно было создавать хорошие работы. На самом деле это как в России: не все коммунисты были слепыми или преступниками, так же и в фашизме для нас было много хорошего.

Познер: Вы все еще являетесь футбольным фанатом?

Дзеффирелли: Да.

Познер: За какую команду болеете?

Дзеффирелли: Я болею гораздо меньше, чем раньше, я не могу путешествовать, не могу позволять себе выходить из себя, ругаться! Я всегда болел за «Фиорентину», но сейчас потерял с ними связь. Мой сын все знает про «Фиорентину».

Познер: Почему вам так нравится футбол?

Дзеффирелли: Во-первых, потому что он был придуман во Флоренции в Средние века. На самом деле я снимал документальное кино о футбольном матче в костюмах, где они играют так, как играли в пятнадцатом веке. Вы знаете, что такое «дерби»?

Познер: Да. Применительно к футболу — это когда играют друг с другом две команды из одного города.

Дзеффирелли: Есть город в Англии, который называется Дерби, это средневековый город, окруженный стеной с двумя воротами — северными и южными. И они там играли в футбол — я говорю про Средние века. И весь смысл был в том, чтобы забить мяч в ворота врага.

Познер: Англичане говорят, что придумали футбол они. А вы говорите, что флорентийцы.

Дзеффирелли: Я знаю это, у нас сохранились документы, не говоря о художественных свидетельствах писателей, которые много об этом упоминали. Про футбол, про героев Санта Крузе де Пьяцца... Но я сделал об этом очень интересный фильм.

Познер: Есть у вас любимый футболист?

Дзеффирелли: Да, Роберто Фалькао.

Познер: Вы не мечтали стать футболистом?

Дзеффирелли: Я играл в футбол, когда был молодым. Во Флоренции, как юниор. Но я был, скорее, велосипедистом.

Познер: Велосипедистом?

Дзеффирелли: Велосипед давал мне возможность побывать в разных местах. Мы ездили с друзьями. В сорок первом году я совершил большой тур со своим другом до юга Италии, до Сицилии и вверх. Все на велосипеде. Мы проехали тысячу двести миль за сорок дней. Посетили все эти города. Мы не могли себе позволить машину или поезд, к тому же так было гораздо веселее — завоевать город там, наверху, прибыть туда, выдохшись, но запомнив эмоции. Но ты завоевываешь! Спорт помог мне преодолеть недостаток в знаниях... Вы очень интересный человек.

Познер: Простите?

Дзеффирелли: Я думал о том, какой вы, пока мы разговаривали, пытался угадать.

Познер: И что вы угадали?

Дзеффирелли: Вы человек очень европейский.

Витторио Пизани

Витторио Пизани

Если бы потребовалось подобрать исполнителя роли образцового голливудского полицейского, то лучше Витторио Пизани не найти: высокого (но не слишком) роста, изящен и гибок (как стальная пружина), хорош собой (без слащавости), мужественен (как Бонд), умен, вежлив, быстр, модно одет (ослепительно белая сорочка и строгий черный костюм), в сорок четыре года — уже почти семь лет начальник «Летучего отряда» полиции Неаполя (это те, которые занимаются борьбой с организованной преступностью), а до этого — начальник «убойного отдела», гроза Каморры, но вместе с тем уважаемый ею человек, руководитель поимки главарей преступного мира Неаполя...

Во время интервью он удивил меня не только вдумчивостью, но и совершенно не «полицейским» отношением к Каморре, к источникам преступности, к роли власти.

Дней, кажется, через пять после нашего отъезда из Неаполя аршинные заголовки в газетах сообщили о том, что Витторио Пизани отстранен от должности по подозрению в том, что он предупредил одного из главарей Каморры о предстоящем полицейском налете, в результате чего преступник успел скрыться и перевести деньги в Швейцарию. Как было написано, этот человек был чуть ли не другом детства Пизани, и тому пришлось выбирать между профессиональным долгом и дружбой. Он решил в пользу последнего. Если это все так, то Пизани поступил как настоящий итальянец, для которого понятие «семья» (в том числе в широком смысле, подразумевающем и друзей) неизмеримо выше и важнее понятия «государство».

Познер: Во-первых, спасибо, что нашли время, чтобы нас принять.

Пизани: Это удовольствие.

Познер: Вы сами родились в Неаполе? Вы неаполитанец?

Пизани: Нет, я живу здесь больше двадцати лет, женился на неаполитанке и переехал сюда, а родом я из Калабрии.

Познер: Когда вы стали полицейским? Как давно?

Пизани: В 1990 году.

Познер: А до этого вы что делали?

Пизани: Учился в Полицейской академии. Вообще я планировал быть государственным служащим, дипломатом. Но в 1985 году выиграл конкурс в Полицейскую академию, и как только закончил ее в 1990 году, меня направили в Неаполь.

Познер: А что вас привлекало в этой работе?

Пизани: Я сын полицейского. Потом, скажем так, страсть к этой работе родилась спустя несколько месяцев. Как только я получил возможность трудиться в следственном управлении.

Познер: Вы сразу начали заниматься борьбой с организованной преступностью?

Пизани: Да, сразу, спустя три-четыре месяца. Я был переведен сюда, в Неаполь, на испытательный срок и остался здесь.

Познер: Сколько лет вам сейчас?

Пизани: Сорок четыре.

Познер: И давно вы в этой должности?

Пизани: Почти семь лет.

Познер: Ну, это значит, что вы очень успешно работали, если стали командиром еще до тридцати восьми. И это означает, вероятно, что вы в опасности? Раз добились успеха в борьбе с Каморрой, не так ли?

Пизани: Да, мою карьеру можно назвать успешной. А что касается опасности — мне неловко говорить об этом. Ведь когда кто-то выбирает подобную работу, он об опасности не думает. Мы почти не осознаем этого. По-моему, любой профессионал в любой области не задумывается о ее рисках.

Познер: Я вижу по кольцу, что вы женаты. А как ваша жена относится к тому, что может в любой момент потерять мужа? И как же дети — если дети есть?

Пизани: Да, у нас двое детей, но они абсолютно не беспокоятся по этому поводу. Моя жена тоже дочь полицейского.

Познер: Концентрация какая! Вам, конечно, знакомы имена

Джованни Фальконе и Паоло Борселлино, которых взорвали в девяносто втором году? Это как раз были два очень успешных, ну, скажем, сыщика, или оперативных работника, боровшихся против мафии. И тем не менее вас не пугает то, что это может случиться и с вами?

Пизани: Ну, прежде всего надо различать мафию и Каморру. И кроме того, следует помнить о времени, в котором мы живем, — период террора мафии уже прошел. Разумеется, в те годы, когда погибли Фальконе и Борселлино, любой, кто работал на Сицилии, безумно рисковал. Помимо них были также убиты комиссары полиции, карабинеры. Но эти времена, можем сказать, закончились. Стратегия атаки криминальной организации на государство — это стратегия, от которой они уже сами отказались. Потому что результаты проигрышные, ведь в итоге все ответственные были пойманы.

Познер: Какая принципиальная разница между Каморрой, с одной стороны, мафией, с другой стороны, и ндрангетой, с третьей стороны? Чем они отличаются?

Пизани: Ну, мафия и ндрангета — это две организации, которые стремятся к контролю над обществом. Почти в терминах антигосударства. В том смысле, что они стараются проникнуть во все госаппараты — политические, административные, в предпринимательство, чтобы заполучить контроль над обществом. Исходя из этого становится понятно, почему совершаются покушения на судей, на полицейских, на власть. Потому что они на самом деле — антигосударство. У Каморры же другие задачи. Она не борется с государством, не пытается контролировать общество, ее деятельность — это совершение преступлений с целью обогащения. Оттого у ее членов имеется даже некое уважение к судебному аппарату и к силам полиции.

Познер: Что происходит сейчас в вашем прекрасном городе, который наводнен мусором? Я был здесь проездом, наверное, пять или шесть лет тому назад — видел то же самое. Вчера мы возвращались с Капри, ехали по улицам и заметили крыс... Все-таки не удается никак справиться с этой проблемой, которая, по-моему, связана с Каморрой?

Пизани: Нет, вы ошибаетесь. Каморра часто становится оправданием всех бед. Но здесь дело лишь в неспособности государственной администрации решить этот вопрос. Каморра не является его причиной. Даже если бы она пыталась обложить данью предпринимателей, которые занимаются мусорными отходами, даже тогда следовало бы обвинять не Каморру. За годы расследований мы не обнаружили, чтобы ее как-то интересовали мусорные отходы. Это немного похоже на ситуацию, при которой член Каморры взимает дань со строителей, а потом, если дом обваливается из-за того, что построен плохо, обвиняют преступника, потребовавшего причитающееся. Но ведь это вина строителя. Если цикл уборки мусора не осуществляется, то это потому, что кто-то должен управлять этим циклом. И именно государственная администрация не способна делать это.

Познер: То есть все, что написано в Интернете — будто Каморра заинтересована в том, чтобы мусор не убирали, что она зарабатывает большие деньги на переработке мусора и не желает, чтобы были построены заводы по его переработке, так как это лишит ее дохода, — все это неправда? Это придумано?

Пизани: Абсолютная неправда.

Познер: А на чем они зарабатывают тогда? Все-таки Каморра — это определенные кланы, которые работают вместе. Благодаря чему они существуют?

Пизани: На сегодняшний день самый важный бизнес — это наркотрафик. Огромный рынок запрещенных препаратов работает в городе, здесь много площадей сбыта. Отсюда снабжаются распространители из всех близлежащих зон, и даже из соседних регионов. Наркотрафик — это главный источник. Представьте себе, что пункт продажи нелегальных препаратов может приносить в день по сто тысяч евро. Если каждый клан имеет в своем районе две-три точки продажи, то в конце месяца он получает с них миллионы и миллионы евро. Кроме того, Каморра контролирует всю нелегальную деятельность на территории. И заставляет преступников платить клану определенную квоту. Вор, совершивший кражу, должен сделать клану подарок. Бандит, скупщик краденых машин — то же самое. Таким образом каждый преступник района обязан выплачивать клану квоту со своей прибыли. Неаполь — город высокой криминальной активности. У тридцати процентов населения есть судебные дела.

И Каморра со всего этого населения, которое совершает преступления, взимает часть их дохода.

Познер: Я знаю, что вам как полицейскому будет трудно ответить на этот вопрос, но я все-таки его задам. Не кажется ли вам, что если бы во всем мире (не в одной стране, а во всем мире) легализовали наркотики, исчезла бы, в частности, Каморра? То есть финансовая составляющая наркотиков ушла бы, цена приблизилась бы, условно говоря, к магазинной, и тогда это был бы мощнейший удар по организованной преступности?

Пизани: Разумеется, криминальная политика против наркотиков должна быть пересмотрена. На протяжении уже многих лет мы видим, что законодательный выбор — наказывать наркотрафик — это выбор, не приведший к решению проблемы. Преступления, которые имеют спрос и предложение, нельзя победить, борясь только с предложением. Надо бороться также и со спросом. Если государство считает, что потребление наркотиков — это вредный фактор для здоровья граждан, по моему мнению, необходимо вмешиваться и в вопросы потребления. Пока остается спрос на запрещенные препараты, всегда какая-нибудь организация будет пытаться продавать наркотики. Так что я скорее не за легализацию продажи, поскольку она рано или поздно натолкнет нас на проблему потребления — ведь потребление может возрасти и, значит, обстановка в обществе станет более неспокойной. На мой взгляд, следует решать проблему потребления. То есть думать о том, до какой степени наркоман является больным человеком. Если это второй, третий раз, то можно и вмешаться — для начала спокойно, без применения радикальных мер.

Познер: Можете ли вы, положа руку на сердце, сказать, что за годы вашего пребывания на этом посту есть определенные успехи в борьбе с Каморрой?

Пизани: Я могу сказать, что мы во многом преуспели. Конечно, нам не удалось окончательно справиться с ней. Но мы по крайней мере сдерживаем ее — в настоящий момент почти все главари арестованы, многие осуждены за убийства, большинство криминальных организаций сейчас переживают трудные времена, и это подтверждается тем фактом, что в последний год сократилось количество убийств.

Познер: Назовите мне цифру: скажем, десять лет назад сколько было убийств за год, связанных с Каморрой, и сколько в этом году? Если это не государственная тайна.

Пизани: Например, в период с 1998/99 по 2000/01 убийств, связанных с Каморрой, в городе было около ста пятидесяти — ста восьмидесяти. В прошлом году — сорок.

Познер: Откуда идет подпитка Каморры? Из каких слоев населения возобновляется ее состав? И повинны ли в этом в какой-то степени социальное устройство и государство?

Пизани: Да. Это проблема, потому что низкий социальный и культурный уровень — один из толчков в сторону преступности, одна из причин, по которой молодой человек начинает совершать преступления. Возможно, сначала он решается на то, чтобы воровать, грабить, а потом его вербует Каморра. Затем он может сделать карьеру в преступном мире — вступив в ряды Каморры, станет киллером, наркоторговцем.

Познер: У вас в районе Неаполя и вообще юга Италии, насколько мне известно, довольно высокий уровень безработицы среди молодых, это так?

Пизани: Да. У нас высокий уровень безработицы. Это, конечно, тоже сказывается. Но сказывается также и другой аспект. Будучи преступником, можно получить гораздо больше денег, чем если просто пойти работать. Есть острая нехватка рабочих мест, но также нельзя упускать из виду очарование денег, добытых преступным путем. Мы должны понимать, что простыми работами граждане Италии не хотят сегодня заниматься. Посудомойки, рабочие, официанты, уборщики — это все иностранцы. В теории это тоже рабочие места, которые могли бы занять итальянские граждане. Но если распространитель наркотиков имеет десять тысяч евро в месяц, это несравнимо с той тысячей евро, которую получает рабочий.

Познер: А что вы сказали бы человеку, ну, скажем, члену Каморры, который заявил бы вам следующее: «Вот я — член Каморры, и мне она помогает, дает деньги, если мне нужно, купит квартиру, машину, я не должен беспокоиться о пенсии, потому что и в этом она поможет мне. Если я сяду в тюрьму, она поддержит мою жену, детей. А государство вообще не помогает, забывает обо мне. Поэтому я иду в Каморру». Что вы ответите ему?

Пизани: Подобный разговор состоялся у меня много лет назад с одним из главарей Каморры... я в то время работал в отделе убийств, это было в 1998 году... Мы с полчаса говорили с ним в моем кабинете.

Познер: Он был арестован? Или просто так пришел?

Пизани: Сейчас он арестован и сидит в тюрьме, ему предстоит отсидеть двадцать лет. В то время мы его искали. Это был главарь Каморры, который всегда скрывался.

Познер: А как он оказался в кабинете-то тогда?

Пизани: Мы его нашли. Нашли в квартире, обыскали и отвели к нам в участок. Взяли у него отпечатки пальцев, а потом начали разговаривать. И когда заговорили о проблеме Каморры, я помню, он сказал: «Здесь люди умирают от голода. Я в своем районе даю им наркотики на продажу. И все они живут хорошо. А что может предложить им государство?» Он засунул руку в карман и вынул оттуда квитанцию — взнос, который в тот день перевел через почту, миллион лир, на помощь детям в Африке. И продолжил: «Я знаю, что я преступник, но я пытаюсь делать также и добро. И сегодня, мне кажется, я выполнил свой долг, потому что послал в Африку миллион лир бедным детям. — А затем добавил: — Через тридцать лет, в этой же самой комнате, будут сидеть другой полицейский и другой член Каморры, и они станут говорить о тех же проблемах». Прошло тринадцать лет. И мы все еще говорим о тех же проблемах.

Познер: А что вы ему сказали? В ответ на его слова?

Пизани: Я слушал его очень внимательно. Я был очень молод, работал полицейским всего восемь лет, а ему — почти пятьдесят, он уже главарь клана. Я ему сказал: «Мы пытаемся просто делать нашу работу. И надеемся, что однажды сумеем решить проблемы нашего города».

Познер: Но сейчас-то вы намного старше. Вы сказали бы то же самое?

Пизани: Ну, может быть, и еще что-нибудь. Но когда происходят подобные беседы с главарями Каморры, нужно больше уметь слушать, нежели говорить. Мои мысли в данном случае не имеют значения. Для них наши мысли, наш способ существовать не представляют интереса. По моему мнению, полицейскому важно слушать. Чтобы понять, как думает противник, и попытаться победить его.

Познер: Вы испытываете некоторое уважение к такому человеку, которого только что описали?

Пизани: Я думаю, что уважения заслуживает каждый, даже преступник. Нельзя лишать достоинства человека только потому, что он совершает преступления. Это, скажем, заложено в ценностях демократии, иначе мы сами стали бы преступниками. Мы должны быть суровыми, но при этом уважать человеческое достоинство. Этому нас учит правовое государство.

Познер: Прекрасно. Вы можете мне сказать, нравится ли вам Неаполь и почему?

Пизани: Неаполь — красивейший город. Я влюблен в него. Это город, богатый чувствами, очень живой. Город, в котором человеческие ценности, человеческие отношения имеют первостепенную значимость. Это очень жаркий, чувственный город.

Познер: Большое спасибо!

Пизани: Удачи в работе!

Сальваторе Стриано

Я не знаю, сколько взял интервью за свою жизнь. Сотни? Наверняка. Больше тысячи? Скорее всего. Запомнились далеко не все. Лучше других запоминаются неудачные. Однако бывают интервью не то чтобы удачные или блестящие, но обнажающие суть человека, жизни. Они случаются редко. Невозможно объяснить, почему. Вот они-то не просто запоминаются, они продолжают в тебе жить, напоминают о себе, заставляют тебя много лет спустя вдруг, ни к селу ни к городу, задаться вопросом: а как он (она) поживает? Как у него (нее) дела? Перечитываешь или пересматриваешь запись беседы и говоришь себе: «Надо же! Какой блеск! Как же это получилось у меня?!»

Таким для меня стало интервью с бывшим членом Каморры Сальваторе Стриано. Я сейчас пишу эти строчки — и вижу его: заостренные черты, колючие быстрые глаза, резко очерченный рот, лицо жесткое, но вдруг озаряемое нежностью, когда он разговаривает с ребенком. Словом, это одно из моих любимейших интервью.

Познер: Давайте, как всегда, начнем сначала. Как у вас все начиналось?

Стриано: Зависит от того, о каком «всем» идет речь. В моей жизни много разных «всё».

Познер: Наверное, о том... что можно было бы назвать опасной жизнью.

Стриано: Она началась с того, что я расхотел ходить в школу. Мне было десять лет. Я с большей охотой торчал на улице, играл с другими и... шатался. Тогда было полно американцев, я продавал им пиво, водил их к проституткам. И зарабатывал деньги.

Познер (с недоумением): И вам было десять лет?

Стриано: Десять.

Сальваторе Стриано

Познер (с недоумением): И вы знали, где найти проституток?

Стриано: Да, под каждым домом в моих переулках стояли проститутки.

Познер: И американцы вам за это платили? Это военные американцы были?

Стриано: Все они были военными.

Познер: И они вам платили деньги за это?

Стриано: Конечно. Мы доставали им алкоголь, наркотики и проституток. А они нам платили.

Познер: Мы — это кто?

Стриано: Я и еще четверо-пятеро таких же ребят.

Познер: То есть это была маленькая банда?

Стриано: Маленькая банда, но мы не делали ничего плохого.

Познер: Ну и дальше как пошло?

Стриано: Дальше... мы потихоньку выросли. А потом американцы уехали, потому что на площади Муничипио, на спуске Сан Марко заложили бомбу в их здании. Все взлетело на воздух, и корабли больше не стали останавливаться в порту Неаполя — это было опасно.

Познер: И как вы тогда стали деньги добывать?

Стриано: Мы воровали косметику: губную помаду, лаки. И продавали проституткам, потому что они много ими пользовались.

Познер: В это время вам было сколько лет?

Стриано: Одиннадцать-двенадцать.

Познер: Двенадцать лет... А когда вы впервые столкнулись с Каморрой?

Стриано: В четырнадцать. Я работал с ними... но вне организации. Я приносил им лотерейные билеты. У нас тут есть номера, государственные. Но Каморра этим занималась незаконно. У них были блокноты, куда записывались номера, а я ходил забирать эти блокноты, потом относить их в одно место. Поскольку я был маленький, никто меня не останавливал с моей сумкой.

Познер: То есть вы тогда еще не были членом Каморры, просто помогали им, выполняли какие-то их поручения. А когда вас заметили? Когда на вас обратили внимание?

Стриано: Ну они видели, как я работаю. И говорили, что я смышленый, что у меня хорошо получается. А потому поручений становилось все больше. Они давали мне свое оружие, и я приносил его домой. Давали наркотики — например, чтобы передать кому-то. Я был быстрым, умел водить машину, умел... умел это делать.

Познер: А как человек понимает, что он стал членом Каморры, что он действительно уже является каморристом? Как это с вами произошло?

Стриано: Когда они приходят за тобой к тебе домой. Даже если тебе ничего не надо делать. Ищут тебя, потому что хотят, чтобы ты был с ними... Ты им не нужен, но лучше, чтобы ты был рядом. Они чувствуют себя более уверенно, потому что думают, что ты можешь быть очень полезен.

Познер: Можно сказать «нет», и тогда тебя больше не пригласят? А если ты говоришь «да», это значит, что ты согласился стать членом Каморры? Это так надо понимать?

Стриано: Ну, нет строгого правила. Ты не подписываешь контракт. Видишься с ними день, два, три... Важен факт, что ты идешь рядом с этими людьми и другие тебя видят, автоматически причисляют тебя к ним. Это другие — полиция и враги — делают из тебя каморриста, а не друзья. Для друзей ты не каморрист, ты друг, часть группы. И все.

Познер: Значит, в этой группе все друг другу помогают, и есть какое-то... ну, товарищество, где вы все вместе и друг на друга рассчитываете?

Стриано: Да. Да, это так.

Познер: А когда в первый раз вы столкнулись с полицией — вы лично?

Стриано: В четырнадцать лет. Нас остановили на ску... на «Веспе». Меня и одного старшего друга, ему было лет сорок. При нем нашли три грамма кокаина. Поскольку у него имелись тяжелые судимости, для него это обернулось бы несчастьем, ему грозила тюрьма. И я сказал, что это мой кокаин. Я не должен был попасть в тюрьму. Но меня все равно забрали.

Познер: И сколько же вы провели в тюрьме?

Стриано: Мало, десять дней.

Познер: То есть вы взяли на себя его преступление?

Стриано: Да.

Познер: Ну, наверное, это оценили?

Стриано: Конечно. Так обычно делается в преступных группировках, в Каморре. Преступление должен брать на себя тот, у кого меньше провинностей перед правосудием, потому что в конце концов он заплатит меньше всех. Дело не в том, кто совершает преступление, ибо когда его совершает один человек — это все равно что его совершили все. А если надо расплачиваться, то это падает на того, кто рискует меньше всего.

Познер: И что дальше происходило? Ведь у вас возникли очень серьезные проблемы с полицией...

Стриано: Потом я вышел. Начал постоянно встречаться с группой друзей. Попадал в тюрьму и выходил из нее. Меня всегда останавливали, когда я носил при себе оружие, пистолет.

Познер: А что вы делали, собственно? Вот целыми днями чем вы занимались?

Стриано: Подъем в три-четыре часа дня, завтрак в четыре, кокаин... И бродили по улицам. Охотились на богатых туристов или на врагов. Каждый день.

Познер: Хорошо, вот вы нашли богатого туриста — что происходит? Например, я иду, я богатый турист. И что?

Стриано: Так ничего, потому что у тебя нет сумки... А, заберу часы.

Познер: А как?

Стриано: Вот так. Хватаешь здесь, держишь здесь и поворачиваешь. Вот здесь разорвется.

Познер: Это надо делать очень быстро?

Стриано: Быстро, да. Иногда получаешь по лицу, но это часть игры, куда же без этого.

Познер: А оружие... Это было ваше оружие, или вам старшие давали его хранить, потому что опасались быть пойманными с оружием?

Стриано: Нет-нет. В семнадцать лет я уже был взрослым.

Познер: А что вы почувствовали, когда впервые взяли в руки оружие?

Стриано: Бывало по-разному.

Познер: Нет, я имею в виду самый первый раз.

Стриано: Я чувствовал, что могу лучше защитить свою семью.

Познер: От кого?

Стриано: От тех, кто отворачивается от нее, кто ей угрожает. Государство от нее отворачивалось, а Каморра ей угрожала.

Познер: Вот давайте чуть поподробней об этом. Что значит «государство от нее отворачивалось»?

Стриано: У моей матери было четверо детей и никакой помощи. Из детей трое собственных и одна приемная дочь. Она появилась у нас дома, когда ей было всего десять дней, потому что мать девочки убили, и моя мама забрала ее к себе. Работал в семье только отец, и он не мог прокормить нас. А еще была Каморра — люди из квартала, которые угрожали, всегда издевались. Ты не мог захватить себе хоть немного пространства — пространство всегда принадлежало им. Так что нельзя было даже заниматься ничем тайком, чтобы сводить концы с концами. И я видел, какими мои родители были грустными, какими они были бедными. И это подтолкнуло меня к тому, чтобы выйти на улицу и зарабатывать на жизнь. Чтобы семье помогать.

Познер: Значит, Каморра — это не одна организация, а много разных кланов, что ли, и они друг с другом могут враждовать и даже убивать друг друга, так получается?

Стриано: Это в основном группы, которые убивают друг друга. Собака ест собаку.

Познер: Да-а-а... И вы постепенно поднимались в своем клане, вас стали все больше и больше выделять?

Стриано: Да.

Познер: И в чем это выражалось?

Стриано: Это просто так было.

Познер: Нет, вы меня не поняли. Как вы понимали, что вас поднимают, что вы становитесь важной персоной в организации?

Стриано: По той свободе, которая у меня появлялась, по возможности делать разные вещи. Я мог, если хотел, продавать наркотики, не спрашивая ни у кого разрешения... Мог воровать в любом районе Неаполя, не спрашивая ни у кого разрешения. У меня была квота по лотереям, квота по контрабанде сигарет. Каждую неделю, даже если я не выходил на улицу, мне присылали деньги домой. В та-

кой ситуации уже понимаешь, что ты неотъемлемая часть группировки.

Познер: На ваш взгляд, у вас было много денег?

Стриано: Нет, потому что... слишком много кокаина и слишком красивая жизнь. Хотя это в действительности не красивая, а ужасная жизнь. Но не знаю, почему она называется красивой. Женщины, секс, кокаин, преступность — все это «красивая жизнь». Я тратил на нее много денег. А потом, я был единственный в семье, кто принадлежал к... определенным кругам. Поэтому деньги исчезали.

Познер: А вы тогда были счастливы? Вы вспоминаете то свое состояние?

Стриано: Нет. Нет-нет, это сумасшествие. Я не был счастливым. Ты волнуешься за всех. Волнуешься за свою мать, сестру, брата, за друзей. Обязательно найдется кто-то, у кого дела идут хуже, чем у тебя. И еще всегда плохо ссориться. А эта среда состоит из ссор, угроз. Мы много занимались вымогательством — у магазинов, у людей. Однако наша группа нападала только на богатых. Мы были бедными, и у нас духу не хватало притеснять бедных. Поэтому мы трогали лишь богатых. Но и это нехорошо. Каждый раз, когда я вспоминаю... например, что я кого-то напугал или заставил плакать... Это все нехорошее дело.

Познер: Вам приходилось видеть смерть?

Стриано: Следующий вопрос.

Познер: Вам приходилось видеть смерть, убийства?

Стриано: Следующий вопрос.

Познер: А, понял, извините, пожалуйста.

Стриано: Нет, да нет, просто... в Италии нет правосудия. Я бы с удовольствием ответил на этот вопрос, но сейчас Италия — это страна четвертого мира, она не созрела для того, чтобы слышать подобные ответы от итальянского гражданина.

Познер: А когда вы попали в тюрьму всерьез?

Стриано: В семнадцать лет.

Познер: За что?

Стриано: За оружие. Две штуки. Не мое, одного моего друга.

Познер: И сколько же вы отсидели?

Стриано: Семь месяцев.

Познер: Семь месяцев... Что происходило с вашей семьей, пока вы были в тюрьме? С мамой, с папой... не знаю, были ли вы женаты или нет... вот что происходило с ними?

Стриано: Обо всем заботилась моя мать, когда меня не было. Отец всегда работал, он делал все что мог: трудился в порту разгрузчиком и выкладывался на полную катушку. Но нам помогала мать. Она выходила на улицу и делала что угодно, чтобы прокормить нас.

Познер: Разве ваши товарищи по Каморре не оказывали поддержку?

Стриано: Нет, я никогда не принимал помощи от Каморры, когда был вне игры. Так я оставлял себе возможность выбирать после освобождения — перестать или продолжать. Потому что если ты принимаешь помощь, в дальнейшем все становится сложнее. Ты будешь вынужден делать то же самое для других. А кто-то из друзей всегда сидит в тюрьме, и в конце концов ты станешь жить ради них, не сможешь больше жить для себя.

Познер: Я знаю, что вы в какой-то момент убежали из Италии в Испанию. Расскажите, почему и сколько вам лет было, когда это произошло?

Стриано: Мне было двадцать два года. Меня разыскивала полиция за ряд преступлений, которые мы совершили с друзьями. Один мой друг раскаялся и начал рассказывать обо всех наших делах.

Познер: И вы убежали. Какое-то время жили в Испании?

Стриано: Три года я там провел, скрывался. А потом меня арестовали, и я просидел полтора года в испанской тюрьме.

Познер: Арестовали в Испании?

Стриано: Да.

Познер: Это был Интерпол?

Стриано: Интерпол.

Познер: А потом вас выдали обратно в Италию?

Стриано: Через полтора года слушаний. Я не хотел ехать в Италию, надеялся расплатиться в Испании. Но по закону это невозможно.

Познер: А что, сидеть в Испании лучше, чем в Италии?

Стриано: В сто тысяч раз лучше.

Познер: Почему? Чем лучше?

Стриано: Потому что в Испании разрешают звонить домой каждый день. Семье, друзьям, кому хочешь. Разрешают заниматься любовью с той, которую ты любишь. Они гораздо человечнее.

Познер: Значит, вас вернули в Италию и приговорили?

Стриано: Меня приговорили, пока я был в Испании, Италия судила меня и приговаривала в мое отсутствие. После окончания процесса меня перевезли в Италию, и уже был готов приговор, я знал, сколько мне надо отбыть.

Познер: Ну и сколько же?

Стриано: Пятнадцать лет и восемь месяцев.

Познер: А сколько вы отсидели?

Стриано: Восемь с половиной лет.

Познер: Потом вас выпустили за хорошее поведение?

Стриано: Отчасти из-за того, что я хорошо себя вел, отчасти благодаря тому, что вышло помилование, и мне скосили три года.

Познер: Что такое «помилование»?

Стриано: Помилование — это государственный закон, по которому снимают три года тюрьмы всем, когда уже некуда девать людей. *(Со смехом.)* Когда тюрьмы переполнены, заключенных приходится выпускать. И еще учитывается сумма сроков, которые я отсидел, когда был младше. Они потом все складывают и просто делают арифметический расчет: пятнадцать лет и восемь, минус это, минус то, минус сё. Получается лет восемь-девять примерно.

Познер: Ну и что такое итальянская тюрьма? Какая она? Попробуйте просто чуть-чуть описать ее.

Стриано: Это бессмысленное место. Супермаркет преступлений. Спортзал, где ты можешь тренироваться для совершения любого преступления. Место, где у тебя отбирают все чувства. Если ты сам не говоришь там «хватит», то становишься бо́льшим ублюдком, чем был до того, как попал туда. Потому что там нет любви, там только надзирают и наказывают, надзирают и наказывают.

Познер: И в какой-то момент вы сказали себе: «Баста, я окончил с этим»?

Стриано: Я сказал «хватит»... *(Вздыхает.)* Пока я был в тюрьме, умер мой отец, умерла мать, я их так и не увидел... И мне это дело больше не нравилось. Потому что преступник... преступник не может любить. А я хотел любить. А затем я встретился с театром в тюрьме. И театр, я думаю, изменил мою жизнь.

Познер: Это была какая-то театральная тюрьма?

Стриано: Я сидел в тюрьме Ребибия в Риме, и там был театр. Пришел человек, который отбывал пожизненное заключение, и спросил нас, не хотим ли мы поучаствовать в театральном кружке. Ну так, забавы ради. Чтобы выйти из камеры, провести лишний час вместе, по-другому. И я согласился. Лучше выходить немного, ходить пешком, ходить в театр, чем лежать на койке двадцать четыре часа в сутки.

Познер: И что произошло с вами?

Стриано: Игра продлилась недолго. Дело в том, что... я никогда в жизни не читал. Вернее — читал только новости. А это оказалось здорово. Мне нравился герой, он был лучше меня... Мне нравилось играть, говорить: «Я хочу быть другим, не хочу больше быть собой». Еще в театре можно было побить кого-то, не сделав ему больно, можно было выстрелить и не убить, можно было нападать и никого не ранить. Все то же

К сожалению, фотография не передает всю нищету и безысходность Испанского квартала Неаполя — рассадника преступности

самое, что делал я, но со знаком плюс — идеальный вариант для меня.

Познер: А что вы читали?

Стриано: Что я читал? Много Шекспира, Брехта, стихи Леопарди, Назима Хикмета, Пабло Неруду, Гарсиа Лорку. Очень много пьес.

Познер: А какая пьеса Шекспира произвела на вас самое сильное впечатление?

Стриано: «Буря». Потому что там затрагиваются такие темы, как вина и прощение, свобода. Это были те чувства, с которыми я все время боролся. И при чтении меня охватывали особенные эмоции — во мне происходило что-то вроде травмы, по методу Станиславского. Пытаться увидеть в прошлой жизни то, о чем читаешь, и вспомнить те эмоции. С «Бурей» у меня это получалось.

Познер: А ваши мама и папа так и не узнали, что вы собираетесь хотя бы изменить свою жизнь и стать, например, актером. Они до этого не дожили?

Стриано: Нет.

Познер: Да... Я сегодня говорил с шефом полиции и спросил его, считает ли он, что само государство в значительной степени виновато в существовании Каморры. Как официальное лицо он не мог ответить прямо, но дал понять, что, наверное, считает. Вы того же мнения?

Стриано: Конечно. Это они. Они создают эту параллельную систему, чтобы подчистить все свои ошибки. Всю свою плохую работу. И все подразделения, которые они создали, — DIA (Direzione Investigativa Antimafia — отдел по расследованиям преступлений мафии. — ***Прим. перев.***), DEA, специальная полиция — они намеренно нагнетают ситуацию. Неаполитанцам хватило бы одной субсидии, чтобы сказать «нет» Каморре. Достаточно посмотреть на этот дом. Будь у них помощь от государства, они никогда не сказали бы Каморре «да». Но у них ее нет. Поэтому, если они хотят есть и приходит Каморра со словами «Вот, бери», — они держатся за это крепко и говорят: «Это мой хлеб». Они не смотрят на то, что это наркотики. Это хлеб. И это дело рук государства. Потому что нельзя оставлять людей на произвол судьбы. Если у тебя трое детей, ты не можешь двух кормить, а одного — нет. Тот, кому ты не дашь еды, пойдет кормиться в другом месте. А другое место — это беззаконие.

Познер: Вы сейчас где живете?

Стриано: Я живу тут, внизу. Не в переулках. Здесь мне немного лучше. Мне плохо в переулках.

Познер: Вы работаете сейчас как актер?

Стриано: Да.

Познер: Где вы снимаетесь? Или в театре играете?

Стриано: Закончил в марте работать с неаполитанским «Театро Стабиле». Я два года колесил по всем театрам Италии. Как раз с «Бурей» Шекспира. Потом снимался в фильме в Риме, он называется «Из-за решетки — на сцену», это история моей жизни. Работал в нем с братьями Тавиани, кинорежиссерами. Тема фильма — Юлий Цезарь Шекспира. Еще одна тема, которая и сегодня, через две тысячи лет после древних римлян, актуальна... Шекспир пишет о таких вещах, как преступные группировки, предательство, власть, свобода. Таким образом он еще раз входит в мою жизнь, чтобы стать моим лечением, моим лекарством. И это просто потрясающе.

Познер: Вы живете в Неаполе?

Стриано: Я живу в Неаполе. Однако сейчас я в Милане, потому что мы репетируем. Меня пригласили сниматься в художественном фильме для телевидения, для Пятого канала. Фильм называется «Клан каморристов». Но мне всегда дают роли плохих персонажей. Ничего не могу с этим поделать.

Познер: Скажите, пожалуйста, в Милане знают про ваше прошлое?

Стриано: Да. Из-за фильма «Гоморра» почти все знают мою историю.

Познер: И к вам нормально относятся? Вы не чувствуете, что на вас люди смотрят с опаской?

Стриано: Я как... как гей. Как негр. Как еврей... Но я беспризорник, поэтому...

Познер: Как? При чем тут беспризорник?

Стриано: Беспризорники — это ребята, которые рождаются в переулках, которые растут на улице. И поэтому я не обижаюсь.

Познер: Нет?

Стриано: Проблема только в том, что люди упускают возможность узнать меня — я так всегда говорю. Моя мать научила меня одному: расист — это тот, кто видит различия, а не тот, у кого тяжелое прошлое или другой цвет кожи. Многие люди незрелые в этом отношении.

Познер: А ваши бывшие товарищи по Каморре — они вас оставляют в покое? То есть вы смогли спокойно уйти, без каких-либо последствий?

Стриано: Да. Я нашел очень хороший способ, чтобы сказать «хватит», я выбрал искусство, культуру. Многие выбирают предательство, переходят на сторону полиции, а это нехорошо, неправильно. Я же заплатил все, что должен был, а потом сказал «хватит». Я не могу больше жить такой жизнью. И они увидели, что это правда, и счастливы, что я изменил свою жизнь.

Познер: Никого не предали?

Стриано: Нет. Кроме родителей.

Познер: Оружие сдали?

Стриано: Да. Я его подарил.

Познер: Вы женаты?

Стриано: Да.

Познер: У вас есть дети?

Стриано: Нет.

Познер: Хотите?

Стриано: Сначала я хочу еще немного стабильности, потому что это очень большая ответственность — иметь детей.

Познер: Желаю вам удачи и счастливой жизни.

Стриано: Спасибо, от всего сердца.

Познер: Мы ничего не упустили? Ничего больше не хотите сказать?

Стриано: Ну что мне еще сказать? Что с тех пор, как я изменил свою жизнь, — странное дело — все, что я замечаю, идет не так. А когда я был тем, из-за кого все шло плохо, мне все казалось менее драматичным, менее грустным. Это меня пугает.

Познер: А вы верите в существование хеппи-энда, счастливого конца? Верите, что это может быть?

Стриано: У нас в Неаполе был один парень, которого звали Мазанеду. Он устроил революцию в девятнадцатом, наверное, веке — может, ошибаюсь. Я думаю, что Неаполь близок к тому, чтобы вспомнить тот день, что неаполитанцы скоро устроят революцию. Такому городу нужно возрождение. Только сила народа способна возродить его. Не нужен мэр, не нужен один человек. Нужна сила сразу всех людей. Чтобы сказать «хватит».

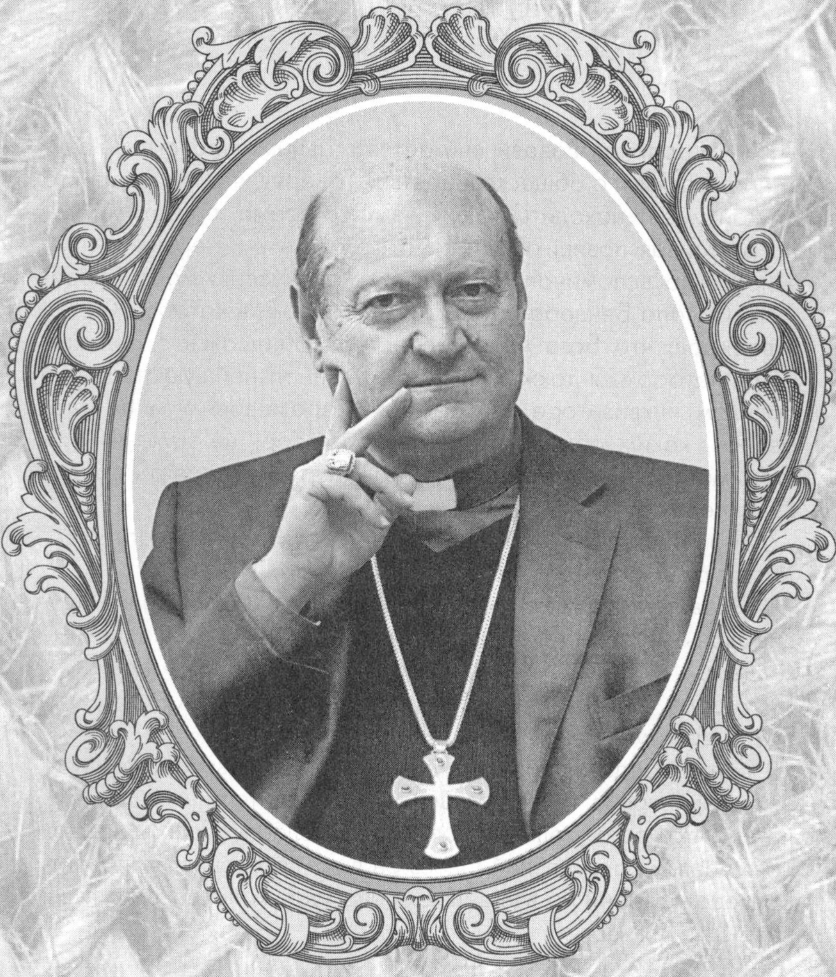

Кардинал Равази

Кардинал Равази

Кардинал Равази считается главным человеком Ватикана по связям с общественностью, Говорят, что он как никто другой умеет находить общий язык со всеми, при этом умело отстаивая позицию Ватикана. Готовясь к интервью с ним, я невольно вспоминал бессмертную дискуссию моего любимого Остапа Бендера с польским ксендзом, в которой Остап утверждал, что Бога нет. Полностью соглашаясь с Великим комбинатором, я также вспоминал гениальнейшую притчу о Великом инквизиторе из «Братьев Карамазовых» и пытался решить, каким образом повести разговор, не изменяя при этом моему принципу: дело интервьюера — задавать вопросы, а не спорить.

Что получилось — судить вам, читателям. Но не могу удержаться от некоторых соображений.

Первое. Католические архиереи более умелы, более эрудированы и более открыты для диалога, чем их православные коллеги.

Второе. Утверждение Равази о двух непересекающихся друг с другом истинах — блестящая находка.

Третье. Отдавая должное утонченности и ловкости кардинала, говорю прямо: он не показался мне убедительным в главном, потому что часто уходил от вопросов в область общих и довольно туманных рассуждений. Здесь он явно проигрывал оппоненту Бендера, который на все выпады сына турецкоподданного отвечал: «Есть Бог, есть!»

***

Познер: Если вы позволите, я начну с личных вопросов. Расскажите немного о себе. Где вы родились? Каким образом получилось так, что вы стали священником?

Равази: Моя история начинается в одной северной провинции Италии, в городке, где преимущественно занимались сельским хозяйством. Там я провел свои первые годы. Впоследствии я много лет прожил в Милане и других городах мира. Желание стать католическим священником идет из детства. Уже тогда у меня сложилось свое видение реальности. Видение, которое, с одной стороны, характеризовалось ограниченностью, слабостью, хрупкостью окружающего нас мира, истории; с другой стороны, я ощущал потребность в безграничности, вечности, меня волновал вопрос трансцендентности. Это личный и деликатный момент. И все это я осознал очень рано.

Познер: Чем вы сейчас занимаетесь? Я читал, что вы ведете телепрограмму, это так?

Равази: Да, вот уже двадцать три года по утрам в воскресенья я веду программу на телевидении. На ней присутствует очень разнообразная публика. Она формируется исходя из получаемых нами писем, по которым мы следим за реакцией зрителей. Практически двадцать процентов публики — это люди неверующие, несмотря на то, что программа религиозная. И к тому же она транслируется по национальному телевидению, но не государственному, а коммерческому. Я осознанно выбрал этот путь, который, на первый взгляд, кажется далеким от церковного мира.

Познер: Ну, у нас, значит, есть что-то общее с вами: я тоже в воскресенье веду телевизионную передачу, правда, не религиозную, но думаю, что двадцать процентов моих зрителей — как раз верующие люди. Скажите, какие проблемы сегодня, по-вашему, у Римской католический церкви? Главные проблемы?

Равази: Я думаю, что это так называемые внешние ее проблемы, имеющие более широкий горизонт и касающиеся не только внутренних дел. Основные таковы: первая — это отношения между верой и наукой, вторая — между верой и искусством в целом, и третья касается межкультурного общения — Католическую церковь окружают сообщества людей, имеющие иное религиозное выражение, и с ними необходимо находить общий язык. Еще одна важная тема — это коммуникация, то есть способность общаться с неверующими, с теми, кто равнодушен к религии, на понятном им языке.

Познер: Поговорим немножко о проблеме между верой и наукой. Она давняя. Самый яркий пример — Галилей, которого осудили в 1633 году, как вы знаете. И прошло практически четыреста лет, пока Церковь наконец не признала, что он был прав. Это говорит об очень большой консервативности Церкви, не так ли?

Равази: Прежде всего надо отметить, что вопрос отношений между Церковью и наукой очень сложный и затрагивает все религиозные сообщества. История с Галилеем — несомненно, негативный опыт для Католической церкви. Нам пришлось это признать, и сейчас можно сказать, что мы могли бы и раньше сделать это. Однако не стоит забывать следующего факта: Галилея не приговорили официально, Папа так и не подписал приговор. Но несмотря на это, между наукой и верой остается преграда. В девятнадцатом веке произошло еще одно столкновение — на этот раз был Дарвин со своей идеей эволюции. Дарвина церковь не приговорила, но ситуация была очень напряженной. И в тот момент наука приняла позицию отвержения Церкви. Можно вспомнить известное заявление датского философа позитивиста Огюста Конта*. Он сказал, что только физические утверждения являются истинными, потому что их можно доказать. Все остальные — теологические и философские — несостоятельны. Сейчас отношение изменилось. И я считаю, что не следует смотреть в прошлое, не стоит осуждать его, нужно начать новый путь, у которого будут две траектории. Первая — это диалог между наукой и верой, а вторая представляет собой две параллельные дороги, науку и веру. Но эти параллельные и автономные дороги могут попытаться сблизиться и сократить дистанцию.

Познер: Вы согласны, что, возможно, главное отличие человека от остальных живых существ — это жажда познания, жажда узнавать, задавать постоянно вопросы: почему? почему? почему? Вы согласны, что это, вероятно, и делает человека человеком?

Равази: Это очень интересный вопрос, и должен сказать, что я полностью разделяю вашу мысль. Ответ мы встречаем еще в греческой культуре. В одном из диалогов Платона из Апо-

---

* Кардинал, видимо, оговорился: Огюст Конт был французом.

логии Сократа Сократ заявляет следующее: «Жизнь без исследования не есть жизнь для человека». По этой причине я считаю, что наука и вера должны двигаться каждая своим путем по направлению к горизонтам, которые идут дальше истории и материи.

Познер: Не получается ли так, что Церковь, в частности, Католическая церковь, встает на пути этой жажды — жажды познания? В 2010 году один английский физиолог получил Нобелевскую премию за работы в области так называемого экстракорпорального оплодотворения. И Ватикан осудил его за то, что он делает работу... ну, греховную, что ли. Не является ли это как раз преградой на пути нашего стремления узнавать, кто мы, что мы, как мы?

Равази: Прежде всего заметим, что религия имеет свое видение человека, включающее несколько основных элементов, от которых она не может отказаться. Представление о достоинстве человека, об уважении к жизни, о естественном порядке и так далее. Все это темы, затрагиваемые любой религией. У католиков своя антропология, которой они должны придерживаться. В рамках диалога с наукой могут быть разногласия, наука иногда идет по пути, противоречащему религиозным представлениям. В связи с этим я считаю, что не обязательно все время приходить к какому-то согласию, важно быть последовательными, следовать собственным традициям и мировоззрению.

Познер: То есть по-вашему, этот конфликт, во-первых, непреодолим, потому что это два принципиально разных взгляда, а во-вторых, он, тем не менее, все же позволяет нам развиваться так, как мы считаем нужным?

Равази: Думаю, что сейчас будет кстати привести примеры этого отношения между наукой и верой. Вот вам первый. Один американский ученый, еврей и неверующий, Стивен Гулд, сформулировал теорию двух уровней, которая на английском звучит так: «non overlaping magisteria» (непересекающиеся магистерии). Это теория об областях жизни, которые не могут накладываться друг на друга, пересекаться. Но при этом необходимо взаимное уважение. Не просто не конфликтовать, но и уважать друг друга. Это первый путь, о котором стоит сказать. Наука отвечает на вопрос «как?», теология и философия — на вопросы «почему?», «в чем смысл?». Это разные вопросы. Существует и второй взгляд на эту проблему. Это мнение принадлежит Михалу Хеллеру, польскому ученому, который работает в Соединенных Штатах. Он сформулировал теорию диалога между наукой и верой. Эта теория заявляет следующее: предмет изучения один — это человек или мир. Неизбежно то, что и теолог со своим видением, и ученый со своими взглядами изучают один и то же предмет, а именно человека или мир. Но под разным углом зрения. Иногда они приходят к абсолютно противоположным выводам, но порой представляется и возможность сотрудничать. И мне хотелось бы привести несколько примеров. Первый касается философии. Теория относительности Эйнштейна — может быть, об этом говорил и сам Эйнштейн — сформулирована посредством не только физических категорий времени и пространства, но также и философских. Недостаточно одной науки, чтобы объяснить теорию относительности, лишь физических понятий времени и пространства. Нужен и философский вклад. Второй пример связан со следующим фактом. Представим, что ученый, изучающий клетки кожи в своей лаборатории, выходит после работы, идет на какой-нибудь званый обед, где встречает женщину, в которую страстно влюбляется. Глядя на ее лицо, он будет рассматривать его, опираясь не только на биологические критерии, но и на эстетические. Таким образом, это уже будет не наука в чистом виде, для него станет важным также и ненаучный подход. Познание человека многообразно. Познание научное сочетается с познанием художественным, философским и духовным.

Познер: Согласны ли вы с тем, что за последние сто лет вера, христианская вера вообще, потерпела... как бы сказать... убытки? Согласитесь ли, что с верой есть проблемы, особенно в последние годы?

Равази: На этот вопрос мне не хотелось бы отвечать от своего имени, поскольку я человек, связанный с Церковью. Да, на первый взгляд приток людей в Церковь уменьшился. Поэтому хочу процитировать слова одного ученого, который провел глубокий анализ по данной теме. Канадский социолог Чарльз Тейлор в своей работе «A secular age» («Светский век»), опубликованной два года назад, предложил два утверждения на эту тему. Согласно первому мы, вне всякого сомнения, все больше и больше отдаляемся от Церкви. Религия теряет свою силу. Думаю, то же самое происходит и в России. Все меньше людей ходят в церковь. Он, однако, замечает, что это касается лишь количественной оценки. Но если мы подумаем о качественной стороне вопроса, возьмем за единицу отсчета качественные параметры и посмотрим, насколько глубоко люди воспринимают религию, то увидим, что некоторые религии (не будем говорить, имеет ли это положительный или отрицательный эффект) даже набирают мощь — например, ислам. Сейчас это очень сильная религия. Второе утверждение свидетельствует о том, что мир возвращается к разным формам духовности. Это не обязательно религия, возможно, волшебство, магия, приверженность к чему-то. Но стремление к святому еще живет.

Познер: Раз вы упомянули ислам — что вы думаете о фундаментализме?

Равази: У меня есть две мысли на этот счет. Во-первых, ислам — это очень сложная реальность, его нельзя свести только к фундаментализму, который является самой очевидной и самой яркой его характеристикой. Я много встречался с иранскими делегациями, они стремятся к диалогу с нами вне рамок фундаментализма. Во-вторых, фундаментализм по сути — это слабость религии, которой постоянно надо утверждаться, защищаясь во враждебно настроенном к ней мире.

Познер: Вы говорили о сложности взаимоотношений между Церковью и искусством. Не могли бы вы объяснить, что вы имели в виду?

Равази: Прежде всего мы должны признать тот факт (и это, кстати, действительно и для России тоже, но особенно для католической Европы), что за плечами у нас богатые традиции, огромное культурное наследие. Нет ни одного музея в Европе, Соединенных Штатах, а также в других странах, где мы не познакомились бы с символами и основами христианства. Это касается прошлого. А теперь скажем несколько слов о настоящем. Проблема лежит в современном диалоге с искусством. Начиная с прошлого века, искусство и вера разошлись. Искусство нацелилось исключительно на исследование мирского, на элементы материальные, на компоненты, которые порой непонятны публике. Это скорее внутренний поиск, искусство характеризуется самонаправленностью. Многие стороны современного искусства не соответствуют традиционным канонам. Религия же, литургия и Церковь остались верны традициям и лишь повторяли формулы прошлого, используя кустарное производство. Искусство и вера пошли абсолютно разными путями. В прошлом все обстояло иначе: великие библейские темы и сюжеты всегда жили в творце. По этой причине я предложил, чтобы Католическая церковь приняла участие в венецианском Биеннале, где у нас будет свой павильон. И артистам, которых я отберу по всему миру, я предложу просто прочитать первые одиннадцать глав Книги Бытия, где они могут найти все основные религиозные темы, связанные с верой и существованием: жизнь, смерть, насилие, мироздание, разрушение мироздания, империализм власти и так далее.

Познер: Я по образованию физиолог, то есть я занимался наукой. И я смотрю на догмы как на что-то абсолютно неприемлемое. Когда мне говорят: ты не можешь спрашивать, ты не можешь сомневаться, ты должен верить, мне кажется, что это противоречит самому существу человека. Что вы думаете по этому поводу?

Равази: Этот вопрос касается также и философии и имеет очень широкий горизонт рассмотрения. В чем же на самом деле заключается противоречие, которое может возникнуть? Как я сказал ранее, не обязательно пытаться прийти к соглашению между верой и наукой, мыслью и верой. Основной момент здесь — вопрос истины. В современном обществе, выражаясь простым языком, существуют два ее понятия. В независимости от того, говорим ли мы о верующих людях или неверующих, первое понятие истины таково: истина была до нас и останется после нас, то есть истина объективна, она существует вне нас, и мы должны ее познать. Хорошо об этом сказал Платон (как вы видите, изначально это не христианская идея, но впоследствии христианство с ней согласится): «Душа на колеснице едет по равнине истины». То есть истина — это равнина, по которой движется душа, и в процессе она постигает ее. Это прогрессивный процесс. Движение вперед. Второе понятие возникло в семнадцатом веке и связано с именем английского философа Томаса Гоббса и его работой «Левиафан». В этой работе он формулирует следующее заявление: истина — это не фундаментальная норма, каждый вправе решить, что есть истина, а что — ложь в зависимости от обстоятельств. То есть истину создает сам субъект, и поэтому она способна меняться. Мы можем встретить эти два понятия и в науке, и в религии. В науке тоже существуют догмы и основные понятия, а в религии — объективные данные. Но и религия, и наука должны оставлять место поиску.

Познер: Как вы относитесь к тому, что за прошедшие полвека, в особенности в западном мире, куда я включаю Россию, в качестве чуть ли не главной цели люди поставили себе обогащение? Деньги играют главную роль. Для очень многих людей, в том числе и молодых, основная жизненная задача — стать богатыми. Как Церковь на это смотрит?

Познер: Этот серьезный вопрос волнует не только Католическую, но и Православную, и Протестантскую церковь. Сейчас формируется новая человеческая модель, у которой, на мой взгляд, две или три разные стороны. Первая сторона — это то, о чем упомянули вы в своем вопросе, а именно: человек под воздействием средств массовой информации начинает считать смыслом своей жизни материальные вещи. В девятнадцатом веке датский философ Серен Кьеркегор хорошо высказался на этот счет в своем дневнике: «Корабль уже в руках повара». Командир корабля передает по мегафону не маршрут, а меню на завтра. Этот момент присутствует даже в Библии — там, где речь идет об идолопоклонстве. Суть идолопоклонства заключается в том, что человек в качестве единственного объекта своих желаний выбирает не идеал и не Бога, а некий предмет. Другая сторона современного человека связана преимущественно с виртуальным общением посредством Интернета или телевидения. Основная характеристика такого общения — холодность. Молодой человек, который проводит перед монитором по четыре-пять часов, разговаривая со своим другом или подругой, имеет абсолютно иной тип коммуникации, нежели мы с вами сейчас. Мы можем видеть лицо, мимику, взгляд, догадываться о намеках собеседника. Общение изменяет культуру, изменяет шкалу ценностей. Современное общение, например, лишает нас возможности любить напрямую, и не только в сексуальном или материальном плане, но и вкладывая все наши чувства. Эрос, страсть, нежность, тепло — все это ценности, которые исчезают при отсутствии личностного, прямого общения.

Познер: Следует ли понимать так, что вы не очень оптимистически смотрите на будущее развитие человечества?

Равази: Для меня всегда имела огромное значение идея великого западного мыслителя Блеза Паскаля. Он был ученым, философом, а также верующим человеком, теологом. Он говорил: «Человек бесконечно превосходит человека». Конечно, с помощью рекламы мы способны убедить любого, что для счастья ему достаточно иметь возможность купить все, что ему предлагают витрины магазинов. Но у человека внутри всегда есть духовность (и мы не обязательно говорим здесь о вере, мы говорим о мирской духовности, которая будет вести его дальше и выше). Таким образом, надо верить в людей. Я думаю, существуют три-четыре фактора, которые доказывают нам, что человеческое существо нельзя свести лишь к потреблению, вещам и сексуальному удовольствию. Во-первых, человек влюбляется, испытывает настоящую любовь, настоящую страсть, желание отдавать. Во-вторых, он сталкивается с болью, с тайной страдания. В-третьих, встречается со смертью, и у него возникают вопросы: «почему?», «какой смысл в жизни?». И наконец, он способен любоваться необычайной красотой — например, природы, произведений искусства.

Познер: Вы когда-нибудь читали нобелевскую речь Уильяма Фолкнера? Он там говорит, что человек не только выстоит, но победит, победит именно потому, что у него есть душа, и это его спасет в итоге. Что вы думаете об этом?

Равази: Думаю, что это утверждение огромной силы, и оно соотносится со всем тем, что мы сказали до этого момента. Существует много определений души. Каждый философ описывал ее по-своему. Из всех определений можно выделить следующее: душа — это совесть человека, глубокая совесть, которую в современном обществе все стремятся заставить замолчать, отделить от нашей натуры. Но именно совесть спасет человечество. Спасет, потому что заставит нас искать вечное, бесконечное, а также вернет нам нравственность. Нравственность — это неотъемлемое условие жизни в обществе.

Познер: В связи с этим я не могу не спросить... Христианство существует давно, десять заповедей написаны очень давно, но за весь этот период, за две тысячи лет, чуть больше, человек ведь не стал лучше. Он как убивал, так и убивает, как воровал, так и ворует, как изменял, так и изменяет. Это вас не разочаровывает? Заповеди были провозглашены, их учат наизусть, а вот результат как-то не особо виден. И даже наоборот — убивают больше, преступления страшнее. Что скажете?

Равази: Конечно, необходимо признать, что одной из основных категорий христианской теологии, католической, православной и протестантской, является категория первородного греха, то есть негативного источника человеческой натуры в ситуации, когда ей предоставляется свобода. Оптимистическое видение Руссо человека идеального и совершенного можно считать недостаточным и просветительским. Верно и то, что человек постоянно сеет зло. Но надо отметить, что равновесие добра и зла мы всегда рассматриваем через призму зла. Газеты, средства массовой информации обычно сообщают нам плохие новости: они говорят о войне, о преступлениях и стараются не упоминать о хороших событиях и добрых делах, которые человечество постоянно совершает. И добрые дела всегда перевешивают на весах истории. Подумайте только о

родителях, которые проснулись сегодня утром и начали день, отдавая все лучшее, что есть в них, своим детям. Подумайте о многочисленных волонтерах. Подумайте о духовности, которая многим свойственна, о желании творить добро. Так что история не столь мрачна, как кажется на первый взгляд.

Познер: Ну да, ну да. В 2009 году в газете Ватикана «Оссерваторио романо» вышла статья, в которой автор говорит, будто учение Маркса неправильно понято и могло бы быть очень полезным для решения экономического кризиса, да и не только для этого. Означает ли это, что Католическая церковь стала по-другому смотреть на Маркса?

Равази: Я имел возможность цитировать Карла Маркса по случаю одного важного мероприятия, которое мы провели в Париже, с целью установить диалог между верующими и неверующими. В той речи я сказал, что видение Карла Маркса, так же как и совершенно иное видение Ницше, — это альтернативные взгляды по отношению к христианскому мировоззрению. Но ценность их в том, что это глобальные мировоззрения на человека, общество и историю. Они абстрагируются от христианской системы ценностей и, однако, содержат в себе этическое видение, даже если это мирская этика. Это по-своему культурное, духовное видение. Сейчас в современном обществе мы сталкиваемся с другой формой бытия, которая навевает ностальгию по мировоззрению Маркса. В современной культуре господствует образ мыслей, опирающийся на равнодушие, отказ от глобальных понятий. Нет больше идеологий. Эти идеологии порой были негативными, но их преимущество заключалось в наличии видения, а оно в свою очередь содержало ценности, которые мы могли применить в нашей жизни. В случае с Марксом это социальные ценности, социальная справедливость.

Познер: У меня еще один серьезный вопрос и два несерьезных. Есть религия, которая представляет собой некий взгляд на существование, на жизнь в целом. И есть Церковь, которая берет на себя функцию осуществления, толкования этой философии. Есть коммунистическая философия, но есть и коммунистическая партия, которая берет на себя функцию осуществления и толкования этой философии. Однако это только в теории. На самом деле все получается иначе — например, Коммунистическая партия Советского Союза на самом деле ничего не имела общего с философией коммунизма. В какой степени, на ваш взгляд, Церковь, в данном случае Католическая церковь, живет в ладу с самим учением Христа?

Равази: Я, возможно, зайду в ответе дальше, поскольку здесь следовало бы выстроить целый ряд рассуждений — ведь это очень сложный вопрос, несмотря на кажущуюся его простоту. Прежде всего всегда и в любом случае религия (сейчас мы говорим о Христианских церквах) — это конкретное историческое воплощение, находящееся на некоем расстоянии от идеала. На него постоянно давит вес истории человечества. Таким образом Церковь в любой момент должна быть готова исправить некоторые факты на основе идеала. В действительности, если говорить сравнениями, идеал, основной образ — это как Полярная звезда, которой надо следовать, но порой мы отклоняемся и выбираем другие пути. Это то, что в христианской религии называется необходимостью преобразования. В обществе она всегда обязана присутствовать, чтобы не было такого расстояния, какое наблюдалось между коммунистической партией и коммунистическими идеалами. Отвечая на ваш вопрос, можно было бы привести еще очень много рассуждений. Хочу остановиться на одном из них, наиболее сложном для мира веры. Это отношение между верой и политикой, между Церковью и государством. С одной стороны, несомненно, у Церкви есть функция — предлагать духовные ценности. Но с другой стороны, она связана с конкретными людьми, с историей и, как следствие, имеет представителей не только в храме, но и на площади.

Познер: Это как?

Равази: Скажем так: Церковь, безусловно, должна определять универсальные духовные ценности. Но она должна присутствовать и на площади. В связи с этим самое точное определение, возможно, мы видим в Евангелии, когда Иисус отвечает на вопрос о налоге, который следует заплатить Цезарю: Цезарю — Цезарево, а Богу — Богово. Политика имеет свою независимость, экономика имеет свою независимость. На монете, как говорил Христос, изображение Цезаря, что свидетельствует об автономности. Но фраза «Богу — Богово» означает, например, необходимость уважать свободу человека, его достоинство, любовь, справедливость, жизнь. И эти понятия затрагивают также и общество. Поэтому отношения очень сложные.

Познер: Теперь совсем короткие и несерьезные вопросы. Существует ли итальянский характер, не тосканский, не сицилианский, не неаполитанский, а итальянский — на ваш взгляд?

Равази: Думаю, что мы можем утверждать о наличии итальянского характера, так же как мы можем говорить и о русском национальном характере, несмотря на все этническое разнообразие, которое встречаем на территории России. Полагаю, что отличительной чертой итальянского характера является креативность, возможность свободно передвигаться. Наш характер связан с солнцем, мы очень солнечные люди. Это свобода, которая порой становится причиной неразберихи.

Познер: Вы сказали, что много ездили по Италии. Если бы я мог поехать только в одно-единственное место из тех, которые вы больше всего любите, куда вы бы меня направили?

Равази: Это очень сложно, поскольку Италия необычайно богатая страна. Но лучше всего с точки зрения культуры ее представит не одно место, а традиционный триптих: Рим, Флоренция, Венеция. Только все вместе. И нельзя исключить никакой из этих городов. Это если мы говорим о культуре...

Познер: Да, я понял. А все-таки у вас есть любимое место? Куда вы приезжаете, например, и которое у вас сидит в сердце?

Равази: Может показаться парадоксальным, но своим любимым местом я назвал бы одну римскую церковь. Вероятно, она вам знакома, однако я в любом случае приглашаю вас посетить ее. Она не самая красивая в Риме, но в ней находится картина, которая мне особенно дорога. Это церковь Сан-Луиджи-деи-Франчези с картиной Караваджо «Призвание святого Матфея».

Познер: И совсем несерьезный вопрос. Есть ли у вас любимое блюдо, про которое вы как итальянец сказали бы мне: «Это вы должны обязательно попробовать»?

Равази: Для начала упомяну о еще одной парадоксальной своей особенности: я являюсь гражданином Италии и гражданином Ватикана, у меня две национальности. Но в Ватикане нет характерных блюд. Только у Италии такие богатые традиции. В глазах русских телезрителей я хочу быть предсказуемым и не стану рекомендовать им утонченные блюда, а посоветую еще раз спагетти.

Познер: Что ж, вы предложили мне пищу материальную и много пищи духовной, за что я очень признателен вам.

Равази: Я тоже благодарю вас, а также всех телезрителей. И должен сказать, что одним из самых моих любимых писателей является Достоевский.

Познер: Не «Братья...» ли «...Карамазовы»?

Равази: «Братья Карамазовы». «Преступление и наказание». «Записки из подполья».

Ферруччо Феррагамо

Феруччо Феррагамо

История создания бренда «Феррагамо» — это что-то из голливудского кино. Тут есть все: и бедный мальчик, родившийся в маленькой деревушке; и родители, выступающие против того, чтобы он занимался тем, чем его одарила судьба; и бегство в Америку, и сказочный успех, и крах, и любовь, и смерть, и возрождение... Если бы кто предложил такой сценарий для фильма, уверен, от него отказались бы: такого не бывает, сказали бы, это какая-то фантастика.

Ферруччо Феррагамо — симпатичнейший человек, совершенно простой в общении. Нет и намека на то, что он — миллиардер. Он произвел на меня большое впечатление, но несравненно сильнее поразила меня его мать. К сожалению, потрепав меня по щеке, она не согласилась на интервью. «В моем возрасте, — сказала она, — только больные или дуры подставляют лицо камере. А я здорова и в своем уме».

Что правда, то правда.

Познер: Марка «Сальваторе Феррагамо» — это империя, она везде, по всему миру, но все началось с очень небольшого местечка. Расскажите мне, пожалуйста, историю с первых дней.

Феррагамо: История того, как мой отец Сальваторе начал свою карьеру, невероятно увлекательна. Он был молодым человеком, ему очень нравилось шить обувь, но его родители ненавидели эту профессию. Однако он не сдался. В деревне был сапожник, и папа сбегал из дома и шел через дорогу к нему в мастерскую помогать. В конце концов он уже так навострился все делать, что оставался за главного в лавке, пока хозяин пил в баре. Однажды за одну ночь папа изготовил пару белых туфель для своей младшей сестры, которой предстояло первое причастие. Родители поняли, что нет надежды заставить его стать адвокатом, или врачом, или архитектором. Папе было четырнадцать, когда он уехал в Америку.

Познер: В возрасте четырнадцати лет?

Феррагамо: Да. Он отправился навстречу приключениям. Папа хотел попытаться делать обувь в Америке. Его старший брат, который уже жил там, нашел ему потрясающую работу. В Бостоне, на современной фабрике с конвейером и новым оборудованием.

Познер: Это было в каком году?

Феррагамо: Это, должно быть, был 1912 год.

Познер: До Первой мировой войны?

Феррагамо: Да-да-да. Итак, в Америке он начал работать на фабрике, ему требовалась работа, но ботинки там выходили как «хот-доги». Папа сказал: «Я люблю обувь, но не о такой обуви я думал. Я хочу создавать свою собственную обувь». Он уволился и переехал в Санта-Барбару, поблизости от Голливуда, открыл там очень маленькую мастерскую, размером два на два метра, и начал делать такую обувь, о которой мечтал. Очень художественную, вы можете на нее посмотреть в музее Феррагамо. Благодаря «сарафанному радио» звезды Голливуда стали туда приходить, их друзья и коллеги видели на них обувь и тоже приходили. Папа был настолько завален заказами, что не справлялся. В 1927 году, в двадцать девять лет, он вернулся в Италию. Он выбрал Флоренцию как город, который вдохновлял его. В то время это было место более интернациональное, чем остальные, и более культурное, чем юг Италии. В тот год он основал в Италии свою компанию — «Сальваторе Феррагамо».

Познер: Если я правильно помню, ваш отец родился в маленькой деревне, в его семье было четырнадцать детей.

Феррагамо: Да, папа был тринадцатым.

Познер: А ведь тринадцать — несчастливое число.

Феррагамо (смеется): Ну... не всегда.

Познер: Оказалось счастливым. Это была очень бедная семья?

Феррагамо: Ну да, у них имелось всего ровно столько, сколько нужно для выживания.

Познер: А чем занимались его родители?

Феррагамо: Они владели фермой, по-моему, там имелись дом и поле (я не знаю, насколько большое, я его никогда не видел, но изначально у них было гектаров десять — что-то в этом духе, и вся семья жила на этих десяти гектарах). Потом многие из семьи эмигрировали, уехали в Америку, в Неаполь, в большие города в поисках удачи.

Познер: Как называется эта деревня?

Феррагамо: Бонито.

Познер: Это на юге?

Феррагамо: Да, это на юго-востоке от Неаполя.

Познер: Вы сказали, что он был одним из четырнадцати детей. А что с другими тринадцатью — они добились успеха в жизни?

Феррагамо: И да, и нет. Один из старших, то ли первый, то ли второй, Августино — он был гений. По-моему, он получил высшее образование в возрасте восемнадцати или девятнадцати лет. Но он, к сожалению, умер очень молодым, в двадцать пять или двадцать шесть. Еще один, Альфонцо, тоже уехал в Америку — именно он помог там папе, когда тот туда переехал. Он был успешен, но ничего особенного.

Познер: Ни у кого из них карьера не сложилась так, как у вашего папы?

Феррагамо (решительно): Нет-нет.

Познер: У вашего отца было шестеро детей?

Феррагамо: Да.

Познер: И все родились во Флоренции?

Феррагамо: Все родились во Флоренции в одном и том же доме, в одной и той же комнате.

Познер: Вас когда-нибудь возили посмотреть на деревню, откуда...

Феррагамо (перебивает): Да-да, это милая история на самом деле. Каждый раз на мамин день рождения было очень сложно выбрать подарок, потому что она сама покупала то, что ей нравится. Так что мы пытались ее расспросить: «Мама, ну скажи нам, чего тебе хочется?» — «Ничего, ничего, не тратьте денег, мне ничего не надо, у меня все хорошо». Потом она как-то подумала и сказала: «Вообще-то у меня есть желание: в качестве подарка на день рождения я бы хотела, чтобы вы все с супругами и моими внуками старше шести-семи лет поехали в Бонито и посмотрели, где родились ваш папа и я». И мы поехали и прекрасно провели время.

Познер: Она тоже родилась в Бонито?

Феррагамо: Да, мамочка тоже.

Познер: А когда ваш папа с ней познакомился? Он же в четырнадцать лет уехал из деревни?

Феррагамо: Да, но папа вернулся туда навестить родственников. Он пошел встретиться с кем-то — наверное, с моим дедом, но встретил мою маму. Она знала, что это тот самый знаменитый Сальваторе...

Познер: Он уже был знаменитым?

Феррагамо: Ну да, а мама, типичная женщина (усмехается), подошла к нему и...

Познер: Он, наверное, был очень независимым человеком. Все бросить и в четырнадцать лет уехать в Америку! Четырнадцать — это же еще ребенок.

Феррагамо: Да, он был очень уверен в себе и в том, что хотел делать. Много раз папа говорил, что в предыдущей жизни тоже шил обувь. Он в своей книге так пишет. Потом в 1929 году, через два года после возвращения в Италию, произошел экономический кризис, крах, и в 1931 году папа обанкротился, потому что люди перестали платить по счетам. У него были трудные времена. Но несмотря на это, два года спустя, в 1933 году, он купил это здание, в котором мы с вами находимся

Познер: Это палаццо?

Феррагамо: Это палаццо. Он купил его через два года после своего банкротства и еще через несколько лет приобрел дом во Фьензо, где мы все родились. Он был абсолютно уверен в себе и обладал большой смелостью.

Познер: Обувь, которую он шил в Санта-Барбаре, была женская или и мужская тоже?

Феррагамо: На девяносто процентов женская. Он также делал ботинки для знаменитого Рудольфа Валентино*, но большая

---

* Рудольф Валентино — знаменитый герой-любовник американского немого кино.

часть обуви изготовлялась для женщин. Когда папа умер в 1960 году, компания производила только женские туфли.

Познер: А что же было дальше?

Феррагамо: Дальше мама взяла дела в свои руки. Мама еще один неординарный человек в нашей семье. Ей исполнилось тридцать восемь лет на момент папиной смерти (она на двадцать четыре года моложе него), а нам, детям, было от семнадцати, как моей сестре Фиаме, до двух, как моему брату Массимо. Мама говорила: «Я знаю, как делать детей, а не обувь». Но она обладала смелостью и мечтала достичь целей отца. И тогда мы все вместе расширили ассортимент компании от женской обуви до всех тех продуктов для мужчин и женщин, которые производим сегодня. Когда мама рассказывает о препятствиях и целях, это очень увлекательно.

Познер: Ваша мама еще жива?

Феррагамо: Да, мама в офисе.

Познер: Прямо сейчас?

Феррагамо: Да, прямо сейчас. Она каждый день приходит в офис.

Познер: Сколько ей лет?

Феррагамо: Маме восемьдесят девять.

Познер: Восемьдесят девять?!

Феррагамо: Да, но у нее абсолютно светлая голова. Она совершенный персонаж, я хотел бы вас познакомить.

Познер: С удовольствием!.. Я говорил со многими итальянцами по ходу съемок, и один из вопросов, который я задаю, следующий: откуда у итальянцев такое чувство прекрасного? Я наполовину француз, мама моя француженка, я родился в Париже, у французов такое тоже есть, но я вынужден признать, что итальянцы в этом уникальны. Вы знаете, откуда это берется? Ренессанс, конечно, сыграл роль, но у меня ощущение, что итальянцы рождаются с этим чувством.

Феррагамо: Да, это хороший вопрос, я никогда не задумывался над ним в том ракурсе, под которым вы его задали. Но я думаю, что это заложено в генах итальянца, наверное, это связано с окружающими нас вещами, которые невероятно красивы. Живя во Флоренции, трудно это не ценить и не впитывать. Или в Венеции, или в Риме, но Париж тоже...

Познер (перебивает): Считаете ли вы, что если человек рождается, окруженный красотой, и вырастает в этом окружении, то, сам того не подозревая, он все впитывает, формируется под воздействием этого?

Феррагамо: Нет сомнений, что это идет от культуры, от образования, от того, к чему ты привык.

Познер: Смотрите, в шестидесятые и семидесятые годы прошлого века строили совершенно безликие, одинаковые дома, снаружи и внутри у них все было одинаково. Как вам кажется, на людей, которые родились и выросли в таких домах, это как-то повлияло? Они что-то теряют от того, что растут в подобной атмосфере, теряют чувство прекрасного? Не об этом ли фильм Кубрика «Механический апельсин»?

Феррагамо: Возможно, возможно. Я также думаю, что люди, делающие красивый продукт, который ценится на рынке (а рынок в итоге, как и в случае с остальными вещами, с брендами или компаниями, выбирает сам), растут и развиваются, а остальные...

Познер: Вопрос с заковыркой: вы считаете себя итальянцем или флорентийцем?

Феррагамо (смеется): Кровь моя полностью неаполитанская, мама и папа оба с юга Италии, из Бонито, и кровь моя оттуда. Но образование у меня флорентийское. Я считаю себя хорошей смесью, и там и там есть слабые стороны, но надеюсь, что они мне не передались.

Познер: Много лет назад, впервые приехав в Италию, я посетил Рим. Был август, стояла страшная жара, было малолюдно из-за летних каникул. И я пошел на Форум. Форум, как вы знаете, расположен ниже, чем город, там не слышно городского шума. Доносилось лишь пение цикад. Я шел по этим руинам и вдруг понял: вот откуда я, вот где все начиналось, и у меня по коже побежали мурашки. Вы как итальянец чувствуете, что ваши корни уходят в эпоху Древнего Рима?

Феррагамо: Может быть, не так далеко, не в такую древность. Но корни, конечно, это очень важно, это сильно на тебя влияет. В моей жизни это проявилось, когда я начал учиться делать обувь. Папа не заставлял меня, но настоятельно просил заняться этим, еще когда мне было девять. Он приводил меня в офис, считая, что четыре месяца летних каникул — это слишком. Поэтому в сентябре он стал мне платить, я был счастлив! Я не любил учиться, но мне очень нравилось работать, и я ходил с ним на встречи с прекрасными актрисами (это было совсем не плохо!) и учился делать обувь. Думаю, это помогло мне в дальнейшем росте.

Познер: Вы который из шести детей?

Феррагамо: Третий.

Познер: У вас есть старший брат?

Феррагамо: У меня две старшие сестры — Фиама и Джованна. Есть еще сестра после меня, Фульвия, а потом Леонардо и Массимо.

Познер: Остальные тоже учились делать обувь?

Феррагамо: Мальчики — да. Мы все трое знаем это ремесло.

Познер: Все?

Феррагамо: Да, это увлекательно — осознавать, что из куска кожи получились ботинки, очень крепкие, способные держать вес твоего тела. Сейчас, после папы, мы разделили работу. Девочки занялись творчеством. Фиама — обувью и сумками, Джованна — одеждой, Фульвия — шелком, платками и галстуками, а мальчики — техническими вещами: продажами, оптовыми поставками, администрированием. Мы все очень похожи...

Познер: Ваша обувь изготовляется вручную?

Феррагамо: Нет, ее держат в руках люди, но есть машина, которая работает, пока человек держит ботинок. Это интересно: посмотреть, как делаются туфли.

Познер: Вы делаете обувь на заказ?

Феррагамо: Мы делаем обувь на заказ, да, но у нас огромный выбор размеров. У каждой длины есть шесть вариаций ширины. Поэтому я часто говорю клиентам, что мы сделали туфли по их меркам еще до того, как они вошли в магазин.

Познер: Вот вопрос, который я задаю почти каждому итальянцу, у которого беру интервью: представьте, что я впервые в Италии и у меня мало времени, я могу посмотреть одно, только одно место здесь и больше сюда никогда не вернусь, — куда мне ехать?

Феррагамо: Дайте я подумаю.

Познер: Только не говорите, что я должен поехать в Венецию.

Если в Венецию, то будьте конкретны: что именно мне следует там увидеть.

Феррагамо: Я хотел как раз назвать Венецию. *(Смеются.)*

Познер: Я так и думал...

Феррагамо: Но если нужно что-то особенное, есть город, который недостаточно знают, хотя он прекрасен, — это Неаполь. В Неаполе вы найдете все: море, вулкан, еду, очарование неаполитанцев. Он очень мало известен. Однако если у вас только один визит и вы никогда больше не вернетесь (правда, я надеюсь, что вернетесь!), то поезжайте в Неаполь.

Познер: Постараюсь вернуться.

Феррагамо: Я должен признать, что и Рим очень красивый город, Рим вам предложит больше, чем Флоренция. Хотя Флоренция невероятно насыщенная. И тоже красивая.

Познер: Да уж... А что насчет еды? Я спрашиваю у разных итальянцев: какое блюдо мне стоит попробовать? И все мне называют очень простые блюда — паста с тем-то, паста с тем-то, крестьянский суп такой-то, хлеб с чесноком и помидорами. Никто не рекомендует высокую кухню. Что вы посоветуете мне, и где это лучше всего готовят?

Феррагамо: Я обожаю простую, очень простую еду, и не маленькие порции, так что высокая кухня исключается. Я люблю пасту, что естественно для Италии. Спагетти с помидорами — это типичное, одно из самых простых и вкусных блюд. Но дальше список продолжается и продолжается. Есть, например, паста аль форно, знаете, разные виды. Но мое любимое — это правильно приготовленные и правильно сваренные по времени, что не так-то просто, спагетти с томатным соусом — это типично итальянское, очень хорошее...

Познер: Другая тема: вы довольны Италией сегодня?

Феррагамо: Чем?

Познер: Ситуацией в Италии сегодня.

Феррагамо: Нет, совсем не доволен. Я считаю, что Италия — прекрасная страна с прекрасным народом. Итальянцы способны работать, способны к бизнесу, очень инициативны, хорошие естественные люди. Но у нас проблемы с правительством, и я не говорю даже о конкретном сегодняшнем правительстве. Я говорю в общем. Мне приходится мысленно возвращаться на много-много лет назад, чтобы вспомнить правительство, которое действительно выкладывалось бы и люди в котором защищали бы интересы Италии — так, как антрепренер защищает интересы своей компании. Этого мне сильно не хватает. И очень трудно что-то поменять, потому что один человек — это капля в море. Я ценю недавние попытки некоторых индивидов, но им очень сложно.

Познер: Что, по-вашему, является самой главной проблемой Италии сегодня?

Феррагамо: То, что люди не думают о ней. В разных сферах жизни я не вижу, чтобы то, что делается, делалось бы в интересах страны.

Познер: Одна из основных проблем в России сегодня, на мой взгляд, заключается в том, что деньги стали движущей силой почти всего. Одно дело, когда вы хотите создавать красивую обувь — вы ее создаете и продаете дорого. Но не деньги заставляют вас делать это, деньги — лишь результат. С вашей точки зрения, насколько сегодня жажда денег играет роль в жизни молодых итальянцев?

Феррагамо: Это очень важная глава — молодые люди. Я в попечительском совете, я председатель флорентийской школы, которая называется «Полимода». Это прекрасная школа, у нас тысяча учеников. У них проходят занятия по тканям, по стилю, по моделированию, нам повезло, потому что девяносто четыре процента наших студентов находят работу в течение шести месяцев. Сегодня ситуация в Италии совсем другая. В стране двадцать семь процентов безработицы среди молодых людей с образованием. И это ужасно как для них, так и для их родителей, которые идут на определенные жертвы, чтобы дети учились. Все упирается в систему. Студенты, по-моему, прекрасны. Они полны жизни. Они очень современны. Но я уверен, что у них больше трудностей, чем было у меня, когда я учился. И конечно, все упирается в деньги, нет воспитания верности и привязанности, лояльности к компании. Среди студентов, которых мы нанимаем, мы находим потрясающих молодых людей. Но не всегда у них есть возможности, многие позиции для них закрыты. Наверняка такая проблема существует и в других странах...

Познер: В Америке, где я прожил много лет, люди старшего поколения прежде говорили: наши дети будут жить лучше, чем живем мы. Они верили, что все идет только к лучшему. Сейчас ситуация изменилась, многие говорят: у моих детей не будет таких возможностей, какие были у меня, жизнь их не будет такой, как у меня. И это очень странно слышать в Америке, которая всегда отличалась оптимизмом. Что вы об этом думаете?

Феррагамо: Мы не сильно отличаемся. На самом деле везде царит ужасная бюрократия. Раньше такому человеку, как мой отец, решившему начать бизнес, требовалось желание и, может быть, бухгалтер. Сегодня так не получается. Столько правил и ограничений... Некоторые разумные. Но это охладит пыл любого, кто стремится начать свое дело. А иногда человек творческий, человек, у которого есть идея, не очень организован — часто бывает либо одно, либо другое. И то, что происходит сегодня, не помогает ему. Мне кажется, наша законодательная власть и правительство должны больше думать в этом направлении и как-то компенсировать или искать какие-то способы облегчить жизнь таким людям.

Познер: Совсем недавно вы отмечали стопятидесятилетие объединения Италии...

Феррагамо: Да.

Познер: Для вас лично это значимая дата?

Феррагамо: В этом году, мне кажется, это сильнее чувствуется, чем в прошлом. Может быть, самоощущение Италии стало более зрелым. Мы ведь совсем недавно вместе. Сто пятьдесят лет — это ничто. Но в этом году во всех отношениях мы прочувствовали это более, чем когда-либо.

Познер: Глобализация — тема, о которой много говорят и спорят. В каком количестве вы, Феррагамо, производите туфли, сумки, что бы то ни было, в Китае?

Феррагамо: В нулевом. Мы на сто процентов все производим в Италии и продаем свою продукцию в девяноста странах мира. У нас есть реализация в Китае, но мы не делаем там ничего.

Познер: Так вы чисто итальянские ремесленники?

Феррагамо: Итальянские ремесленники. То, что все производится в Италии, — это второй по значению фактор для бренда после имени Феррагамо. Мы считаем это очень важным. Кроме того, мы начинали в Италии, у нас итальянские сотрудники. В нашей компании три тысячи человек, но, кроме того, есть и мануфактуры, которые изготавливают вещи эксклюзивно для нас на протяжении уже пятидесяти лет, и мы не можем их подвести, они этого не заслуживают, они сражаются по цене, по качеству, по креативности — мы никогда не изменили бы им.

Познер: Давайте в конце интервью вернемся к искусству изготовления обуви. Расскажите об этом хотя бы чуть-чуть.

Феррагамо: Существует несколько способов делать ботинок. Есть детрамецца...

Познер: Это что значит?

Феррагамо: Это ботинок... Знаете, есть колодка, и сверху на нее вы накладываете кожу — это называется «ВАМП». Потом переворачиваете — там стелька. Кожа, которая соединяется под стелькой, прошита по кругу, а еще есть второй шов, он проходит через подошву, держит стельку, подошву и «ВАМП» вместе. Поэтому в мужских ботинках форма вот такая... смотрите... *(Снимает ботинок.)* Видите?

Познер: Вы носите только обувь «Феррагамо»?

Феррагамо: Да, иначе мама меня уволит... Смотрите. Вот тут сквозной шов, и еще один здесь... *(Поднимает стельку.)* Его вы можете тут увидеть... *(Разворачивает ботинок.)* Видите?

Познер: Да-да.

Феррагамо: Вот так вот...

Познер: А сколько времени требуется на изготовление пары обуви?

Феррагамо: Я бы сказал... *(Задумался.)* Поскольку их держат руками, хотя шьет машина, то изготовление займет около двенадцати часов.

Познер: А во времена вашего отца они полностью делались вручную?

Феррагамо: Да, все, полностью... На самом деле раньше их делали вот в этой комнате. Когда я был ребенком и ходил учиться шить обувь, это происходило в той комнате с фресками. Я входил туда, когда забивали туфли уже на финальном этапе изготовления, это был прекрасный звук, особенно мне запомнившийся.

Познер: Я хочу купить пару ботинок сегодня. Мне нужна пара черных, легких, летних туфель. Куда мне идти?

Феррагамо *(удивленно пожимая плечами)*: В «Феррагамо», конечно!

Познер: Да, но куда?

Феррагамо: Вниз, сейчас, со мной!

Познер: Нет, я не хочу вас задерживать.

Феррагамо: Мне до трех нечего делать, я люблю спускаться туда, это доставляет мне удовольствие. Правда. Я должен убедиться, что вы не пойдете к «Gucci».

Познер: Я не пойду, даю слово.

Феррагамо: Я шучу.

Познер: Хотя они очень хорошие...

Феррагамо: Очень хорошие. Я вас провожу.

Познер: Сколько пар обуви производит «Феррагамо» в год?

Феррагамо: Цифра довольно быстро растет. Мужских мы изготовляем шесть тысяч пар в день.

Познер: В день?

Феррагамо: В день! И они разъезжаются по девяноста странам мира! А женских больше, я сейчас не буду гадать, думаю, что-то около девяти или десяти тысяч пар обуви ежедневно.

Часть III

Дневник

Роскошный сад загородного поместья семьи Строцци

Читатель, конечно, понимает, что дневник ведется не для широкого чтения; в нем многое зашифровано или упомянуто вскользь, поскольку сам автор не нуждается в разъяснениях. Когда я вел этот дневник, то совершенно не думал, что он может войти в состав книги – но вошел. Поэтому прошу у Вас, читателя, извинения за то, что наверняка, читая его, Вы споткнетесь о какие-то непонятные для Вас вещи. Поверьте: они не имеют большого значения, так что Вы ничего не потеряете. Зато дневник предстанет перед Вашими глазами именно таким, какой он есть на самом деле безо всяких подправок, подделок и подработок.

февраль
26
день первый

Самолет в Рим вылетает в 5:50 утра. Надо встать в полчетвертого. Плохо соображаю. По ошибке упаковал бумажник в ручную кладь. Там деньги, так что уже в такси, вспомнив об этом, раскладываю чемоданчик на заднем сиденье. Едем. В это время Москва совершенно пустая, но на подъезде к площади Маяковского целое скопище машин.

— Что это, авария? — интересуюсь.

— Нет, — отвечает таксист, пухленькая хорошенькая женщина лет тридцати пяти. — Здесь много клубов и бордели, водители собираются, чтобы взять клиента.

Минут пять едем молча. Потом она спрашивает:

— Скажите как знающий человек — революция у нас будет?

— ?

— Да очень многие возмущаются.

— Вряд ли, — отвечаю.

Доехали до Шереметьево-2 очень быстро. И молча. Дальше все как всегда: регистрация, ритуал досмотра со снятием пояса и туфель, бутерброды с салями в салоне для пассажиров бизнес-класса.

В самолете авиалинии «Alitalia» всего четыре места бизнес-класса, которые абсолютно ничем не отличаются от мест класса экономического, если не считать одного: ряд в бизнес-классе состоит из двух, а в эконом-классе — из трех кресел, правда, того же вида и размера. Они жесткие и некомфортабельные. Что не помешало мне заснуть крепчайшим сном и проснуться, когда мы уже подлетали к Риму. Вместе со мной летят Аня Колесникова, Влад Черняев, Евгений Переяславцев, Стас Толстиков и Володя Кононыхин. Словом, та же команда, что была во Франции два года тому назад.

В римском аэропорту присоединилась к нам Лена Чебакова. Она живет в Италии уже одиннадцать лет, муж — итальянец. Прилетела с Сицилии. Маленькая хрупкая блондинка. По первому впечатлению — толковая и приятная.

Садимся в прокатный мини-вэн «Ситроен» (девять человек). За рулем Аня. Едем к Дзеффирелли. По пути заезжаем в кафе и завтракаем: панини, кофе и так далее.

Дзеффирелли живет на окраине Рима. Здесь особняки, парки, сады, полно зелени, никакого шума, вокруг так называемая экологическая зона.

Встречает нас его сын Пиппо. (Откуда сын? Маэстро ведь придерживается другой сексуальной ориентации.)

Внешне дом как дом, внутри — невероятная красота: полы из разноцветного мрамора, кругом античные статуэтки и статуи, обломки Древнего Рима. Декор отличается безупречным и тончайшим вкусом, все утопает в цветах. На рояле, столах и прочих поверхностях — фото друзей в неимоверном количестве, от Нуриева до Каллас. На мольберте стоит картина кисти Веласкеса. На стене — потрясающая копия Джоконды.

Вкатывают Дзеффирелли на инвалидном кресле. Двенадцатого февраля ему исполнилось восемьдесят восемь. И сейчас он все еще элегантен (в шейном платке) и хорош собой. Сразу обратил внимание на Аню. Светлые (может быть, красит?) на пробор волосы, голубые глаза. В молодости был писаным красавцем.

Говорим по-английски. Речь чуть замедленная, голос глуховатый. А впечатление ошеломляющее: говоришь с живой легендой.

Запомнить: без бедности трудно стать творцом. Постоянные триумфы скучны, надо рисковать. Критики — это неудавшиеся творцы, ими правит зависть. Футбол придумали флорентийцы, равно как и оперу (когда догадались, что древние греки пели свои пьесы, а не говорили). Обязательно надо увидеть Домский собор работы Брунеллески, забраться наверх. Съесть крестьянский суп из хлеба и бобов.

Поехали в Ареццо. За рулем снова Аня. Ехали часа полтора. Тут будем ночевать, чтобы завтра отправиться к Тонино Гуэрра в Пеннабилли.

Остановились в гостинице «Грацциела Патио Хотел», это здание бывшего палаццо. Номер достался совершенно замечательный — потолок (высотой не меньше семи метров) дубовый, второй этаж в виде балкона. Кровать, ванна — блеск!

Погуляли по городу. Чудо. Абсолютное Средневековье. Церковь Святого Франциска XII–XIV веков. На стенах — остатки потрясающих фресок. На улицах множество antichita (антикварных лавок), можно купить картину XV века (за миллион евро). Главная площадь. Ужинали в «Il Cantanucci». Очень вкусно и очень просто. Конец первого дня. Первый блин получился совсем не комом.

8:30 утра. Едем в Пеннабилли. Холодно. По мере того как поднимаемся в горы, начинает идти снег. Аня за рулем. Дорога хорошая, но сплошной серпантин. Доехали за два часа. Совсем маленький и, как водится, древний городок. Не можем найти дом Гуэрры. Приходит девушка от Лоры (жены Гуэрры), показывает дорогу. Идем в здание под вывеской «Мир Гуэрры». Входим. Впечатление: взрыв фантазии — картины, скульптуры, резьба по дереву, лантерны, изразцы, предметы мебели — все дело его рук. Кроме того, рисунки Феллини, Антониони, Параджанова, множество фотографий (Тарковский). Ходим, смотрим, снимаем. Вбегает Лора с криком: «Здравствуйте, мои дорогие!» Рыжая, синеглазая, ей за восемьдесят, но видно, какой она была красавицей. Темперамент несусветный. Все показывает, говорит, говорит,

говорит. Страшно переживает, что пошел снег, что все ее бутоны покрыты снегом.

— Сейчас заплачу!

Нет, не плачет.

Повела нас в дом:

— У меня там сорок кошек. И золотой ретривер. Его фамилия — Микеланджело, его нам щенком подарил Антониони. Он старый, ему двенадцать лет. Очень кашляет, простудился. Завтра вызову ветеринара.

Входим. Описать дом невозможно. Он битком набит вещами, сделанными руками Гуэрры, да и не только его. Экскурсия. Наконец входим в комнату, где ждет нас мастер. Черные волосы, черные усы, черные сверкающие глаза. Роста небольшого. Голос ясен и громок. Темперамент — ураган.

— Как снимать интервью? Я же понимаю в режиссуре. Камера панорамирует, идет, не видно ни вас, ни меня. Вы спрашиваете... — (Типично итальянская жестикуляция, которая в данном случае означает: «мол, не важно, о чем».) — «Вы давно убили свою жену?» Я отвечаю — нас по-прежнему не видно: «Позавчера вечером». Вы: «А почему вы не в тюрьме?» Я (на лице тень чуть хулиганской улыбки): — «Потому что я близкий родственник Берлускони». Тут камера показывает вас, и вы говорите: «Странно, очень странно...» Все, понимаете, зритель уже не оторвется...

Время уже 12:30, а Гуэрра должен обедать в час (Лора неумолима). Как быть? Мы едем с ней в местный ресторан (Гуэрра обедает дома). Машину несет. Как будем добираться до Рима?

Ресторан совершенно не итальянский. Скорее, французский. Шеф — творец. Еда потрясающая*. После едем назад (за рулем Влад). Ехать дико трудно — снега навалило сантиметров десять. Добрались не без труда. Пришли в дом. Беру интервью. Лора переводит. Иногда вставляет свое. Ругаются, как дети. Он ей: «Интервью берут у меня, а не у тебя».

Разговор бесконечно интересный. Не успел задать и половины вопросов. Он в 16:00 должен уйти в «Мир Гуэрры», куда придут друзья. Покажут им документальный фильм о... Гуэрре.

---

* Это была самая изысканная еда из всего, что я перепробовал за два с половиной месяца поездки по Италии.

Я стою у столика, за которым работал Макиавелли... и явно растерян

Куда обязательно поехать: в Равелло.

Чудный мужик. Никак не могу взять в голову, что он работал с Феллини, Антониони, Де Сика, Тарковским, Рози...

Подарил фото. Похвалил.

Ему будет девяносто один год. Не верится.

Едем в Рим по другой дороге, без серпантина, но в два раза длиннее. Вместо двухсот километров проехали триста восемьдесят. Добрались до Рима в половине первого ночи.

Я в гостинице «Hassler».

Короткий разговор с Аней о ближайших планах.

Лена нам очень понравилась.

Что ж, начало положено.

P.S. Гвидо из Ареццо (Guido d'Arezzo) изобрел современную нотопись!

На следующий день позвонил Гуэрра, сказал, что я «великий интервьюер», но оператор у меня никуда не годится (поскольку, добавляю от себя, не послушался совета-указания Гуэрры о том, как ему надо снимать).

Вылетаю из Москвы, чтобы пятнадцатого и шестнадцатого взять во Флоренции интервью у семей Строцци и Антинори. Приехал в Шереметьево-2 без приключений, сел в бизнес-класс «Alitalia». Хуже нет авиалинии во всей Европе. Кресла маленькие, неудобные, ничего не дают почитать, никакого тебе кино. Тьфу! А деньги берут как большие. Прилетели в Рим с ребятами в восьмом часу вечера. Надо сказать, что аэропорт Фьюмичино отличается такой же безалаберностью и неудобством, как и «Alitalia».

Зарегистрировался на рейс во Флоренцию. Минут за тридцать до посадки присоединилась к нам прилетевшая из Катании Лена.

С княгиней
Ириной Строцци

Князь Джакомо Строцци
со своей княгиней

Ваня, князь и фотоаппарат

Самолет набит битком (никакого рукава, только автобус). Некуда поставить ручную кладь. Как сельди в бочке. Слава богу, лететь не очень долго — минут сорок. Аэропорт во Флоренции более чем провинциальный.

Нас задерживает итальянская таможня: где документ, гарантирующий, что вы свою аппаратуру вывезете обратно в Москву? Бред. Этак минут двадцать. Наконец отпустили. Машины напрокат — прямо на улице. Льет проливной дождь. Перед нами две девицы престранного вида («Попугаи», — говорит Влад) бесконечно долго оформляют документы на машину. Потом наша очередь. Тоже очень долго. Берем две машины вместо одной большой (узнал, что мне большую не дали бы, только до семидесяти пяти лет — ах-ах!).

Поехали в город. Дождь лупит. Тьма кромешная. Впереди — Кононыхин со своим русским GPS, сзади Влад и я с местным. «Читают» они по-разному. Плутаем по узким улочкам средневековой Флоренции. Наконец нашли мою гостиницу «Hotel Helvetia & Bristol». Номер отличный. Одно старинное окно смотрит во двор-колодец. Ложусь спать. Что будет завтра, как сложится?

Выехали без двадцати десять, прибыли на место — Palazzo Guicciardini — в условленное время, а потом начались мытарства с парковкой. У входя в палаццо нас ждала княжна Наталья Строцци, старшая дочь Ирины и Джироламо, довольно миловидная и несколько экзальтированная женщина лет тридцати. Прекрасно говорит по-русски. Стояли-стояли, потом подошли Женя и Стас с частью аппаратуры, снова постояли, наконец решили подняться. Ждала нас княгиня Ирина Строцци. На вид ей что-то около семидесяти. Явно со следами былой красоты. Одета изысканно-просто: шелк местного производства, бледно-желтая юбка и жакет с вышивкой. Волосы зачесаны назад, на затылке узел. Шатенка. Глаза светлые. Говорит по-русски превосходно — и не только по-русски. Чай-кофе-печенье, тончайший фарфор и так далее. Со мной Иван и Наташа. Болтаем. Наконец появляются Влад, Володя и Лена. Интервью: княгиня

Я не мог удержаться от того, чтобы сфотографировать это чудо-дерево в саду у Строцци

Ирина (старшая) и ее дочь Ирина. Блеск. Главное достоинство: абсолютная естественность, простота. Смотрят в глаза. Княгиня Ирина could charm a bird off a tree.

Описать палаццо крайне трудно. Это надо увидеть. Одно библиотека и стол, за которым работал молодой Макиавелли, — как сказал бы Хрюн Моржов, — внушаеть.

Запомнить: почему палаццо не было взорвано (дружба немецкого коменданта со Строцци).

Поехали в поместье Кузано — километров в сорока, рядом с Сан-Джиминьяно. Башня постройки 994 года.

Интервью с Джироламо Строцци и Натальей. Опять: обезоруживающая простота. И откровенность. Рассказ о типично флорентийской мести: портреты Медичи на стенах в столовой. Подвалы.

День явно удался. Завтра — Пьеро Антинори.

Вечером был у моих старинных друзей Лизы и Стефано. Какие прелестные люди!

Еще ночью (перед сном) вспомнил, что где-то забыл футляр от компьютера и вложенные в него бумаги. Позвонил Наталье в Кузано — она нашла футляр в машине. Договорились встретиться без пяти десять на Piazza della Revoluzione.

Утром предупредил Лену. Договорились, что Влад, Женя и Стас поедут в 8:30, а мы в 10:00. Встретился с Натальей, все получил. Поехали.

Погода отвратительная. Лупит дождь, холодно. Доехали за час. Загородная вилла дома маркиза Антинори. Занимается нами некая Виктория. Ребята говорят, что их очень плохо принимали. Со мной она шелковая. Но все время суетится по поводу «картинки». Хозяева опоздали почти на час. Несколько нервно: мне надо выехать самое позднее в 2:30, чтобы успеть на самолет.

Их двое: Пьеро Антинори, 1938 года рождения, моложав, одет по моде и со вкусом, и его старшая дочь Альбиера, вице-президент компании. Чуть-чуть говорим о вине, но гораздо интереснее об Италии (завтра исполняется 150 лет образования Итальянского государства) и особенно о молодежи, о ее проблемах. Они считают, что следующее поколение будет жить хуже, чем жили и живут они, — и материально, и морально. О еде: снова — самое простое и есть самое вкусное.

Обед: помидорное пюре, замешанное на хлебе. Овощи, мясо, оливковое масло и вино. Вполне себе вино. В общем, несмотря на неприятное начало, хорошее интервью и приятные люди.

Отправился в аэропорт, прибыл сильно рано. Сел в автобус и поехал на самолет, оставив около кресла, на котором сидел в зале ожидания, сумку с двумя фотоаппаратами, объективами и так далее. Вспомнил, когда вышел из автобуса. Еле успели привезти. Потом, уже в Амстердаме, забыл компьютер, когда проходил досмотр, — какой-то мужик мне напомнил. Что это — старость?

Очередная поездка «за интервью». Предстоит побывать в Милане, Венеции, Триесте и Риме.

Самолет из Москвы в 9:55. По дороге в Шереметьево-2 сплю. Приехал сильно рано, ничего интересного. В самолете встретил Ваню Урганта. Он летит со мной в Милан, но только для интервью с Дольче и Габбана, на следующий день возвращается в Москву — такой график. Вообще-то, жаль. Он будет появляться совсем эпизодически в интервью, что в принципе плохо. Но ничего не поделаешь.

Прилетели без приключений, нас встретила Лена, сели в такси и поехали. Мы с Ваней проживаем в отеле «Principe di Savoia». Думаю, что это лучшая гостиница Милана — был здесь один раз, давно, в старой жизни. Помню, мы с Катей облазили собор, который, несмотря на всю свою эклектичность, производит сильное впечатление. Много тогда фотографировал. Потом пошли на шопинг — получилась целая гора фирменных пакетов. Тоже сфотографировал. Затем побывали у Леонардо на «Тайной вечере», которую незадолго до этого восстановили японцы (кажется).

Еще был здесь с политобозревателем Дружиным, когда шли переговоры о каком-то советско-итальянском телепроекте в области международных отношений. Ничего тогда из этого не получилось. Но я накупил для нашей квартиры телефонных аппаратов (итальянский дизайн!). Из этого тоже ничего не получилось — не те шнуры, не те вилки. Ладно, это все глубокое прошлое.

Из гостиницы поехали к Дольче и Габбане, в их контору. Громадный дом с кучей охраны. Украшений много, и они очень своеобразны: одна комната вся «леопардовая», другая — в красном бархате. Богато, конечно. Появились Стефано Габбана и Доменико Дольче. Первый довольно высокого роста, стройный, утонченный, лицо красивое, чуть капризно-слащавое, понятно, что может быть очень неприятным, взбалмошным. Дольче — невысокого роста, лысый, носит очки, модно небритый, лицо умное, хотя и некрасивое. Если Габбана одет очень стильно (но просто), то Дольче — в черном тренировочном костюме и кедах. Три лабрадора: один черный, два бежевых.

Само интервью прошло вполне живо. Любопытно: Габбана прямо с жаром утверждал, что он — итальянец! Это в отличие от тех, кто говорит о себе «флорентиец», «сицилианец» и так далее. Больше — и умнее — говорил Дольче. Потом вернулись в гостиницу, и я поехал в главный магазин «D&G» на Via della Spiga, 26. Платья нужного размера не было, зато было пальто. Купил. Потом вернулся в номер.

Вечером отправились с Ваней ужинать в «Да Джакомо», который смотрит прямо на собор. Якобы один из лучших ресторанов Милана. По мне — так себе. Взяли по салату из шпината, я съел нечто вроде шницеля по-милански, а Ваня — что-то из рыбы (он постится). Еще заказали бутылку «Rosso di Montalcino» за 57 евро. Заплатили по 100 евро. Вернулись в гостиницу, и я завалился спать. Встал в 7:00, позанимался физкультурой. Пока — все.

апрель
5
день седьмой

Позавтракали (очень вкусно) довольно поздно. Потом Ваня улетел в Москву, а я поехал на интервью с Джино Страда. Он интересен мне не только как знаменитый врач, с которым я могу поговорить о системе здравоохраненрия в Италии, но и как человек, который возглавляет медицинскую ассоциацию, похожую на «Врачи без границ». Собирались сделать это у него дома, но там прорвало трубу. Встретились с ним в штаб-квартире «Emergency». Впечатление серьезной, увлеченной своей работой группы людей. Сам Страда очень хорош, ему должно быть чуть за шестьдесят. Лицо совершенно «итальянское» по чертам, заметны следы страданий и тяжелых испытаний. Редко улыбается, смотрит прямо в глаза. Ощущение, будто он постоянно думает об одном — самом главном. Интервью получилось.

Потом должны были взять интервью у знаменитой итальянской оперной певицы, которая больше не поет, но преподает в «Ла Скала». А она исчезла. Типичное итальянское разъебайство.

Пошли пообедали. День чудесный, на солнце хорошо — за двадцать тепла. Я выпил кружку пива и съел спагетти с белыми грибами. Купил пачку тосканских сигар. Поезд в Венецию в 20:00, пошли всем кагалом на вокзал (здание гигантское и совершенно уродливое, явно построенное во времена Муссолини), чтобы попытаться поменять билеты. Пока наши дамы выясняли, позвонил Куснирович и сообщил, что Этро все-таки согласен на интервью (утром говорили, что он вообще не дает интервью, дают только его дети). Время — четвертый час. Вернулись Аня с Леной и сказали, что билеты не меняют, если что, надо купить новые (?!). Повезло. Поехали к Этро, который принял нас в своей громадной мастерской. Кайф! Самому на вид лет семьдесят, лысый с седой щетинкой, в очках, глаза очень добрые, совершенно прост в общении. К нему присоединился главный стилист, его сын Кин. Хорош до невозможности: пышная шевелюра, собранная в косичку, борода и усы, белейшие зубы, сверкающие черные глаза — от него так и брызжет энергией, радостью.

Интервью потрясающее, совершенно неожиданные слова о том, что ныне стыдно быть итальянцем. Дольче и Габбана отдыхают.

Закончили в полшестого, отправились на вокзал. Приехали, и выяснилось, что Влад оставил у Этро свою сумочку — поехал за ней назад с Леной.

На вокзале нет ни одной тележки. Нет и носильщиков, если не считать парочки совершенно подозрительных субъектов явно «левого» толка.

Сели в поезд. Ехать 2 часа 35 минут. Я в первом классе. Предложили полстакана воды и какие-то сушки. Все. Сиденье не откидывается, нет розеток — до французского варианта (TGV) очень далеко.

Прибыли минута в минуту на вокзал Санта-Лючия, дошли до водного такси (по 10 евро с рыла) и поплыли по гостиницам. Я — в «Danieli». В первый раз. Красота. Заказал в баре двойной «Lagavulin», выпил и пошел на Сан-Марко. Волшебство! Почти пусто. Три музыканта — флейтист, басист и пианист — играют джаз. Заказал себе еще виски. Заиграли «I'm in heaven». Так и есть — I'm in heaven. Закончили играть под бой часов: полночь. Передать невозможно. Сильно поддатый пошел спать.

P.S.: Два впечатления от Милана : удивительная чистота города и абсолютное отсутствие собственного лица.

С утра — встреча на рынке Риальто (Mercato di Rialto). Минут двадцать ходьбы среди красот. Первое жанровое интервью с продавцом рыбы. Продает только рыбу из лагуны и из Адриатики. Его товар стоит в два-три раза дороже остальных. Борьба за сохранение оптового рынка, без которого этот, в частности, погибнет. Продавец колоритный и симпатичный. Потом встреча с архивариусом. Тоже очень симпатичный человек. Замечательное помещение бывшей корабельной мастерской. Обед. Очень вкусно. Спор из-за того, должны ли мы платить из своих суточных за итальянцев. После обеда — посещение мастера по изготовлению forcole (уключин). Просто красота. Симпатичный человек. Пожалуй, все. Завтра едем в Триест к знаменитому астроному Маргерите Хак.

апрель
7
день девятый

Едем в Триест. Поезд в 7:30, так что встать пришлось около 6:00 с учетом того, что до вокзала на водном такси плыть минут двадцать. С Леной не поняли друг друга относительно места встречи. Она старается и, судя по всему, человек хороший, но пока как линейный продюсер слабовата.

Сели в поезд. Вагоны только второго класса. Пожалуй, чуть удобнее наших электричек. Туалеты либо не работают, либо воняют. До Триеста — два часа. Доехали, сели в такси, отправились к дому Маргериты Хак. Двухэтажный серый особняк с садиком стоит на пригорке. Сама открыла дверь: седая, согбенная от возраста (восемьдесят девять), с необыкновенно притягательной улыбкой и красивым, выразительным лицом.

Пока выставляемся, муж довольно громко бурчит, что все это ему надоело. Хак не обращает никакого внимания. Кругом на полках книги — тысячи. Всюду — порядок, как и у нее в голове. Отвечает четко, подробно, совершенно не сбиваясь. Выясняется: с рождения вегетарианка. Интервью очень интересное.

После этого заехали в бар, выпили кофе с бутербродом и двинулись обратно в Венецию. В 18:00 Адриана Вианелла, наша чичероне по Венеции, повела нас посмотреть на то, как ее муж спускает на воду barchetta da fresca (прогулочную лодку), которая отличается от гондолы размером и цветом (вспомнить, почему гондолы черного цвета, — чума). Очень интересное зрелище. Потом они с мужем покатали меня, а ребята снимали нас. У меня был вид турецкого паши или владельца нескольких нефтяных скважин.

После всего этого Адриана пошла с нами, вернее, привела нас в ресторан, где выбрала нам столик (со Спириным). Вкуснота! Все-таки самое вкусное в итальянской кухне — простая еда.

Завтра едем к стеклодувам, а потом в Рим.

Позже поругал Аню за то, что а) не слушает голосовых сообщений по телефону, б) все время оправдывается тем, что «подумала» или «не подумала» и в) склонна подвирать, оправдываясь.

Выдающемуся астроному Маргерите Хак за девяносто, но она необыкновенно красива

апрель
8
день десятый

К 10:30 — на остров Мурано, чтобы встретиться с господином Моретти, хозяином завода современного стекла. Моретти: невысокого роста, лет шестидесяти, в очках, прелестный человек, художник, возглавляет семейное дело, всю ночь не спал, волновался перед интервью. Рассказывает о своем деле сочно и влюбленно. Провел по всем стадиям производства ваз новой коллекции — пятнадцать видов, каждой по двести двадцать две штуки с клеймом, номером и подписью. Рабочие-стеклодувы — настоящие художники, работают как часы. Дали мне выдуть... нечто. Аплодисменты. Конечно чудо. Оказывается, надо учиться минимум пятнадцать лет, чтобы стать мастером. Стеклодувы, рассказал Моретти, живут очень долго — это для меня совершенно неожиданно.

После этого пошли к «традиционному» стеклодуву: «Signoretta». Делают люстры — и опять дело семейное. Говорят, они в своем деле номер один на Мурано. Красота несусветная. Отец семейства — Джанни, с копной седых волос, суровый, типично итальянское лицо, — показал нам, как делается цветок. Есть на что посмотреть.

Кононыхин порвал, кажется, связку в колене, еле ходит.

Завершили все на Мурано к 15:30, поехали в Венецию. Поезд на Рим только в 19:45. От скуки ожидания чуть не сдох. Решил целиком кроссворд в «U.S.A. Today».

Поездка в Рим без приключений. Поезд опять опоздал. Муссолини был бы недоволен.

Встреча с кардиналом Равази назначена на 11:00. Поехал на такси. В этой части Рима находится Ватикан. Народу — тьма. Полно полиции. Сплошные свистки. Из-за строительных работ очень затруднен переход. Ищу дом на Виа делла Кончилиационе (улица Примирения), 5. Там ждет меня Равази не в кумачовой мантии и кардинальской шапочке, а в черном. На груди на цепочке — большой золотой крест. Ему под семьдесят. Роста среднего, плотного телосложения, лицо круглое и крупное. Сразу видно, что умный. Разговор крайне интересный. Образован и эрудирован. Не знаю, будут ли слушать, уж очень уровень беседы высокий. Но что ни говори, Церкви крыть нечем, хотя красиво аргументирует: есть две правды — правда науки и правда религии, эти правды не сходятся. Здорово! Надо бы сохранить связь.

Прилетели Надя, моя жена и Наташа (Ургант). Дальше обед, шопинг и так далее.

Этому искусству учатся 20 лет, настоящим мастером становятся лет через 30–35

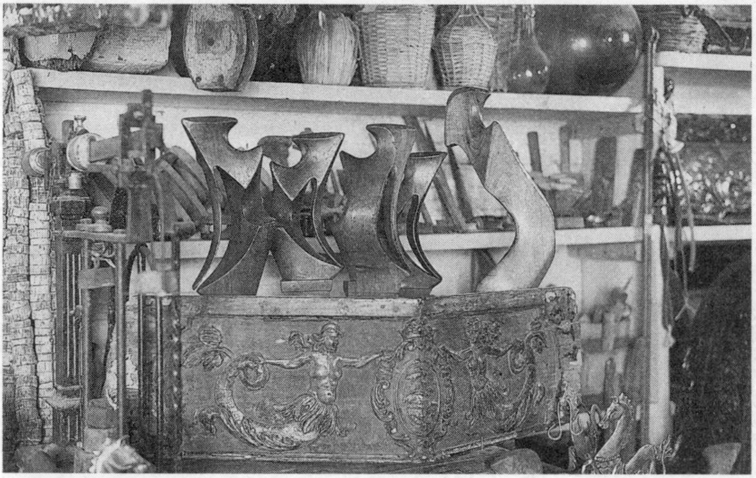

В мастерской-музее, в котором хранятся старинные части гондол

апрель
10
день двенадцатый

Свободный день. Поехали с Букаловыми в летнюю резиденцию римского папы Castel Gondolfo. Сначала в городок Неми. Городок клубники, земляники и колбас («яйца осла», «яйца дедушки»). Прелесть. Туристов нет — одни итальянцы. Потом обед. Запомнить: часы на башне папского летнего дворца, всего шесть цифр.

Потом вернулись в гостиницу. Ужинали в ресторане рядом с Виа Венета. Биток. Все-таки еда так себе.

апрель
11
день тринадцатый

Надя улетела в Лондон. Мы поехали в Барбарано Романо к Марко Мюллеру — директору Венецианского кинофестиваля. Городок прелестный: относится к середине XV века, окружен крепостной стеной и глубокими пропастями. Нас встретил сам Мюллер в черном китайском кителе. Лысоват, седоват, за стеклами очков живые голубые глаза. Пошли покупать нам еду и вино. Интервью. Очень интересное. Потом закусывали. Приятный человек.

Местечко Барбарано Романо.
Едим суп собственного приготовления,
а хозяин дома дегустирует собственное вино

Вот они, типичные итальянские крестьянские лица

Феноменальное впечатление от посещения крестьянской семьи — пожилые муж с женой. С ней готовили похлебку, а с ним говорили о политике. Он фашист («умеренный»). Разговор о порядке, о машинах, припаркованных на площади, где парковка запрещена. Чем был хорош Муссолини. Он и коммунист — тоже «умеренный». Потрясающие поющие старики. Это незабываемо. Лица, какие лица!

Добирались до Рима два с половиной часа, после чего я поехал к Джулиану. Совсем старый: в шерстяной шапочке, в халате, ноги перевязаны бандажами, ходит с помощью «ходилки». А голова и память — как у тридцатилетнего. Запомнить: he had a crush on Jaqueline, Steve — throat cancer, Steve's son Adam. Анна-Мария была какая-то молчаливая и печальная. Когда Джулиан пошел искать телефонный номер Роберто Вакка, она спросила:

— Ну, как ты его находишь?

Вызвала мне такси, но оно так и не пришло. Спасибо хозяину магазинчика, который вызвал мне другое.

Вечером ужинал с Ирмой— не хватило духу сказать ей, что она не будет участвовать. Придется написать.

День совершенно пустой. Моника Белуччи не приедет в Рим — заболел ребенок. Морока с этими звездами. К 15:00 поеду за пальто, потом к Букаловым.

Вылетаем во Флоренцию, чтобы взять интервью у Феррагамо, затем в Форте дей Марми, где нас ждет Бочелли, затем в Париж.

В Париже должны были взять интервью у Микеле Плачидо и Моники Белуччи. Плачидо отказался вчера из-за занятости. С Белуччи все было в подвешенном состоянии. Вроде все шло хорошо, потом нам сообщили, что у нее съемка для русского «Татлера», поэтому интервью отменяется, затем опять позвонили и сказали, что интервью все-таки будет. Посмотрим. Но вообще отличие французов от итальянцев заключается в следующем: если французы говорят «нет» — значит «нет», а если «да» — то это «да». У итальянцев «да» не означает ровно ничего.

Итак: встал в 4:30 утра, выехал в 5:00, самолет в 7:10. Все время клонит в сон. Полетел в Париж, поскольку прямого рейса из Москвы во Флоренцию нет. Долетел без приключений в терминал 2E, откуда надо было поехать на navetta (челнок) в терминал 2G. Самолет небольшой, довольно тесно, ручную кладь надо отдавать (и получать) у трапа. Долетели. Во Флоренции плюс тридцать. Встретила меня Лена. Минут через пятнадцать появились Влад, Стас, Женя, Володя. Поехали на двух такси. Я — в гостиницу «Helvetia and Bristol Hotel» — очень хорошая, с настроением. Через час — интервью с Феррагамо.

В 12:45 я в палаццо, которое принадлежит Феррагамо. Нас отлично принимают, скоро появляется сам: элегантен, чуть выше меня ростом (сто восемьдесят четыре сантиметра?), лет пятидесяти. Говорим по-английски. Очень интересное интервью — не только о создателе империи, Сальваторе Феррагамо, но и о том, как делается обувь, о молодежи, о положении в Италии. Любопытно: ничего не производят в Китае.

Говорю, что хочу купить пару туфель, — сам провожает меня в магазин, поручает меня продавцу. Туфли мне дарят, что дико неудобно.

Возвращаюсь в гостиницу (есть кондишн!), принимаю душ, беру камеру, иду снимать. Потом перекусываю на Пьяцца дель Пополо, потом отдыхаю, затем навещаю Лизу и Стефано и обратно — спать.

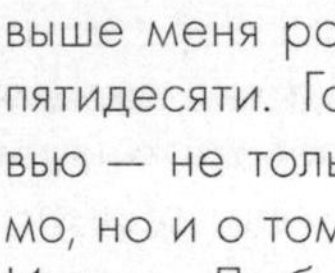

Встаю в 6:00, иду гулять по пустынной Флоренции. Вот красота! Фотографирую. Возвращаюсь, завтракаю. В 8:00 подъезжает минибус, едем в Форте. Бочелли ждет нас к 11:00, мы приезжаем в 9:40. Жара, но вблизи моря гораздо легче воспринимается. Ждем приезда девицы, которая впустит нас, минут двадцать. Потом она появляется. Особняк Бочелли стоит на первой линии. Три этажа. На втором — гигантская зала-студия. Дом обставлен симпатично. На стенах много его фото плюс платиновые и золотые диски. Помощница просит меня не затрагивать тему его слепоты, и я соглашаюсь.

Появляется Бочелли — красивый, крупный, пятьдесят два года. Очень интересный собеседник — явно много передумал, много читал. С хорошим чувством юмора: «Лучше всего учить иностранные языки с новыми девушками. Но для меня этот вариант в прошлом». Интересная и симпатичная жена. Заказывает нам обед в ресторане «La Barca».

Прогуливаемся километра полтора. Все очень вкусно. Потом возвращаемся, ждем, затем на двух такси едем в Пизу.

Белуччи, сука, отказалась в очередной раз. Я лечу в Париж по делу и в четверг — в Москву.

Вечером ужин с Марти Попадуром. Занимательно и полезно. Может быть, моя «Одноэтажная Америка» будет продана?

май
30
день семнадцатый

Вылет в Париж в 11:15. Доехал до Шереметьево без приключений, полет спокойный. Перечитал информацию по Белуччи, подготовил вопросы, потом смотрел «Гарри Поттер и дары смерти». Не читал ни одной книжки из серии про Поттера, но по уровню это похоже на «Волшебника из Оз» (не кино, конечно; американский фильм — шедевр, а это ерунда со спецэффектами и компьютерной графикой).

Долетел, поехал в гостиницу «Fouquet's», потом побежал на авеню Ваграм купить теннисные ракетки. Все нашел, в том числе банданы, которые искал столько времени без всякого успеха.

Звонил Ане и предупредил ее о съемках «Татлера», которые затягиваются: ехать к Белуччи надо не раньше 17:30. Приехал: улица дю Бак, 118. Громадный и очень красивый особняк XVIII века с совершенно потрясающим садом.

Белуччи снимается на ступеньках, спускающихся из салона в сад. У нее на поводке пять или шесть щенков-далматинцев. Она в какой-то немыслимой накидке из пушистых белых перьев.

Съемками занимаются человек пятнадцать. Наступает перерыв, она узнает меня. Любезна и проста в общении. Извиняется за то, что заставляет меня ждать, и за то, что три раза переносила дату интервью. Идет переодеваться, чтобы продолжить съемки за «чайным столом». То же с щенками-далматинцами. Далее следует портретная съемка. И все.

Она умопомрачительно красива. Вполне по-итальянски: есть попа, есть бедра, есть сиськи. Глаз не оторвать. Рот чувственный до холодка в животе.

Совершенно не играет в звезду, когда говорит, смотрит прямо в глаза, думает, совершенно не глупа. Интервью получилось.

P.S. Особняк время от времени сдается для подобных рекламных и иных съемок. Иначе его, видимо, невозможно содержать. Таковы налоги на недвижимость.

Вылет в Бриндизи через Рим. Самолет в 5:50, встаю в 4:00. Полет спокойный. Прилетел во Фьюмичино точно по расписанию. Довольно бестолковый аэропорт — как, впрочем, многое в Италии. Встретился с ребятами — Влад, Женя, Стас, Володя (они тоже летели из Москвы). В Рим прилетела Лена.

Дальше — в Бриндизи. Аэропорт маленький, но вполне аккуратный. Встречает нас водитель минибуса, на боках которого написано «ALBANO». Едем в его поместье. Жарко. Ландшафт плоский, как блин. Очень много оливковых плантаций. Едем мимо, а не через Бриндизи, дома сильно напоминают хрущевки. Проезжаем через маленький городок Туртуррано. Выглядит безрадостно: небольшие, без лица, дома в один-три этажа, ощущение, что здесь грязно. Сбоку появляется улица, по всей длине которой натянуты электрические гирлянды. Очевидно, это у них ночной Бродвей. Почему-то веет Диким Западом. Примерно через полчаса доезжаем до «поместья». Очень странное впечатление: огромное строение, состоящее из высоких каменных стен и зубчатых башен а-ля феодальная крепость. Это и гостиница, и детский сад, и спа, есть бассейн, теннисные корты, ресторан, бар. Есть винокурня, винный подвал, небольшая церквушка. Множество изображений святой Девы Марии и других святых, Папы

Иоанна Павла II. Довольно большое количество проживающих, в основном — итальянцев. И конечно, дом Альбано — просторный, но не отличающийся особым вкусом.

Сам Альбано заставил нас ждать минут сорок. Небольшого роста, плотненький, смуглый, длинные вьющиеся черные волосы. Лицо приятное, приветливое, улыбчивое. Очки. Неснимаемая шляпа «Борселлино». Дает прекрасное интервью — вдумчив, умен, выражает чувства. Отдает нам массу времени, всюду водит нас, устраивает полную экскурсию. Очень гордится построенным, показывая, часто приговаривает: «Bello?» Демонстрирует песок, привезенный с Красного моря, «Башню Любви», джакузи, бассейн, разные площадки, часовенку. Очень религиозен.

Подвал. Угощение красным вином местного производства «Платон» и «Тарас». Так себе.

Основное впечатление: добрый, приветливый, спокойный деревенский человек.

Обед: спагетти с помидорами, две бутылки вина (имени его отца), говядина, арбуз, ананас, кофе.

Жара адская. После экскурсии пошел в свой гостиничный номер: это мини-башня, мои апартаменты на втором этаже. Окна зашторены от солнца. Все помещение в камне, все предметы из оливкового дерева. Душно и липко. Душ — мечта (кстати, хороший). Уровень — четыре звезды, хотя нет Wi-Fi. Ложусь спать с обидой на «Apple» за то, что зарядное устройство не работает. Сплю сном мертвеца. Просыпаюсь в 4 утра.

В 5:00 едем в аэропорт, оттуда через Рим — в Турин, где должны встретиться со Спириным, Аней и Ваней.

В Турине нас ждут Мартини и Плащаница.

ИЮНЬ 9 день девятнадцатый

Опять встал в 4:00, выехали в 5:00, самолет в 6:50. Полет прошел нормально. Поболтали о том о сем, полетели из Рима в Турин, где нас встретили Валерий, Аня, Марио (муж Лены), который взял отпуск, чтобы поработать шофером. Первое впечатление хорошее: кра-

Это совершенно легендарная машина, которая участвовала в гонках «Формулы-1». Как в ней разместился Иван Ургант (которого нет а фото) — уму непостижимо

Отпрыск знаменитого рода Чезаре Мартини с девицами и без

сивый, на итальянский лад, сицилианец. Чуть-чуть говорит по-русски.

Наша машина — светло-серая, довольно красивая «Рено». Пока за рулем Марио. Еще не дали ей имени.

Поехали в гостиницу «Principi di Piemonte» — бассейн, wellness, спа, но ничего особенного.

Ваня прилетел уставшим, прямо с корабля на бал, попросил дать ему минут сорок на душ и прочее. Едем в Дом приемов на заводе «Martini & Rossi». Город Турин не производит никакого впечатления. Какой-то не итальянский. Более-менее — улицы с аркадами, а так...

Приехали. Размах колоссальный. Сам же наш герой Чезаре Мартини (почему-то русские коверкают его имя, говоря ЧеЗАре вместо ЧЕзаре. Ему точную характеристику дал Валерий: хлыщ средних лет. Слащаво-красивый, тщательно одетый (ослепительно белая рубашка с открытым воротником, темно-синий шелковый костюм), белозубая улыбка. Насколько я смог понять, занимается пиаром. Живет в Америке. Мил, но не более того. Интервью не представляет никакого интереса.

Съемки начинаются со сцены с гоночной машиной, в которой самое смешное то, как Ваня пытается сесть за руль. Затем интервью. После — посещение подвала-музея. Потом возвращение в гостиницу, где я отдыхаю, а Ваня едет с Чезаре в какое-то кафе, чтобы поговорить о том, как в Италии клеят девушек (придумка Валерия).

Ужинаем в «Trattoria della Posta». В общем, вкусно, но средне. Закуска типично пьемонтская (сало, колбаса, жареные шкварки, рисовый салат). Затем следует паста (вкусная) и свинина al forno — совершенно так себе. Вино неплохое. Кофе отличный.

Все. Деньги отработали. Удовольствия никакого.

Завтра будем смотреть Плащаницу, потом едем в Венецию. Не удалось поговорить с Валерием насчет концепции, которая мне кажется странной.

Плащаница хранится в соборе Святого Иоанна Крестителя в большом алькове за бронированным стеклом, в огромном прямоугольном ящике, куда закачан инертный газ для ее защиты. Люди подходят, молятся. Нас встретил священник — худощавый, в очках, вполне адекватный. Согласился, что у Католической церкви есть серьезные проблемы («вызовы»). Как он сказал, девяносто процентов итальянцев хотят, чтобы их крестили, но истинно верующих среди них очень мало.

Плащаницу показывают раз в десять лет. Католическая церковь хранит молчание относительно ее подлинности.

Поехали в Венецию. В машине у нас с Ваней происходит дискуссия о вере. Его позиция: есть Всевышний, который все определяет. К Церкви относится с прохладцей, но религию признает. Предмет знает средне — это в лучшем случае.

Поговорили, потом посмотрели на компьютере михалковскую «Цитадель». Редкое безобразие. Нет слов.

Приехали. Дальше — на водяном такси в гостиницу «Luna Baglioni». И оттуда сразу в больницу Ospitale Civile. Сама больница с высоченными старинными потолками производит сильное впечатление. Здание относится к XVII веку, но раньше — в XIV веке — на этом месте был построен приют для брошеных детей, который существует по сей день. Кроме того, здесь же была больница для бедных, монастырь и отделение для неизлечимых (первый в истории хоспис?).

Древний житель Венеции, который, как сам город, тихо разрушается...

Очарование Венеции ощущается абсолютно во всем...

Очень симпатичный врач повел нас в родильное отделение, где мы поснимали двух новорожденных девочек-гражданок Венеции. Одну — Анну — Ваня взял на руки. Очень трогательно. Врач сообщил, что в Венеции в год рождается около шестисот детей — это при населении в сто тысяч человек (!). Проблемы: молодые уезжают из города, потому что в нем нет для них работы.

Конечно, город невыразимо прекрасен, но его портят толпы туристов.

Утром — встреча с полицией. Принимает нас начальник полиции города — импозантный мужчина лет пятидесяти. В гражданском, хотя он в чине генерала. Рядом с ним очень красивая женщина в столь же красивой форме, подчеркивающей все прелести ее незаурядной фигуры. Блондинка (на севере Италии их много). Строгая донельзя, как и подобает полицейскому. Судя по словам начальника, в Венеции преступности меньше, чем в других больших городах, да и сама преступность иная: карманники, наркотики. Банд нет. Важно: преступнику отсюда трудно удрать.

Сели на полицейский катер и поплыли с майором (та самая блондинка) и еще одним полицейским. Ему тоже лет пятьдесят, работает в полиции тридцать лет, последние двадцать — в Венеции. Внушительнейших размеров. За двадцать лет лишь дважды использовал огнестрельное оружие: один раз стрелял в воздух, другой — на поражение. Очень колоритный. Замечательные слова: «Говорить надо медленно, думать — быстро».

Потом отвезли нас к пожарным. Начальник — маленький, очкастый, невзрачный, но симпатичный. Венеция — деревянный город, пожароопасный (случай с пожаром «La Fenice»), все противопожарные лодки снабжены особыми насосами, чтобы прямо из лагуны и каналов брать воду. Но она соленая, что может нанести вред. По городу расположено более пятисот гидрантов с пресной водой.

Наша следующая встреча — с прямым потомком Дожей (с XIV века), корни его семьи — отсюда, ее история насчитывает уже тысячу лет. Изящный, учтивый, дает интервью по-французски.

В Венеции лодка — это как велосипед в Амстердаме или верблюд в пустыне

Возглавляет Совет по охране города. Очень переживает за его будущее, считает, что основная проблема — массовый туризм (более шестидесяти одной тысячи человек в день). Главная черта венецианца: неопределенность, переменчивость — словно вода, которая все время меняется.

Вечером плывем на Сан-Микеле. За нами приплыл на моторке священник. Когда-то его орден отвечал за кладбище и привозил туда усопших, теперь это бизнес, которым занимается похоронное бюро. Все определяется деньгами: в колумбарий — цена одна, развеять прах над городом — другая. Реальная могила очень дорога. После двадцати лет по решению администрации могут эксгумировать останки и поместить их в колумбарий, чтобы освободить место для другого. Сейчас там захоронено порядка ста тысяч человек. Наполеон объединил два острова и превратил их в кладбище Сан-Микеле, до этого людей хоронили близ церквей.

Члены съемочной группы держат меня «под колпаком»

Все-таки нет ничего грациознее гондолы...

Самое отвратительное, что есть в Венеции, — это гондольеры. Они хамы, грубияны, алчны беспредельно, их интересуют только деньги. Хотели сделать интервью с гондольером, заплатили деньги, а все кончилось скандалом и руганью.

Мое решение проблем Венеции (для ее спасения):

1. Ограничить количество туристов до тридцати тысяч в день (конечно, все лавочники, хозяева ресторанов и гостиниц будут против, но тем не менее).
2. Создать несколько вузов для подготовки врачей, учителей, специалистов в области хай-тека, художников и так далее, создать рабочие места для молодежи.
3. Убрать из города сомалийцев и прочих, торгующих фейк-сумками и так далее.
4. Запретить громадным лайнерам вход в лагуну.
5. Взимать плату с каждого человека, который посещает город.

Посещение монастыря, где якобы в 1220 году остановился святой Франциск Ассизский. Нас встречает брат Роберто — упитанный монах-францисканец, подпоясанный веревкой, на которой три узла, символизирующих три главных принципа францисканцев: бедность, послушание и воздержание. На правой руке у брата Роберто красуются явно дорогие часы...

Он произвел на меня впечатление человека, который отрабатывает номер.

Затем на очереди — шеф-повар, хозяин траттории «Al Covo». Симпатичнейший, высокий седой усач. Вместе готовили fritta mista. Здорово. Интересно. Вкусно.

Далее кафе «Florian» и его арт-директор. Тоже симпатяга. Венецианец в шестом поколении. Называет себя «исчезающим видом». Город, говорит он, погибает, не выдерживает наплыва туристов, все решают деньги, да и только. Водит по кафе: появилось в 1720 году, стало самым старым кафе в мире после того, как «Le Procope» в Париже превратился из кафе в ресторан.

Вечером накануне я в очередной раз сломал правый передний зуб, так что не должен улыбаться. Сообразил по-

Брат Роберто, член ордена францисканцев.
Признаться, не произвел на меня впечатление человека, живущего аскетом

звонить Ирине Строцци, которая пообещала устроить меня к дантисту.

Регата, парад, история, соревнование между Пизой, Генуей, Амальфи и Венецией. Довольно красочно, особенно аутентичные костюмы. Интервью с мэром: невысокого роста, седоватый, лет шестидесяти, типичный — в худшем смысле — политик. «Все хорошо. Туристы? Не проблема. Напротив, очень полезно, приносят много денег. Убывание населения? Не проблема, потому что не убывает. Природа, вода — вот это проблема. А вообще-то — тьфу! Все хорошо, прекрасная маркиза». Я таких видел сотни. Тошнит.

От волшебной, таинственной Венеции впечатление тяжелое: тьма туристов, протискиваешься сквозь них, как сквозь заросли, — и это не преувеличение. Жуткое количество мусора, который прибивается к набережным Большого канала. Это невыносимо. Город гибнет — и не потому, что он постепенно уходит под воду, а потому, что его убивают сами люди — их алчность, тупость, близорукость.

Завтра выезжаю в 6 утра, чтобы поспеть к дантисту к 10:00. Предстоит: приготовление зайца в шоколаде у Строцци и мороженое в Сан-Джиминьяно.

Дантист оказался отличный. Встретили меня Ирина и Наталья Строцци. Денег с меня не взяли.

Поехали в поместье. Готовили с Ириной зайца (вернее, кролика — не сезон зайцев) в шоколаде. Супер! Потом ели-пили, прошлись по дворцу с ее мужем, князем Джироламо. Далее отправились в Сан-Джиминьяно к чемпиону мира по деланию мороженого. Очень веселый, колоритный человек. Там же — магазин, где торгуют колбасой из кабанины. Затем Ваня уехал в Форте, а я во Флоренцию. Фильм отличный. Радость: нашел будто бы потерянный итальянский телефон. Ура!

GONDOLE

GENOVA

VENEZIA

ИЮНЬ 14
день двадцать четвертый

В 8 утра должны встретиться у Санта-Мария-дель-Фьоре. Пошел пешком — минут пятнадцать. Город пустой и прекрасный. Пришел на площадь в 7:30. Кафе только начинают готовиться к приему первых посетителей. От окружающей красоты можно, словно Стендаль, онеметь. В восемь подошел гид — маленькая, бледная, со страдальческим выражением лица женщина, которая утопает в своей форме. Итак, начинаем подниматься на крышу (как велел Дзеффирелли). Прямо у начала лестницы таблички: «Не пишите на стенах». Все стены сверху донизу исписаны. Что за люди?! Вспоминается Холден Колфилд. Подьем не из легких. Потолок расписан в основном Вазари. Потрясающей красоты. Добираемся до смотровой площадки — высота девяносто один метр. Вид на город совершенно умопомрачительный. Спасибо, Франко! Уже тучи народа. Спуск сильно затруднен.

Потом пьем кофе на площади. Едем к сапожнику, Стефано Бемеру. Симпатичный человек. Малюсенький магазин для заказа обуви неземной красоты. Стоит от двух тысяч евро. Порядок: 1) снимается мерка; 2) минимум через два месяца надо приехать на первую примерку, потом через месяц еще раз на финальную. Посетили мастерскую. После пошли в магазин готовой обуви, тоже со своей мастерской, кожей, мастерами. Цена — от 890 до 980 евро. Ваня не выдерживает, покупает пару, которую должны подправить по его ноге к июлю. Я тоже покупаю — с большой скидкой, за 750 евро.

Обед — рядом в крохотном ресторанчике. Вкуснейший крестьянский суп, очень вкусный ростбиф, зеленый салат, стакан красного вина «Maison». Всего десять евро.

Я там забываю шляпу!

Едем в гостиницу на полтора часа, потом к художнику-копиисту. Чистой воды наебательство, не говоря уж о потерянном времени.

Вечером предстоит флорентийский стейк у какого-то знаменитого мясника-шефа. Посмотрим.

До мясника ехать порядка тридцати пяти километров. Приехали чуть позже 20:00. Солнце мягкое, свет совершенно волшебный — мечта художника. Пейзаж красив до невозможности: виноградники, пинии, холмы — удивительное зрелище.. Мясная лавка — на первом этаже. Не успели войти, как вбежал хозяин, налил нам по бокалу «Кьянти», подал тарелку с нарезанной колбасой и маслинами. Сам — веселый, громкий, кудрявый, усатый, большой, колоритный; уже сорок два года как мясник (начал в тринадцать лет). На входе в лавку — памятная доска 2001 года: «Здесь умер флорентийский стейк» (напоминание о коровьем бешенстве). Флорентийский стейк весит 2–2,5 кило, это кусок красивейшего мяса. Готовится на гриле: шесть минут с одной стороны, шесть — с другой и пятнадцать — «на попа». Все. Ничего более.

Ресторан расположен наверху, под крышей и на открытой террасе. Много столов, для нас приготовлен отдельный. Гриль — огромное сооружение пирамидальной формы. «Это моя церковь», — говорит хозяин. Мясо бесподобное, такого я не ел никогда. Конечно, тому, кто любит мясо хорошей прожарки, здесь делать нечего.

Хозяин Дарио Чеккини неплохо говорит по-французски. Очень нами доволен. Подача стейка — целый спектакль, который он разыгрывает мастерски и с удовольствием.

Во время ужина, еще до стейка, нам подают «сашими» (совершенно сырое нарубленное мясо), а после «кусок жопы»; кроме того, сырые овощи, «Кьянти» и граппу — с фокусом, который исполняет один из поваров. Думаю, получили хорошие кадры для фильма.

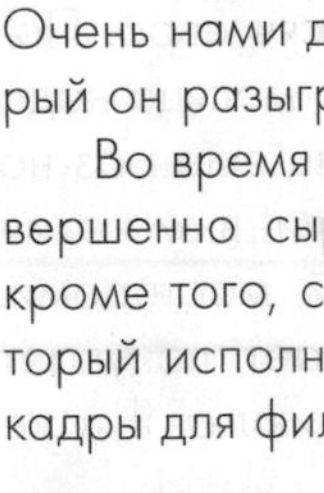

С утра — коридор Вазари, который соединяет Палаццо Веккьо с Палаццо Питти. Был построен по приказу Козимо I Медичи и проходит над мостом Понте Веккьо. Все стены завешаны автопортретами самых разных художников, в том числе вполне великих. Все это организовала для нас Ирина Строцци.

После коридора — stand-up с Ваней на мосту. Еле выдержал. Бесконечное количество острот, в том числе плоских и совершенно не смешных, вызывает у меня дикое раздражение.

Пошли к переплетчику. На самом деле очень интересно — не только и не столько сам процесс, сколько стремление человека сохранить умирающую традицию.

Потом небольшой отдых в гостинице, после чего поехал на встречу в Болгери. Довольно вялый разговор в машине о Венеции, Строцци, Тоскане. Устал. Жарко. Кроме того, раздражен.

Доехали до Кастаньето Кардучи. Нахлынула волна воспоминаний. Тяжеловато. Гостиница ничего, полно русских. Ужинал с Ваней и Валерием. Дико хотел спать. Одно хорошо: поговорил с Катей по скайпу.

Завтра — что-то в Болгери, потом едем в Рим.

Поехали в городок Болгери — это рядом с Castagnetto Carducci, совсем недалеко от дома Адрираны Мила, женщины, у которой я снимал дома еще в «старой жизни». Нахлынула в связи с этим целая волна воспоминаний. Было тяжеловато. Болгери — малюсенький городок, где, как показалось, больше едален, чем чего-либо другого. Встретила нас совершенно замечательная итальянская женщина — довольно высокая, стройная, с крупными и яркими чертами лица. Она хозяйка ресторана и винотеки. Вместе с ней приготовили суп, который рекомендовал нам князь Строцци. Работали с Ваней на кухне. Потом ели и пили. Суп — вкуснейший. Вино, как говорят французы, buvable. Не забыть, что до этого съездили к крестьянам за продуктами — все свое. Я, как оказалось, так соскучился по свежим овощам, что напихался вкуснейшими помидорами, сладким перцем огромного размера и сладчайшим луком.

От городка веет покоем.

Поехали в Рим, но с заездом в пиццерию. Ехали четыре часа, в пиццерии были в девятом часу вечера. Там почти пусто. Выходит хозяин — седой, усатый, веселый, темпераментный, выходит его толстенная супруга, обнимаются с Марио. Сын — за прилавком. Чемпион мира по «акробатической пицце». Есть только одна настоящая пицца — неаполитанская (добилась получения DOC), остальное — не настоящее, не подлинное.

Делаем с Ваней пиццу. Кажется, чего проще. Ан нет. У нас

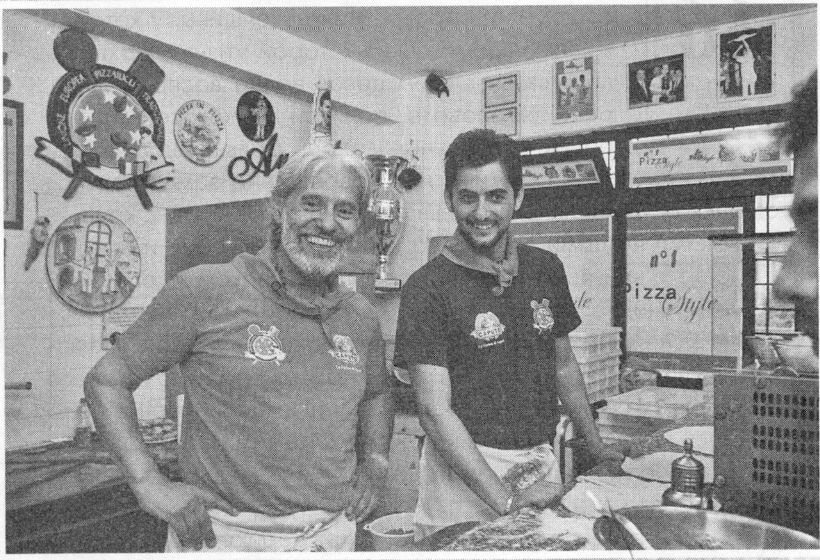

Чемпионы мира по пицце Альфредо и его сын Марино Фольеро. Они приехали в Рим из Неаполя, где делают лучшие в мире пиццы

получается что-то куцее и малопривлекательное. Но одну более или менее сносную я таки изготовил, а потом съел на неаполитанский лад — сложив вчетверо «карманом», за что получил от хозяйки подарок в виде фартука, майки, бейсболки и наручных часов с маркой заведения.

Тем временем народу набилось видимо-невидимо, какой-то детский праздник. Бедлам.

Еду в «Hassler». Падаю замертво.

Пришлось уехать в Женеву по личным делам на один день.

Едем в Барбарано Романо. Средневековый городок: три улицы, одна тысяча жителей, дома почти все XV—XVI веков. Сюда нас позвал Марко Мюллер. В крестьянском доме делаем очередной суп. Очень вкусный. Колоритный хозяин — «умеренный фашист». Да и хозяйка хороша.

Вообще день очень удачный, если не считать того, что в очередной раз сломал зуб об вишневую косточку. Срочно звоню Гале Букаловой, она — Иезуитову: дантист будет ждать меня в 20:00. (Он когда-то был оператором в бюро НТВ, а потом просто остался в Италии, где «вольным стрелком» выполняет разные заказы.)

Небольшой stand-up у «дома с призраками» и разговор с добровольцами «Охраны населения». Это тебе не народная дружина. Производят реальное впечатление — форма, автомобили, обучение. Молодцы. А потом вообще блеск: выпивание вина (местного), поедание вишен, сыра и колбасы и сбор местных стариков, которые пришли играть в «десять» и петь. Это полнейший восторг.

Поехал и к дантисту — отличный мужик, все сделал, буду надеяться, что зуб выдержит.

Ужинали с Валерием и Аней у Букаловых. Было, как всегда, очень симпатично.

Завтра завершаем Рим.

ИЮНЬ
19
день двадцать девятый

Первая встреча в 11:00 в «Harry's Bar» на Виа Венета. Нас там ждет «Король папарацци». Хорош до умопомрачения: оранжевый жилет на розовой сильно расстегнутой сорочке, коричневые брюки и начищенные до зеркального блеска красивейшие туфли красновато-оранжевато-коричневого цвета. Курит одну от другой — четыре пачки в день. Ему шестьдесят пять лет. Редковатые крашеные волосы («с седыми в ночные клубы не пускают»), большие навыкате карие глаза, прямой нос, тонкие усы. Жестикуляция и гримасы бесподобны. Очень смешной, отлично все понимает. Учит: «Никогда не надо влюбляться. Влюбишься — и делу конец, ты связан и привязан». Самый итальянец из пока что увиденных нами итальянцев.

o—o

Потом Форум. Жара несусветная. Народу — тьма. Несколько stand-up и проходов.

Обед.

Встреча с четой Мартини (никакого отношения к известной семье). Она англичанка, но уже пятьдесят лет в Риме. Он итальянец, архитектор, переехал в Рим из Флоренции, когда ему было три года. Разговор очень интересный и предметный. Оба любят Рим, но не любят римлян, которым на все наплевать: «Все, что дальше ладони от меня, я ебал».

o—o

Около 20:00 приехали в Асколи Пичено (по совету Маргериты Хак). Ехали почти три часа. Остановились в гостинице «Palazzo Guiderocchi». У меня грандиозный номер: высоченный, весь каменно-мраморный. Что за городок? Завтра пойму больше.

ИЮНЬ 20
день тридцатый

Утром вышел на Пьяцца дель Пополо и совершенно опешил. Красота! Вот молодец Маргерита Хак! Городок прелестный, весь погружен в историю — драматичную, кровавую, героическую. Смотришь: на площади — три кафе, за столиками местное население не спеша пьет кофе, читает газеты, и все это происходит у подножия поразительного собора XII века! В его тенистых альковах сидят подростки (прячутся от солнца). Ну как это может не влиять на формирование людей?!

Провели несколько часов: stand-up, «жанр», разговоры со стариками (здорово!). И поехали в Альберобелло смотреть на трулли (cabana). Что такое «трулли»? Лучше один раз увидеть, чем сто раз услышать. Посмотрите фотографии в книге...

Ехать четыреста шестьдесят километров. Но добрались без проблем. Первое впечатление очень приятное. Люди приветливые, вежливые, улыбчивые, еда вкусная.

Ближе к 23:00 прибыл Ваня. Вспомнить: разговор со Спириным. Прямо беда — все симптомы «звездной болезни». Скорее всего, больше он с нами не поедет. Все мучаюсь: поговорить с ним, написать ему? Или ну его?

ИЮНЬ 21
день тридцать первый

Альберобелло. Приехали ночью, когда за окнами машины не видно ничего. Гостиница называется «Le Alcove» — на французский лад. Привели меня в трулло при гостинице. Ну, ничего особенного, хотя и любопытно: каменное иглу. Тут же рядом поужинали в маленьком ресторанчике. Люди необыкновенно приветливые, услужливые, улыбчивые.

Утром отправились в ресторан «Il Poeta Contadino», владельцем и шеф-поваром которого является Марко Леонардо. Готовим oriette, это паста в форме маленьких ушек, в соусе из растворенных в оливковом масле рыбок (!), ну и так далее.

Потом пошли смотреть трулли. Очень любопытно. Главное: построены без цемента, без скрепляющего материала. Как только приближался сборщик налогов, чтобы взимать плату за недвижимость (это был представитель неаполитанского короля), тут же выдергивали краеугольный камень, и весь дом рушился!

Потом пообедали у господина Леонардо. Вообще, вкусно, но лишний раз убеждаюсь в том, что итальянская кухня лишена утонченности.

Все. Едем в Неаполь.

Приезжаем часа через четыре, два из которых я проспал. Город большой. Первое яркое впечатление — горы мусора. Его не убирают (почему?!).

Гостиница «Hotel Grand Vesuvio 1882», безусловно, лучшая из всех, в которых я побывал за время этой поездки (и уж точно не уступает ни «Hassler», ни «Regency»).

Капри. Ничего интересного. Какой-то ресторан высокой кухни, который не произвел впечатления. Затем — совершенно пустой разговор с Ваней о кухне и об Италии. Бесконечные дурацкие остроты. Хоть одно сделал — показал им виллу Сан-Микеле. Не уверен, что прочувствовали...

Вот это был день!

Утро: начальник полиции. Красавец сорока четырех лет, умница, хорошо слушает, толково говорит. Масса интересного: его давний разговор с главарем Каморры; тридцать процентов населения Неаполя имеют судимость. Сын полицейского, жена — дочь полицейского. Объяснил (наконец-то!) разницу между мафией (cosa nostra) и Каморрой. Коза ностра — антигосударственные, они внедряют своих людей в органы власти, им нужна власть. Каморра — это деньги и только деньги (не забыть ндрангету в Калабрии). Словом, очень интересно. Он согласен, что государство, власть во многом повинны в преступности.

В 14:30 встреча с бывшим каморристом, ныне киноактером Сальваторе Стриано. Встретились на площади Данте (вообще, город очень и очень красивый, но и невероятно запущенный).

Поехали с ним в его квартал — Испанский квартал — это что-то! Узенькие улочки, дома-трущобы, сотни людей (в том числе подростки) снуют на мотороллерах — по двое, по трое. Случай: полицейский останавливает мотороллер, на котором сидят трое подростков. Грозно: «Почему вас трое?!» Ответ: «А потому что четвертый не помещается». На мотороллерах все: девушки, молодые женщины, старухи, тонкие, толстые. Пришли в жилище — квартирой назвать нельзя. Веет нищетой. Разговор потрясающий. Он довел меня до слез. Правда, я его тоже.

Вечером ужинаем с ним и с его друзьями и женами. Не забыть о ребенке в этом жилище, о матери и отце, о гостеприимстве и бутылке кока-колы.

o—o

Ужин. Думаю, второго такого не будет. Сам плюс четверо друзей. За щеку хватают (знак симпатии), говорят на диалекте, называют меня «the bigga boss», веселые, теплые, но... не дай бог.

o—o

Местный юмор — таксист переспрашивает: «Вам в гостиницу или на вулкан?»

Представление о деньгах. Другой таксист: «Гостиница у вас дорогая? Неужели сто евро за ночь?» Язык не поворачивается назвать реальную цену.

Будто попал в кино Феллини.

Отношение к местной власти: «Савьяно (мэр Неаполя) — говно, предатель, вместо того, чтобы помочь, только зарабатывает на нас. Шеф полиции — молодец, может ходить без охраны, никто не тронет. А Савьяно ходит с охраной и вечно прячется».

Уйма впечатлений, это незабываемо (вспомнить о том, что произошло с начальником полиции).

Поехали в Равелло. Прав был Гуэрра, очень красиво, но не более того. Stand-up, и, собственно, все, если не считать того, что ступни прямо горят, так больно, что невозможно ходить. Что это — совершенно не понимаю.

Полетим к Марио в Рим. Чуть не опоздали на самолет.

Прилетел в Катанию, где меня встретил водитель Витторио. Похож на французского комедийного актера Луи де Фюнеса. Довольно прилично говорит по-французски. Поехали в Таормино. Потрясающая гостиница в бывшем монастыре XV века.

Потом проезд на машине с Ваней — разговор о машине (будто это начало путешествия), дали ей имя «Catherine/Caterina» (вспомнив Екатерину Медичи, жену французского короля Генриха II). Ваня без конца и не очень удачно острит.

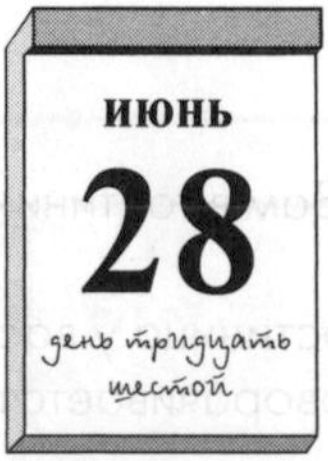

День свободный, поскольку полиция отказалась полететь с нами на вертолете над островом Лампедуза, куда только что высадились восемьсот потенциальных иммигрантов из Африки. Так что плавал, читал, загорал, думал.

Во второй половине дня — новый проезд на машине, разговор об Италии, мой stand-up о нефтеперерабатывающем заводе «ЛУКойла». Противно, но долг платежом красен.

Вечером — ужин в семье Лены и Марио. Замечательно. Человек тридцать. Со свекровью Лены вместе готовим пасту и котлеты, завернутые в лимонные листья, на углях. Очень вкусно и весело.

Прощаемся с Ваней и Натальей.

ИЮНЬ
29
день тридцать седьмой

Вертолет над Этной. Ничего особенного, хотя и необыкновенно красиво.

Потом так называемый «сицилианский завтрак»: эспрессо, granite, бриошь, ледяная вода. Конечно, «граните» звучит изящнее и интереснее, чем «мороженое» — хотя на самом деле это и есть мороженое. Не внушаеть, как сказал бы незабвенный Хрюн Моржов.

Далее — бензоколонка «ЛУКойл», делаем вид, что заправлялись на трех. Всего их на Сицилии тринадцать. Затем — съемки завода, и едем в Палермо, куда прибываем в 9 вечера. Ужинаем хором в местной харчевне, которая знаменита тем, что в ее меню — семьдесят одно мясное блюдо.

Утром отправляемся в город Монреале, который примыкает к Палермо. Будем смотреть собор. Это нечто феноменальное. Запомнить: норманны, Вильгельм II, образование государства Сицилия.

Потом — ресторан и паста по рекомендации Дольче. Паста с сардинами — это самое вкусное из всего, что я ел за наше путешествие.

КОНЕЦ... почти.

ИЮЛЬ
06
день тридцать восьмой

Едем в Чинкве Терре по моей рекомендации, а в промежутке будем снимать «жанр» по Италии. Вот это и в самом деле буквально «Пять земель», пять городков, причудливым образом прицепившихся к крутым горным склонам, резко уходящим вниз в море.

КОНЕЦ

Владимир Познер

ТУР ДЕ ФРАНС
ИХ ИТАЛИЯ

Ведущий редактор *М. П. Николаева*
Корректор *И.Н. Мокина*
Технический редактор *Н. И. Духанина*
Компьютерная верстка *Е.М. Илюшиной*

Подписано в печать 20. 01.14. Формат 60x90/16. Усл. печ. л. 32,00 + цв. вкл. 4,0.
Тираж 7 000 экз. Заказ №1319

Общероссийский классификатор продукции
ОК-005-93, том 2; 953000 – книги, брошюры

ООО «Издательство АСТ»
129085, РФ, г. Москва, Звездный бульвар, дом 21, стр. 3, ком. 5

Отпечатано с готовых файлов заказчика
в ОАО «Первая Образцовая типография»,
филиал «УЛЬЯНОВСКИЙ ДОМ ПЕЧАТИ»
432980, г. Ульяновск, ул. Гончарова, 14